新潮文庫

凍える牙

乃南アサ著

新潮社版

6407

凍《こご》える牙《きば》

プロローグ

その日は夕暮れ頃から、急に北寄りの風が強くなった。街は日没と共に色彩を失い、建物の隅や、日頃はまるで目立たないような場所で、枯葉が小さな渦を巻いて踊り、人々は砂粒や埃《ほこり》から目を守ろうと、しかめ面《つら》で行き過ぎた。つい先週までの正月休みの間は、多少なりとも華やいだ雰囲気があった界隈《かいわい》だが、追いたてられるように家路を急ぐ人々の群は、全体に灰色で活気もない。やがて通勤ラッシュもピークを過ぎる頃、東の空に月が現れた。月が昇り、さらに夜が更《ふ》けると、強風にもかかわらず、駅前には一人でギターをかき鳴らす若者や、ビートルズのナンバーばかりを歌い続ける白人が現れた。歌声もギターの音も、野次馬のまばらな拍手も、風のうなりと共に上空に巻き上げられた。新年会の帰りらしい泥酔者《でいすいしゃ》の怒号、寒さなど気にならないらしい学生の騒ぎも、瞬《また》く間に埃にまみれた。

男が店の入り口に現れたとき、真っ先に気付いたのはアルバイトの木崎昌代《きざきまさよ》という娘だった。繁華街の外れにあるファミリーレストランは、幹線道路に面しているせいもあって、電車が終わろうとする時刻になっても混雑する。その夜も、六割ほどの席が埋まっていた。正月はスキーに明け暮れ、春までに、あと二回は滑りに行きたいと考えていた昌代は、一九歳の専門学校生だった。

午後一一時五〇分過ぎ、その夜は一〇時からのシフトに入っていた昌代が、大きめのコーヒーポットを持って、キャッシャーの前を通り、客席に向かおうとしていたときに、外の冷たい空気が舞い込んできた。店の入り口は二重のドアになっているが、それでも風向きによっては、客が出入りする度に、埃っぽい風が、枯葉や車の騒音と共に吹き込んでくる。昌代たちに配られているユニフォームは薄っぺらい木綿の生地で出来ており、しかも半袖《はんそで》だったから、冷たい風に、彼女の腕には一瞬にして鳥肌がたった。

「後からもう一人来るから」

振り返った昌代に向かって、男はいかにも慣れた口調で言った。わずかにかすれた、男性にしては比較的高い声だった。昌代は、一度に二〇杯分は淹《い》れられるコーヒーポットを持ったまま、客を案内したくないと思った。だが、キャッシャーの前には誰もいなかったし、他の声が「ご案内いたします」と言うこともなかった。深夜の時間帯は、ホールも厨房《ちゅうぼう》も、常にぎりぎりの人数で動いている。

「お煙草《たばこ》は、お吸いになりますか」

「ああ」

仕方なくコーヒーポットを持ったまま、踵《きびす》を返し、昌代はレジスターの脇《わき》のポケットに差し込まれているメニューを取り上げた。

マニュアル通りに煙草のことを聞きはしたものの、昌代は、男に見覚えがあった。顔を見てもぴんと来なかったが、その声で思い出した。これまでに四、五回は見かけている。三〇代の後半というところだろうか、普通のサラリーマンなどではないということは、男が着ているスーツの、紫がかったグレーという色あいと、セカンドバッグを持った手首に、太い金のブレスレットが光っていることで分かる。コートを羽織っていないところを見ると、車で来ているのだろう。確か、いつもかなり遅い時刻になってから現れる客で、必ず携帯電話をテーブルの上に置くという程度のことは覚えている。大勢の客の間を歩き回っている昌代にとっては、それ以上の興味を持つ余裕など、とてもありはしなかったが、男の声に多少の特徴があることと、そのブレスレットでどうにか覚えていた。

「お決まりになりましたら、お呼び下さい」

ランチタイムにはサラダバーとして使用する長方形のケースの前を通り抜けて、男を道路沿いの窓際《まどぎわ》の席に案内し、彼の前にメニューを置くと、昌代はマニュアル通りのことを言った。半円形のテーブルを取り囲むように、同じく弧を描いているピンク色のソファーに尻《しり》を滑り込ませた男は、昌代の言葉には何の反応も示さず、黙ってメニューに手を伸ばした。店員の言葉に、いちいち返事をする客は少ない。店員の方でも、そんなものは期待していないから、決められた通りのことだけを言って、昌代はすぐに他の客にコーヒーのおかわりを聞いて歩いた。数分後、男の前に戻ると、彼はビールとフライドポテトを注文した。

――運転があるんじゃないの？

男の前からメニューを引き上げ、機械的に「お待ち下さい」と言いながら、昌代はそんなことを考えた覚えがある。それから何分が過ぎただろうか。またもや冷たい空気と共に新しく現れた二人連れの客を席に案内した後、彼女は瓶ビールとグラスをトレイにのせて、再び例の男の席へ向かって歩き始めた。お待たせいたしましたと、喉元《のどもと》まで出かかったときだった。目の前で、突然炎が噴き上がった。と、同時に、店内に動物の雄《お》叫《たけ》びのような声が響き渡った。

「――――！」

最初は、何が起きたのか分からなかった。次の瞬間、「いやあっ」という声を上げ、昌代はトレイも放り出して後ずさった。思わず尻餅《しりもち》をついた彼女の目の前で、ぼうっという音を上げて、一瞬のうちに男が炎に包まれたのだ。頭の中が真っ白になった。昌代の周囲で、悲鳴と共にがたがたと椅子《いす》を押し退《の》ける音がして、食器の割れる音が響いた。

昌代は、床に手をついたまま、ただ大きく目を見開いて、自分の前に繰り広げられている光景を見ていた。

「熱い、熱い！」

炎の中から雄叫びが聞こえた。火だるまになったままの男がゆらりと上体を揺らした。店内に怒号と悲鳴が溢《あふ》れた。昌代は、尻餅をついたままで後ずさりをした。立ち上がった男から火の粉が降ってくる。

「助けてくれ！　誰か！」

炎が喋《しゃべ》っているかのようだった。昌代の見上げる前で、シルエットにしか見えない人影が、炎の中で両手を動かしたのが分かった。ぼうっという凄《すさ》まじい炎の音がして、黒煙がもうもうと立ち上る。臭い。目が痛い。男の背後のカーテンにも、立ち上がった後のソファーにも、炎が燃え移っていた。

「熱い、熱いぃ、助けてくれぇっ！」

次の瞬間、炎は昌代のすぐ横に倒れ込んで、床を転げ回り始めた。昌代は悲鳴を上げて飛び退いた。耳元でちりちりという音がして、蛋白質《たんぱくしつ》の焦《こ》げる匂《にお》いが鼻をつく。右手に、鋭い痛みを感じた。男が動く度に周囲に炎が飛び散り、炎の子どもたちが、独自の意志を持っているかのように跳ね踊っている。昌代は、床に手をついたまま、呆然《ぼうぜん》と炎を見つめていた。何も考えられない、真っ白になったままの頭の片隅で、一瞬、感動に近いものが湧《わ》き起こっていた。それほどに、炎は生き生きと動き回り、燦然《さんぜん》とした光を放ち、美しかった。

「馬鹿《ばか》っ！　逃げろっ！」

背後で激しい声がした。その途端、昌代は呪縛《じゅばく》から解き放たれたように立ち上がった。カーペットが燃え始めている。予想を遥《はる》かに上回る速度で炎は成長し、飢えた怪物のように周囲の全《すべ》てをなめ尽くそうとしているのだ。店内を半分以上埋めていた客たちは、今や一斉に立ち上がり、悲鳴と共に店の入り口に走っていた。昌代は、客に踏まれ、または転んでいる客を踏み越えながら、自分も必死で逃げ始めた。

「お客様を先に避難させるんだ！」

誰かの声が聞こえたと思う。だが、そんなことを言っている場合ではなかった。冗談ではない、自分はただのアルバイトなのだ。そう思った途端に、昌代はものすごい力で肩を摑《つか》まれた。

「聞こえただろうっ、客が先なんだよ！」

振り返る暇もなく、昌代は殺到する人の後ろに突き飛ばされた。キャッシャーの角に背中を強く打ちつけて、昌代は再び呆然とその場に座り込んだ。

——嘘《うそ》でしょう。

のろのろと振り返ると、全身を炎に包まれた男からは、真っ黒い煙がもうもうと上がっており、彼は、もはや雄叫びを上げることもせず、本物の獣のようにうずくまっていた。

「もしもし、もしもし、人が、人が、燃えてます！」

頭上から声が聞こえた。あれは、確かマネージャーの声だ。逃げ出した客が殺到したお陰で、入り口から強い風が吹き込んできた。男を包む炎が一層大きくなった。その向こうにも、方々から炎が上がり始めている。めらめらと、いやな音がして、黒煙と鼻をつく刺激臭が満ちてきた。

「人が燃えて、店にも燃え移ってます！」

強風に煽《あお》られたせいか、客席のカーテンに移った火が、一気に大きく燃え広がるのが見えた。ぴしり、という音が聞こえたかと思うと、次の瞬間には、燃えているカーテンの向こうの窓が轟音《ごうおん》と共に一気に割れ落ちた。照明が消えた。再び悲鳴が上がる。新しい方向から風が吹き込み、闇《やみ》に包まれた店内で、炎と黒煙が渦を巻いた。こうなっては男のことどころではなかった。

——逃げなきゃ、逃げなきゃ！

客に踏みつけられ、悲鳴と怒号とをかき消すような炎の音を聞きながら、昌代は、とにかく必死で這《は》い始めた。焦げ臭い匂いに包まれて目が痛み、満足に開けてもいられない、頭は何を考えることもできない状態だったが、昌代の本能が、外気の吹き込む方向、安全な方向を探し求めていた。

第一章

1

玄関の扉を引くと、いかにも作りものめいた芳香剤の香りが鼻腔《びこう》を刺激する。宣伝にのせられて買ってはみたが、爽《さわ》やかどころか、逆にわざとらしくて癇《かん》にさわる香りだと思いながら、音道貴子《おとみちたかこ》は玄関にブーツの足を踏み入れた。

——これじゃあ、玄関からトイレみたい。

あと何日、帰宅するたびにこの匂《にお》いに接するのか、疲れているときに、逆に苛立《いらだ》つような香りに迎えられるのでは、たまったものではないと思う。貴子は、手探りで電気のスイッチを入れた。穏やかなオレンジ色の光が、狭い玄関と、そこに続く台所を照らし出した。

「所詮《しょせん》は偽物《にせもの》の匂い、か」

独り言を言いながら、取りあえず、グローブをはめたままの手で下駄箱の上の小さな白い壺《つぼ》をつまみ上げる。万人向けの可愛《かわい》らしさ。見た目は小綺麗《こぎれい》に出来ているが、どこに置いてもしっくりと来ない、結局は中途半端《はんぱ》な作りの壺だと思う。

——やっぱり、宣伝にのせられたのが馬鹿だった。

作りつけの下駄箱の扉を開けると、貴子は滅多に履くこともない黒いパンプスの脇《わき》に、芳香剤入りの壺を置いた。この香りは、こういう場所で十分だ。グローブをとり、次いでフルフェイスのヘルメットを外す。圧迫されていた耳が、ようやく解放されて、頭全体に響いていた自分の呼吸音が消えた。ちっぽけな壺が消えた後は、何もなくなってしまった下駄箱の上に、グローブとヘルメットを置き、腰を屈《かが》めてブーツを脱ぐとき、腰が痺《しび》れているのを感じた。この寒さの中を、ほとんど一日中同じ姿勢でいたのだから、全身が冷え切って凝り固まっているのも無理もなかった。

——熱いお風呂《ふろ》に入って、何か食べて。

1DKの住まいは、五階建てのマンションの最上階にあり、しかも角部屋ということもあって陽当たりは良い。六畳の和室に、八畳ほどの台所が付いているから、一人で暮らすには十分な広さのはずだが、案外狭苦しく感じられるのは、引っ越してきて以来、整理しないままの段ボール箱が、未《いま》だに一隅を占領しているからだ。本当は、今日のような休日に、少しずつでも——梱包《こんぽう》のときには、ほんの数時間しかかからなかったというのに——片付けてしまえば良いと分かっていながら、どうも手をつける気になれないので、とうとう一年が過ぎようとしている。それでも、ことさら不自由もしていないのだから、どうせ、大したものが入っているわけでもない。もらえば嬉《うれ》しいが自分で買おうとは思わない類《たぐい》の置き物とか、甘ったるい色合いの磁器のマグカップとか、中学のときの教科書などだ。ああ、そうそう、古い柔道着なんかも入っているはずだ。

――どうせ、腐るようなものじゃないんだから。

貴子は、いつもと同じ言い訳を心の中で呟《つぶや》きながら、まずは家中の電気をつけて歩いた。それから留守番電話を確認したが、メッセージが入っていると点滅することになっているグリーンのランプは、瞬《また》きもせずにじっとしていた。

夕方から急に風が強くなったせいで、帰り道は思ったよりも体力を消耗した。足が重いし、首から肩にかけて、ひどく凝っている。貴子は、浴槽に湯を満たし始め、その間に冷蔵庫を覗《のぞ》いて、思わず舌打ちをした。ただでさえ、走っている間は、ついつい飲まず食わずになるから、かなりの空腹を感じている。何か、手早く口に入れられるものはないかと思ったのだが、正月前に買い込んでおいたほうれん草と春菊は黄色く変色していたし、キュウリは買ったときのままのポリ袋の中で、半分溶けかかって水になっていた。ハムと豆腐は賞味期限を過ぎている。残っているのは、いつ買ったか分からないような納豆と、ケチャップにマヨネーズ、それに野菜ジュースと数本の缶ビールだけだった。

――こんなことなら、何か買って帰ってくるんだった。

貴子はうんざりしながら冷蔵庫を閉めた。これから改めて買い物に行くつもりになど、到底なれそうもない。とにかく身体《からだ》を温めて、すぐに何かを口に入れたいのだ。

「もしもし、ピザの配達をお願い。コーンサラダと、フライドチキンをつけて」

結局、数分間だけ苛々と考えた末、不経済なのは分かっているが、貴子は宅配のピザ屋に電話をした。蕎麦《そば》屋や寿司《すし》屋では、一人前の出前は断られる可能性があるし、容器を出しておかなければならないのも面倒だったから、結局、ピザしか思い浮かばなかったのだ。今は、とにかく空腹を満たせれば何でも良いという気分だった。

ようやくレザースーツを脱ぐと、貴子は、浴室の戸も開け放ったままで、まだ半分ほどしか湯の満ちていない浴槽に足を入れた。足先からだけでも、とにかく温まりたかったのだ。ひんやりと冷たい浴槽に肌が触れないよう、膝《ひざ》を抱えながら、貴子は温かい湯が、徐々にかさを増して、冷え切っている身体を呑み込んでいくのを心地よく感じていた。どぼどぼと勢い良く落ちる湯の音も、脳を柔らかく刺激する。湯が胸を浸す頃、ようやく肩から力が抜け始めて、貴子は足をゆったりと伸ばして目をつぶり、深々と息を吐き出しながら、後頭部を浴槽の縁にのせた。全身に痺れるような感覚が走り、やがて、骨の芯《しん》まで解《ほぐ》れていくのが分かる。思わず、中年男のような声が出た。

――よく走った。

こうして目を閉じていると、今日走り抜けてきた様々な風景が蘇《よみがえ》る。幾つも通り過ぎてきた峠の道が見えてくる。ガードレールの向こうに広がっていた様々な風景、雪をいただいた富士山も美しかった。日の昇る頃、山間の村を走り抜けたときには、微《かす》かな春の気配を感じたことも思い出した。全身が凍り付くほどの寒さの中を走りながら、貴子は確かに今日、春が近いことを感じた。

――一年。

貴子は、ゆっくりと目を開けた。そして、初めて気付いたように湯船から手を出して、流しっ放しにしていた湯を止めた。耳の中に静寂が満ち、ぼわりと上がる湯気が顔の毛穴まで開いていくのが分かる。さらさらの温かい湯を掬《すく》い、排気ガスと埃《ほこり》とで汚れきっているはずの顔を洗いながら、貴子は、昨年の今頃のことを思い出していた。

昨年の今頃も、貴子は一人でツーリングに出かけ、日が暮れてから一人で帰宅した。そして、風呂の中で一人で泣いた。そんなつもりなどなかったのに、心地よく疲れているはずの身体を湯船に放ったとき、突き上げるように涙が溢《あふ》れてきたのだ。

――一年、たった。

あの時ほど、涙を苦く感じたことはなかった。自分が、あんなに惨《みじ》めな泣き方をすることになろうとは、考えたこともなかった。あの日、顔の半分まで湯船に沈んだままで嗚咽《おえつ》を洩《も》らしながら、貴子は離婚する決心をしたのだった。夫が嘘《うそ》をついて帰宅していないことを、貴子はとうに知っていた。そんなことが初めてではないことも、泊まる先が決まっていることも、知っていた。

——あの時は、あのまま沈没しちゃうんじゃないかと思った。

それが、一年近くたった今も、やはりこうして風呂に入っている。今にして考えてみれば、四年半もの間、夫と呼ぶべき存在と共に暮らし、人の妻と呼ばれていたことがあるということの方が、不思議になるくらいだ。常に、人と暮らすことが当然になっていた貴子にとって、ここに越してきた当時の心許《こころもと》なさ、身体のバランスがとれないような不安定さは、相当なものだった。文字どおり、常に冷たい風が吹き込んでくるような、そんな気分になっていた。それでも、日々は過ぎていった。

——手遅れだったわけじゃない。しがみついているよりも、ずっと良かったのよ。

離婚後、貴子の耳には、別れた夫についての、ありとあらゆる噂《うわさ》が届くようになった。今だから言うけれど、と前置きをして、様々な人が、彼の言動を聞かせてくれた。どれもがにわかには信じ難い話であり、思わず笑うより他にない話もあった。その都度、貴子は「だから、よかったのだ」と自分に言い聞かせた。あのまま、屈辱的な忍耐を続けて一年が過ぎたのと、こうして一年を過ごしたのとでは、きっと大きな違いがある。いや、絶対に。

——傷が深ければ、それだけ癒《い》えるのにも時間がかかる。それが怖いから、余計に傷を深めることにもなりかねない。

今年、貴子は生まれて初めて一人で新年を迎えた。去年はまだ、仕事の合間を見つけては、何とか正月料理の体裁を整えたりしていたのだ。その前の年は、夫と買い物にも行った。そんなことを思い出しながら一人で年を越し、やっと世の中が普段の生活のリズムを取り戻した時にはほっとしたものだ。ところが最近になって、貴子は自分一人だけ、ちゃんと年を越しそこなったような気分になり始めていた。正月など、新鮮でも、めでたくもない。カレンダーを見るだけで、去年の涙の味まで思い出す自分には、一月は永遠に悲しい月のままかも知れないとさえ思われた。だから、今日は走りにいったのだ。

――今頃になって、こんなことまで思い出すなんてね。やっと、疲れていたことに気がつくなんて。

つい、ぼんやりとしそうになって、貴子はようやく額に汗が滲《にじ》み出していることに気付いた。早く風呂から上がらなければ、ピザが届いてしまう。第一、とにかく空腹なのだ。急いで湯船から出ると、貴子は手早く短い髪をシャンプーし、全身を丁寧に洗った。頭の片隅には、まだ昨年の自分の姿が残っている。泣きながら、何度も冷たい水で顔を洗ったときの、絶望的な気分を忘れたわけではない。あの時よりは、ピザを待ちながら急いでシャンプーする今の自分の方が、まだましだ。そう思おう。

風呂から上がり、スウェットスーツを着込んだところで、ちょうどピザが届いた。貴子は、焼きたての大きなピザと、一緒に注文したサラダにフライドチキンを小さなコタツの上に広げ、冷蔵庫から缶ビールを取り出して、ようやく腰を落ち着けた。

走っている間は、あんなにも熱いコーヒーばかり求めていた喉《のど》を、よく冷えたビールは心地よく滑り降りていった。ふうっと大きく息を吐き出し、今度は熱いピザにかじりつく。気持ちが落ち着いてくると、妙に静かなのに気付いて、貴子は手元のリモコンでテレビのスイッチを入れた。とにかく頭を使わずに済みそうなチャンネルに合わせて、あとは黙々と食事を続けた。

――どうしよう、こんなに大きなピザ。明日になったら、不味《まず》くなるのに。

不味くなっても、我慢するのだ。明日の朝食は、ピザで決まりだ。

――食べきれないと分かっていて、この大きさを注文したのではないか。

そうだ。一人で食べると思われたくないから、大きなサイズを注文した。

一缶めのビールを、さっさと飲み干してしまうと、貴子は裸足《はだし》のままで小走りに台所に行き、ビールをもう一缶持ってきた。無闇《むやみ》にテレビのチャンネルを換えて、ビールを飲み、コンビニエンスストアーで見かけるのと変わらない体裁のサラダを、プラスチックの小さなフォークでつつく。空腹がおさまってくるに連れてペースは落ちていき、結局半分近くも残ってしまったピザに見切りをつけたのは、午後九時を回った頃だった。

コタツの上には、少しばかり油臭く感じられるフライドチキンがほとんどと、ピザ、それにビールの空き缶が三本に、空になったサラダの容器が、たった一人の宴会の後のような雰囲気でのっていた。

「ああ、苦しい」

どうせ、片付けろと文句を言うような人間もいないのだ。貴子はすっかり満足して、わずかに酔いの回った頭で部屋中を見回した。

――殺風景な、部屋。

越してきた当時は、もう少し意気込みがあった。新しく出直す為《ため》の部屋なのだ。一人の暮らしを目一杯楽しめるように、自分の気に入ったものだけで埋め尽くそうと、そんなことも考えていた。だが、結局は忙しさに取り紛れて、まるで上京したての男子学生のような部屋のままになっている。せめてもの救いは、窓にかかっているカーテンが柔らかいピンク系だということくらいだ。

――どうせ、寝に帰るだけの部屋だもの。

身体も十分に温まった。貴子は、コタツに入ったまま、ごろりと横になった。何の悩み事も心配もない気やすさ。疲れた身体に空っぽな心。涙でいっぱいになっていた去年の今頃に比べれば、天国だ。

全《すべ》ては貴子とは無関係に進んでいく。世の中も、テレビドラマも変わりがない。貴子から見れば、何もかも実感のないものばかりだった。貴子の心をただ上滑りしていくだけで、何も、染《し》み込んでは来なかった。

畳の上に転がったまま、面白くもないテレビを眺めているうち、やがてすぐに睡魔が襲ってきた。

目をつぶると、やはり峠の道が見えてくる。エンジンの心地よい振動と、膝で挟み込んだタンクの丸みが蘇る。どこまでも続く道、センターライン、バックミラー越しに見た後続のバイク。そういえば、ずいぶん長い間、貴子の後をついてきたバイクもあった。景色の良い場所で休息を取った時には、貴子が女だと気付いたライダーが、好奇心の入り交じった眼差《まなざ》しを向けてきたり、何か話しかけようとする素振りを見せたりもした。

――あんたたちみたいなガキの相手をする私じゃないのよ。一体、私を幾つだと思ったのかしら。知ったら、すぐに逃げ出すくせに。

《――ええ、ご覧いただけますでしょうか。現場は、今も激しく炎を噴き上げております！　折からの強風の影響もあるのでしょう、必死の消防活動にも拘《かかわ》らず、火災は現在も続いております！》

ひどく喉が乾いて、ふいに目覚めると、点《つ》けっ放しになっていたテレビの画面一杯に、火災の模様が映し出されていた。貴子は、寝ぼけ眼で、その画面を眺めた。

《火は、一度は鎮火の方向に向かったのですが、先ほど、再び勢いを増しました。現在、はしご車も到着しまして、消火作業と共に、上の階に残されている人たちの救助活動が行われています。このビルは、一階がレストランになっておりまして、二階から上は雑居ビルということですが、出火時刻が午前零時過ぎだったということもあって、残っている人は、あまり多くはなかったということです。ここから見ておりましても、救助を求める人影のようなものは、発見できない模様です》

どこで起きた火災だろう。今現在の様子なのだろうか。貴子は、何とかテレビに目の焦点を合わせようとしたが、睡魔には勝てなかった。再び眠りに落ちそうになり、駄目だ、いけないと自分に言い聞かせて、よろめきながらコタツから這《は》い出す。

《以上、東京都立川市の現場からでした》

——立川。

また、ずいぶん嫌なところで燃えているものだ。立川には、貴子の現在の職場がある。緑町の多摩総合庁舎には、警視庁第八方面本部を始めとして、第四機動隊第八方面交通機動隊、第八方面自動車警ら隊等が入っており、そして、第三機動捜査隊および立川分駐所がある。三機捜立川分駐所、それが貴子が着隊している部署だった。火災の内容によっては、明日は、何かの動きがあるかも知れない。冷たい水を飲みながら、貴子はそれだけを考えるのが精一杯だった。そして、ふらふらと和室に戻ると、全ての電化製品のスイッチを切り、目覚まし時計をセットして、ベッドに倒れ込んだ。明日のことは、明日にならなければ分からない。それならば、寝られる時に、とにかく眠っておくに限る。

「――火事、か。立川でね」

闇に包まれた部屋の中で、貴子は最後に呟《つぶや》いた。大きく一つ深呼吸をすると、もう眠りに落ちていった。

2

東京消防庁から火災の情報が転送されてきたのは、午前〇時五分のことだった。その夜の事件番だった警視庁立川中央署の滝沢保《たきざわたもつ》は、午前〇時一〇分に、火災現場に急行した所轄《しょかつ》の交番勤務員からの第一報を受け取った。火元は、滝沢たちもよく知っているファミリーレストランということだ。出火後間もないというのに、火の勢いは予想以上に強いらしく、大災害になりかねない様相を呈しているという。

「ついてねえなあ」

「嫌だぜ、この寒いのに、ホトケの面倒見るのは」

滝沢を含む刑事課の三人の捜査員は、恐らく全員が、この夜の事件番だったことを悔やんでいることだろう。一歩でも署から出れば、鋭い寒風が、切りつけるように吹いている晩だった。けたたましくサイレンを鳴らして走るパトカーの助手席で、滝沢は再び

「まいったなあ」と呟いた。最近、前にも増して腹が出てきたお陰で、シートには浅く座る癖がついてきた。背広の上から革製のハーフコートを羽織っているが、好《い》い加減なところで減量をしなければ、来年あたりには、このコートも窮屈になるかも知れない。

「爆発は、してねえんだよな」

「そういう報告は、入ってないですね」

それならば、ホトケが出ているとは限らない。夜食に食べたうどんに、やたらとのっていたさらし葱《ねぎ》が奥歯に挟まっていて、口の中が何となく葱臭い。滝沢は、音をたてて奥歯をせせりながら、だが、こんな風の強い晩ならば、被害は相当に大きくなる可能性もあると考えていた。

警察官になって二七年、そのうち刑事生活が一五年、その間、ずっと強行犯捜査を担当してきた滝沢にしてみれば、火災は決して珍しい事件ではない。だが、いくら慣れているとはいえ、何度経験しても憂鬱《ゆううつ》になる。たとえば野次馬ならば、燃えている最中だけを面白がって眺めて、後は家に戻れば良いだろうが、後始末をする方の身にもなってもらいたいものだと、滝沢はいつも感じていた。

「ああ、だいぶ燃えてますね」

ハンドルを握っていた和田という、盗犯捜査係の若い刑事が呟いた。確かに、車の向かう方向の空が、真っ赤に染まって見える。あの様子では、現場にたどり着くまでに鎮火するとは思えなかった。

「あそこは、四階建てだったかな」

「いや、六階建てぐらいじゃないですか。地下は、駐車場になってます」

「何だ、詳しいな。あんなところで飯を食うのか」

「ファミリーレストランで飯を食うのくらい、普通ですよ」

和田は、少しばかり驚いた顔で、ちらりと滝沢を見ると、にやりと笑った。滝沢など、署の近くの飲食店といえば、出前を頼む蕎麦《そば》屋やラーメン屋、定食屋以外は、居酒屋の類《たぐい》しか足を向けたことがない。

「あそこは、夜でも案外混んでますからね」

「そりゃあ、知ってるけどな。始発が動くまで、時間を潰《つぶ》してるようなガキがうようよいる」

「何だ、詳しいんですね」

「馬《ば》ぁ鹿《か》」

何年、この街にいると思っているのだと言おうとして、滝沢は、その言葉を呑み込んだ。現場が近付いている。建物の隙間《すきま》から、まさしく夜空を焦《こ》がす勢いで、悪魔の舌のような真っ赤な炎がうごめいているのが見える。消防車のサイレンが鳴り響き、同じ方向を向いて歩道を駆けている人の姿が多くなっていた。これは、全焼とまではいかなくとも、相当な大惨事になる危険性があった。

「こりゃあ、本庁に連絡することになりそうだな」

この分では、鎮火にも手間取るかも知れない。大規模火災ということになれば、本庁の捜査一課にも出動を要請しなければならないことは確実だった。レストランまでは、パトカーで急行すれば署から五、六分という道のりなのに、早くも渋滞が始まろうとしている。

「何だよ、交通規制は、まだ始まってねえのか」

「いや、あそこは交差点ですから。まだ人手が足りてないのかも知れないです」

渋滞し始めている車の間を縫い、ようやく現場に到着したときには、既に周囲は野次馬と、建物から避難してきたらしい人々でごった返していた。パジャマにジャンパーを羽織っただけのような連中に混ざって、身綺麗《みぎれい》な服装で、髪を振り乱している若い女などが、強《こわ》ばった表情で火災を見上げている。一階を業火《ごうか》が包み、更に、炎は二階、三階の一部にも広がり始めていた。

「こりゃあ、すごいな」

滝沢は、黒煙と共に炎を噴き上げているビルを、戦慄《せんりつ》を覚えながら眺めた。一般の家屋が燃えるのと異なり、やはりビル火災は規模が違う。あれこれと抱いていた余計な考えなど、とうに消え去って、滝沢たちはすぐに覆面パトカーから降り立った。

火災の場合、現場に急行した警察の捜査員は、すぐに捜査資料の収集を開始する必要がある。つまり、目撃者の証言、一一九番通報した人物の発見、怪我《けが》人の身元の確認などである。放火の場合には、野次馬の中に犯人が紛れ込んでいる場合も多いので、野次馬全体の写真もくまなく写しておく必要がある。だが、鎮火までは、とにかく消防の仕事が先決で、警察は付近の交通整理や野次馬の規制程度しか出来ない。

「一通り、写真を撮ってきますわ」

同じ事件番の反町《そりまち》という刑事が、カメラを片手に歩き出した。

「やっぱり、本庁に臨場を要請だな。この分じゃあ簡単には消えねえから、その間に到着出来るだろう」

滝沢は、制服の警官が慌《あわ》ただしく動き回るのを眺めながら、自分の傍にぼうっと立ち、炎に見惚《みと》れている風情《ふぜい》の若い和田に向かって言った。

「ぼけっとすんなよ、おい。一一九番の通報者でも、目撃者でも何でもいい、連れて来いっ」

言いながら、和田の背中を強く叩《たた》くと、彼は「はいっ」と弾《はじ》かれたように返事をして、すぐに駆け出そうとする。

「てめえで探す前に、制服の連中に聞けよ！　ついでに、第一報を入れた警官も探せっ」

和田は、慌てたように振り返り、再び「はいっ」と答えて人垣の中に入っていった。

「危険ですから、下がってくださいっ！　下がって！」

消防車のスピーカーから怒声が響く。銀色の消防服を着た消防署員たちが、水浸しになって右へ、左へと走り回り、はしご車も出動しているし、レスキュー隊員も、地下の駐車場に火災が及んだ場合の為の特殊消防隊も待機していた。深夜とも思えない明るさは、炎のせいばかりではない。早くも駆けつけている報道関係のライトが、まるで映画の撮影現場でも映し出すかのように、炎と煙とを噴き上げ、四方から放水されている建物を浮かび上がらせているのだ。だいぶ離れた位置に立っていても、滝沢は顔が熱く感じられた。それ程までに火の勢いは凄《すさ》まじい。何度見ても、火災の現場は修羅場だった。

車両からの無線で、本庁の応援を要請したところで、野次馬をかき分けるようにして現れた制服警官から、滝沢たちは火災の目撃者、ファミリーレストランの従業員や関係者等をおおよそ集めてあるという報告を聞き、彼らの住所と氏名を聞いておくことを指示した。

「現在のところ、怪我人は七名、二カ所の病院に収容されているとのことです」

救急隊と無線連絡をしていた警官が報告に来る。

「目撃者によると、火は客席から出たらしいということです」

他の警官が駆け寄ってきて言った。

「客席?」

滝沢は、眉《まゆ》をひそめながら、その報告を聞いた。何となく嫌な予感がする。厨房《ちゅうぼう》から出火したのならともかく、客席からの出火で、これだけ大きな火災になるというのは、どうも解《げ》せない。たとえば、客が煙草《たばこ》の火種やマッチの火を落とした程度で、こんな火災に発展するはずがないのだ。通常は漏電やショートが原因として考えられるが、客席に、そんなものがあるかどうかも疑問だ。

「——気に入らねえなあ」

徐々に白い煙を上げ始めている現場を見上げながら、滝沢は呟いた。とにかく、この真夜中に物好きとしか言い様のない野次馬の中から関係者を探し出すだけでも、相当な手間がかかることだけは確かだ。

午前一時過ぎ、警視庁本部から、捜査一課の火災犯担当係が到着した。ほぼ同時に、怪我人の収容されている病院に行った警官から報告が届いた。その段階で怪我人は二二名になっていた。大半が火傷《やけど》と、避難する際に転んだなどの外傷だったから、身元を確認するのは困難ではなかったが、一人だけ、かなりひどい火傷を負って、とても話せる状態ではない怪我人がいるという話だった。

午前一時五〇分。周囲を洪水の後のように水浸しにして、火災はようやくおさまった。所々、まだ白い煙の出ている箇所もあり、風向きによっては焦げ臭い匂《にお》いが強烈に流れてくるものの、辺りは急速に冷え込み始め、厳冬の深夜の空気が戻り始めた。消防車は、消火を知らせる鐘を鳴らしながら、一台、また一台と戻り始めた。

残っている消防の車は、この後、滝沢たちと共に、おおよその現場の検分を行うための調査担当者が使っているものだけになった。交番勤務の警察官が、迅速に火災現場の現場保存用のロープを張り巡らす。本格的な現場検証は、朝になってからということになるが、滝沢ら、所轄署の事件番と、本庁から到着した応援の捜査員のうち数名は、取りあえず、消火の状態を確認する為《ため》に、まだ建物に入っている消防隊員の報告を待った。

他の捜査員たちは、それぞれが手分けして、怪我人を収容した病院や、署に集めておいた出火目撃者や建物の居住者、店の関係者などからの情報の収集を始めている。火災の場合、関係者が興奮している間に、なるべく迅速に証言を取っておく必要がある。興奮がさめると、人は自分に不利な証言を避けるようになるものだからだ。

「出ました！」

野次馬も大方去って、午前二時を一〇分程回った頃、建物に入っていた消防隊員が出てきた。滝沢は、胃がきゅんと縮み上がるのを感じながら、ゆっくりと頷《うなず》いた。横に立っていた和田と反町に目配せをすると、彼らも寒さに強ばった顔を一層しかめる。

やがて、消防服を着た男たちが一つの担架を運び出してきた。毛布を被《かぶ》せてはあるが、その全身が焼死体特有の、いわゆるボクサー姿勢といわれる前屈《かが》みの姿勢を取っていることが、毛布の凹凸からでも分かった。滝沢たちは、消防隊員が担架を下に置くのを待って焼死体を取り囲み、その毛布を取った。

「おい、こりゃあ――」

片手に持ったハンカチで鼻を押さえながら、そのホトケを一目見て、滝沢は、ますます嫌な気分になった。ホトケの負っている火傷が、明らかに不自然なものだったからだ。

「どういう焼け方をしたんだ――」

遺体は、特に腰から上が激しく燃えており、大半が第Ⅳ度級、つまり炭化するほどの火傷を負っている。下半身も、火傷を負ってはいるものの、そちらは上半身に比べれば、まだ軽く、まだ衣服の切れ端が残っていた。こんなにくっきりと、上半身と下半身とで損傷の度合いが異なる焼死体というのも珍しい。

「焼身自殺みたいじゃないですか」

横から覗《のぞ》き込んでいた反町が、やはり鼻を押さえた声で言った。滝沢は、すぐに毛布を戻してしまうと、そのまま彼と手分けをして担架を運び始めた。本来ならば、和田に運ばせたいところだったが、辺りを見回すと、若い刑事は物陰で嘔吐《おうと》していたので、仕方がなかった。

「何だい、野郎は初めてか？」

「だと、思いますね」

事件番のときばかりは、係に関係なく出動しなければならないのだから、普段は泥棒ばかり追いかけている和田は、やはり今夜の不運を嘆くより他にない。まだ余熱の残っている火災現場から焼死体を運び出すところまでは消防の仕事だが、あとは警察の仕事になる。これから、滝沢たちはホトケを署の霊安室に運び、検分を行ったうえで、水洗いし、線香を供えてやらなければならない。

「まあ、そのうち慣れるやな」

署に戻る車の中で、滝沢は和田刑事の肩を叩いた。「はい」と力無く頷きながらも、彼はすっかり血の気の失《う》せた顔で、いかにも面目なさそうに俯《うつむ》いている。

恥ずかしさと、気味の悪さとで、彼がどれほど混乱しているか、滝沢にはよく分かるつもりだった。滝沢自身、初めて本物のホトケに接したときは、思わず胃液が出るほど吐いたものだ。一つに慣れても、次に腐乱死体が出れば、また吐き、溺死《できし》体を見れば、また吐く。幾度となく同じ経験を繰り返して、ようやく現場に慣れていくのだ。

「普通の火事で、あんな焼け方は、しないですよね。焼身自殺じゃないんでしょうか」

反町の方は、もう十分に死体にも慣れている刑事だった。後ろの席で、思いきり鼻をかんだ後、彼は煙草を取り出して吸っている。滝沢は、自分も煙草をくわえながら、

「どうかな」と首を捻《ひね》って見せた。

「たとえば、灯油やガソリンを被ったりした場合にはよ、なあ」

「まあ、下の方に、たまりますから」

「そうだろう？　焼けの具合は、下の方に集中するはずだ。第一、レストランだぞ。そんな物騒なところで、人前でガソリンを被ったとは考えられんだろう。予《あらかじ》め被ってから店に行ったんだとしても、何だか、変だ」

ざっと見た限りでも、損傷の少ない下半身から、ホトケが男性であることは分かった。車でも残していれば別だが、彼が食事に来ていた客だとすると、身元の確認には多少、手間取るかも知れない。

「店に恨みのあるヤツの仕業とは、考えられないですか」

「死の抗議か。ファミリーレストランに」

「経営者に恨みがあるとか」

それも、考えられない話ではない。とにかく、ホトケが火元の近くにいたことだけは、確かだという気がする。あれだけひどい火傷を負っていては、他に外傷があったとしても、または死後に燃やされたものだとしても、判断が難しいくらいだ。

火傷の場合、滝沢たちは「九の法則」というものを用いる。人間の体表面積を、外陰部を一パーセントとし、残った部分を、それぞれ頭部、両腕、上軀幹《くかん》前後、下軀幹前後、左右下肢前後という一一の部分に分けて、それぞれに九パーセントという数字を当てはめる。全《すべ》てを足せば一〇〇パーセントになるという考え方だ。火傷を負っている部位と範囲によって、九の倍数を求め、それが体表面積の二分の一以上だった場合は死亡、三分の一以上では生命に危険があり、五分の一以上は重篤《じゅうとく》な状態に陥るという、目安になるものだが、頭部、顔面に火傷を負った場合は重体になる可能性が大きいし、子どもの場合にも当てはまらない。

今日のホトケの場合、全身に火傷を負っているから、それだけでも死に至ったのは致し方ないとして、それにしても、どうもあの焼け方は気に入らなかった。

——当分は、忙しくなるかも知れないな。

滝沢の勘だった。そう簡単な店舗ビル火災では済みそうにもないという気がするのだ。まあ、大学受験を控えている子どもがいるのだから、親父《おやじ》が留守がちなのはかえって良いかも知れないなどと考えながら、滝沢たちは署に戻った。

目撃者からの証言を持って、本庁の応援が戻ってきたのは、午前三時頃のことだった。

「客が？　あのホトケ、客だったんですか」

三人でホトケの水洗いを終え、かじかんだ手をこすりながら霊安室から戻った滝沢は、ぽかんとなって、その捜査員を見た。挨拶《あいさつ》もそこそこに動き始めた捜査員たちは、お互いの名前も満足に知らなかったが、三〇代の後半と思われる捜査員は、生真面目《きまじめ》そうに手帳を覗き込みながらゆっくりと頷いた。

「突然燃え始めたんだそうです。それまでは、普通に客席に座っていたらしいんですが」

滝沢は、会議室の一つに集まった捜査員たちと同様に首を傾《かし》げた。

「自殺の可能性は、少ないようです。ホトケが『助けてくれ』『熱い、熱い』などと叫びながら転げ回っていたという証言も得られましたしね」

今度は他の捜査員が報告した。滝沢は、ますます嫌な気分になって、まだ焦げ臭い匂いの残っている鼻をすすった。つい数時間前まで、自分が黒こげの死体になるなどと想像していなかった男を、いま洗い清めて来たのだと思うと、やりきれなかった。

3

同日午前九時、消防庁捜査担当および警視庁捜査一課火災犯担当係と、滝沢たち所轄《しよかつ》署の事件番捜査員とで、合同現場検証が行われた。焼死した人物自身から出火したとしか思えないという証言が相次いだことから、科学捜査研究所の物理担当の科学者も、検証に参加することになった。

「畜生、冷えるなあ」

現場に着くなり、つい顔をしかめると、昨夜は青ざめた顔で黙りこくっていた和田が「ホカロン、持ってないんですか」と冷やかす。確かに、自分よりも二〇以上も若いような連中とは、とても同じようには動けない。滝沢は、「この野郎」と和田を小突く真《ま》似《ね》をしながら、既に報道陣が取り囲んでいる中を進み、現場保存用のロープをくぐった。現場の周辺には、まだ強烈な匂いが漂っており、ふんだんに水を浴びた地面は、冬の午前中の弱々しい陽射《ひざ》しを浴びて、所々の水たまりを輝かせていた。

「つまり、厨房や店内の設備から火が出たっていう可能性は、ないということで、いいんですかね」

「それは、まだ分からんでしょう。ホトケの座っていた座席の下とか、その付近から出火したのかも知れません」

「そんなところを電線が走ってるとは考えにくいしなあ」

「ショートしたくらいで、ああいう焼け方は、しないでしょう」

捜査員たちは、各々《おのおの》が作業着の襟元や、顔の下半分にタオルを巻いたり、軍手をはめながら話し合った。火災の現場検証には、ヘルメットに作業着姿で臨む。釘《くぎ》などを踏み抜く危険があるから、靴底に鉄板の入っている長靴を履き、煤《すす》まみれにならないように首にタオルを巻いて、軍手をはめた手には熊手《くまで》を持つというのが、検証スタイルだ。それでも、鼻毛や髪の毛に焦《こ》げ臭い匂いがつく。

「証言をもとにすれば、ホトケは最初は窓側の席に座っていたらしいんです。それが、急に燃え始めて、もがき苦しんでサラダバーの傍まで転がっていった、と」

まずは現場の見取り図を覗き込みながら、本庁の火災犯担当係は、ボールペンの先でおおよその位置を示す。彼らは、捜査一課の中でも火災が専門で、出火の原因を見極めるのが仕事になる。火元と原因を探し出し、放火か失火かを判定することが職務の、火災のプロだった。滝沢たち所轄署の事件番は、彼らと連れだち、総勢一五名程で、消防庁の捜査担当者と共に現場に足を踏み入れた。

「男を席まで案内したウェイトレスは、煤で目をやられてまして、はっきりと場所を示すことは出来なかったんですが、バス通りに面した方の、窓側の席で、奥から四番目、太い柱の横の、ソファーがカーブしている席だと言っていましたから――」

捜査員は、見るかげもなくなったレストランの、全てがらくたとなった備品を踏みしめて立ち、見取り図と店内とを見比べて「恐らく、あの辺りでしょう」と指をさした。

「あそこから、倒れ込んで転げ回ったというんですから、死体が発見された位置と併せて考えれば、この辺りまで来たものと思われますね」

火が、どこから立ち上がったか、というのは、火災の捜査でもっとも重要な問題である。人気のない倉庫や家屋などが燃えた場合には、その場所の特定までに相当な時間を要する場合があるが、今回は目撃者の証言が多いだけに、出火場所の特定は、そう困難な作業ではないはずだった。

「常識で考えれば、人が突然燃え始めるはずがないんだから、ホトケの座っていた座席の周囲に、何か残ってるんじゃないですかね」

鎮火後、七時間以上を経過していても、現場には何となく余熱が残っている感じがする。滝沢たちは、釘や金属、ガラス破片などを踏み抜かないように気をつけながら、昨日まで華やかな色彩《いろど》に彩られ、様々な客を受け入れていたはずの店内を歩き回った。

「水をかけます」

「そうっとだぞ」

まず、目星をつけた辺りに水を撒《ま》くと、煤が流れて「焼け」の状況が見えてくる。本庁の捜査員が指摘した通り、ガラスが全面的に割れ落ちている窓側の、太い柱の横にある半円形のソファーの一カ所が、特にひどく焼けており、中身のウレタンまでが炭化していた。さらに、男が転げ回ったと思われる位置も、カーペットの焼け方が激しく、また、ちょうど人間の背中程の範囲だけ、焼け残っている箇所が見つかった。つまり、そこで男は息絶えたと考えられる。

ソファーから、男が倒れた場所まで、何かの痕跡《こんせき》が残されてはいないかと、捜査員たちは全員が現場に屈み込み、熊手を使って、焼け残っている全てのものを調べ始めた。どんな小さな手がかりも見逃してはならないから、細心の注意を払って、塵《ちり》の一つ一つまでを選別していくのだ。灯油やガソリン等を使ったのなら、油の痕跡が残っているはずだし、爆発物を仕掛けたのなら、その残骸《ざんがい》、電線がスパークした場合ならば、電流の痕跡などが必ず残る。

「デカチョウ、これ――」

ホトケが座っていたとみられるソファーの周辺を重点的に調べていた滝沢を、和田が呼んだ。いつの間に用意したのか、ちゃっかりと花粉症用のマスクをして、彼は手招きしている。他の捜査員の邪魔にならないように、大きく回り込みながら和田に歩み寄った滝沢は、即座に科捜研の担当官を呼んだ。

「は、はあ――」

度の強い眼鏡をかけて、どことなく昆虫のような印象を与える、四〇前後と思われる担当官は、和田が燃え殻の中から探し出した物体を丹念に眺めて、それをピンセットでつまみ、ひっくり返したりし始めた。担当官の背後から、膝《ひざ》に両手をあてる姿勢で腰を屈めていた滝沢も、熱心に彼の手元を見た。いつの間にか、他の捜査員の数人も、周囲を取り囲み始めた。

「何ですかね、そりゃあ」

滝沢は、一層身を乗り出して、それを覗き込んだ。担当官は、すぐ耳元で滝沢の声を聞いて、多少驚いた表情を見せたが、「そうですね」と考え深げな声を出した。そして、ピンセットでつまんだ物体を、自分の鼻先まで持っていき、匂いを嗅《か》いだ後で、もう少し高く掲げ、周囲に集まっている捜査員全員に見えるようにした。五センチにも満たない、その細長い物体は、一見すると黒こげのヘビの死体のようにも見える。

「ベルト、の一部でしょう。恐らく、焼死した被害者の物じゃないでしょうか」

担当官の声は、マスク越しにくぐもって聞こえた。滝沢は、ホトケの姿を思い起こし、あれだけの火傷《やけど》を負ったのだから、衣服やベルトの破片が残っている方が不思議なくらいだと思った。

「問題は、それですわな」

全てが炭化して、わずかな力でも、もろくも崩れさってしまいそうに見える燃え殻の、その一部分を、滝沢は手袋の指で示した。担当官も頷《うなず》きながら「そう、ここねえ」となった。

「何か、タール状になっているものが、見えますね」

「――はあ」

「まだ、はっきりしたことは言えませんが――この周辺に、発火装置の部品と思われるものが、落ちてないでしょうか」

立ち上がりざまに言った担当官の言葉に、捜査員たちの間に、にわかに緊張した雰囲気が走った。滝沢も同様に、本当は少しばかり痛む腰を伸ばした。数人の捜査員が、早くも屈《かが》み込んで新しい証拠物件の収集にとりかかっている。

「発火装置の部品っていうと――」

「現段階で、結論を下すことはもちろん危険なことではありますが、もしも――」

長年の経験から、滝沢だって担当官が何を考えているか、ということくらいは予測がついた。だが、彼は考え深げに首を傾げ、言葉を選ぼうとしている。勿体《もったい》ぶらずに言えよと言いたいのをこらえながら、滝沢は、未《いま》だにどことなく学生のような雰囲気の漂う担当官を見上げていた。以前は、自分がそれほど小柄だなどと感じたことはなかったのだが、ふと気がつくと、最近では誰と話す場合にも、大抵相手を見上げていることが多い。

「もしかすると、薬品の可能性があります」

「薬品、ですか」

そこまでは分かる。問題は、それがベルトに付着していたということだ。担当官は、ピンセットでつまんだ真っ黒い物体の匂《にお》いを嗅いだりしている。

「可能、ですか。ベルトにそういうしかけをするなんてことが」

「可能かどうか、薬品の種類によっても違って来ます。ですが薬品によっては、燃えた後にタール状のものが残ることがあります。通常、ベルトの内部にこんな燃え方をするものが入っていることは、まずないでしょうし、被害者自身から出火したという目撃者がいるんだったら、筋は通るわけだ」

滝沢も咄嗟《とっさ》に考えたことではあった。和田が指し示した黒い物体を見た瞬間に、滝沢も「おや」と思ったのだ。だからこそ、担当官を呼んだのだが、筋が通っても、ベルトに発火装置を仕掛けるなんて、普通では考えられないことだという気がする。

「まったく、色んなことを思いついてくれるもんだ」

それまでは、早朝から呼び出されて、決して機嫌の良さそうな顔はしていなかったと思われる担当官は、ベルトの切れ端一つが見つかったことで、俄然《がぜん》、今回の火災に興味を抱いた様子だった。自らもきょろきょろと下を向き、懸命に何かを探し始めている。

「おい、これかな」

ベルトの一部が見つかった周辺の全てを箒《ほうき》で掃き集め、一つ一つを丹念に調べていた捜査員が、瓦礫《がれき》と化した建物に響き渡るような声を上げた。

「——は、はぁ」

厚さにして、五・八ミリというところか、縦三・五センチ、横四・五センチ程度の、それは、表面は一見すると普通のベルトのバックルのようなデザインになっていたが、よく見ると、一辺に小さな蝶番《ちょうつがい》がついていて、表面をフタのように開くことが出来るようだった。壊さないように、注意深く開けてみると、明らかにデジタル表示盤と思われるものが出てきた。焼け方は均一とは言えず、四隅のうち一カ所だけが、著しく焼け焦げている。

「と、すると——」

やはりこれは、自殺とは考えにくい、ということだ。普通、覚悟の上の焼身自殺であったならば、人は「助けてくれ」などとは言わないものと考えられているが、ホトケが助けを求めていたことについては、既に多数の証言が得られている。しかも、時限発火装置と推測される部品が発見されたとなると、自殺の線はますます薄れる。その上、店のソファーなどからではなく、ホトケが身につけていたと思われるベルトから発火した、ベルトに発火装置が取り付けてあったということになれば、これは事故などではなく、明らかにホトケを狙《ねら》った他殺ということになる。

「やけに、手の込んだことをしやがるなあ」

他の捜査員も、滝沢同様の感想を抱いた様子だった。テロなどなら分からないではないが、発火装置を個人の身体《からだ》に装着させて生命《いのち》を狙うなどという犯行は、そうあるものではない。ホトケの身元が分かるまでは何とも言えないが、相当に敵が多かったか、または、重要人物なのだろうか。

「そんなヤツが、夜中にファミリーレストランか？」

署の刑事課長に連絡を入れた後、滝沢は再びバックルの見つかった辺りに戻って、ぶつぶつと呟《つぶや》きながら歩き回った。滝沢の報告を受けた刑事課長からは、本庁の捜査一課に連絡が行くはずである。そして、火災犯担当の班に代わり、今度は殺人犯担当の班が乗り込んでくることになる。そこで、殺人事件の可能性が高いということになれば、まず捜査本部が設置されることだろう。

「取りあえず、早いとこホトケの身元が分からないことには、なあ」

司法解剖は、午前九時半には始まっているはずだ。どうせ、こちらの現場検証は昼頃まではかかるだろう。署に戻った頃には、解剖の方も結果が出ている頃に違いない。

やがて、連絡を受けて現場に急行してきた本庁の殺人犯担当捜査員は、現場を丹念に検証し、科捜研の担当官、火災犯捜査員などからも意見を聞いた結果、滝沢たちと同じ結論を下した。殺しの線で考えた方が良いだろう、ということだ。

「確かに、時限発火装置と思《おぼ》しきものを使った痕跡はあるわけだし、しかも、建物にではなく、個人の身体に直接仕掛けられていたとするとね」

「この店で燃えだしたのは、単なる偶然かも知れないわけですね。もしかしたら、もっと大きな影響を及ぼした可能性だって、あるわけだ」

だいたい、生身の人間に、直接時限発火装置を装着させて燃やすなどという犯行を、どういう人間が思いつくのか。この犯罪の向こうには、どういう冷酷な顔をした人間がいるのだろうか。

「こんな手口、これまでにあったかな」

一課の捜査員が首を捻《ひね》った。

「ガソリンをぶっかけて燃やすっていうのは、あったけどなあ」

「それだって、殺した後で燃やすんならともかく、生きてるうちに燃やすとなると、相当なもんだ。おまけに、相手の意識ははっきりしてたんだからな」

他の捜査員も寝覚めの悪い顔で呟く。滝沢も、かつて、そのような犯罪に出逢《であ》った経験はなかった。灯油やガソリンを被《かぶ》った焼身自殺ならば、幾度かお目にかかってはいるが、それでも、よくも自分自身に火をつけられるものだと、滝沢は、ボクサー型の姿勢で苦悶《くもん》の形相を焼けただれさせていたホトケを見るたびに感じたものだ。

「ただもんじゃあ、ねえかもな。こんな殺され方するなんて、普通じゃあ、ちょっと考えられねえよ」

滝沢は、不毛な土地で野良《のら》仕事でもしているような気分で、せっせと熊手《くまで》を使いながら呟いていた。やはり、どうも腹が邪魔になって、屈み込む姿勢は長く続けられない。足も痺《しび》れるし、第一、水浸しになっている場所に長時間いるのだから、尻《しり》の辺りから冷えてきてかなわない。

「ガイシャ一人を狙ったんだとすると、この店やビルは、いい迷惑ですよねえ」

和田の方は、まるで潮干狩《しおひが》りでもしているような雰囲気に見える。確かに、殺された男が、偶然にこの店に立ち寄り、その間に出火したのだとすると、巻き添えを食わされた人々は、たまったものではない。

「運、だよなあ。たまたま、偶然てえことが、本当に多い世の中だ」

「さすが、含蓄の多いお言葉です」

「馬鹿野郎《ばか》、茶化すな」

作業服の肘《ひじ》で和田を小突き、滝沢はそれからもせっせと熊手を使い続けた。出火場所周辺の燃え殻という燃え殻を、大きさで分類し、一見しただけでは判別がつかないような細かいものに至るまで、全《すべ》てを集めた上で、滝沢たちは、ようやく昼過ぎに署に戻った。タール状のものが付着していたベルト部分、バックルなどは、そのまま科捜研の担当官が持ち帰り、第一科学課において、発火装置、薬物の鑑定をすることになった。

同じ頃、司法解剖に立ち会っていた捜査員も署に戻ってきていた。目撃者の証言なども総合した結果、現段階ではまだ身元不明の男性焼死体は、事故死、または自殺の可能性も捨てきれないものの、殺害された可能性が大であり、今回の火災は殺人事件として取り扱うべきであるとの意見で一致した。他殺に対して、多少の迷いがあったとしても、甘く考えて、後々大事件に発展するよりは、徹底した捜査をしておくべきであるとの考えから、午後三時三〇分、立川中央署内に特別捜査本部が設置されることが決定した。

4

立川中央署から警視庁管下全域に、事件の概要と特別捜査本部を設置することを知らせ、また捜査本部従事捜査員を召集する旨《むね》の電報が発信されたのは、午後三時四〇分のことだった。特別捜査本部の場合、本部長は刑事部長になる。電報は、南雲《なぐも》刑事部長の名前で発信された。

午後四時三〇分。立川中央署内の講堂に設置された本部には、既に机や椅子《いす》の他、スライド映写機、スクリーン、ホワイトボード、臨時電話、ファックス、無線などの備品が運び込まれ、いつでも機能出来る状態になっていた。召集をかけられたのは、本庁の捜査第一課第二強行犯捜査第五係員、立川中央署刑事課員、隣接署からの応援、警視庁本部の鑑識課員などで、貴子が捜査本部に着いたときには、既に半数程度の捜査員が講堂に集まっていた。通常は覆面パトカーを使用して、所轄《しょかつ》署と共に事件の初動捜査に従事する機捜隊員は、三部制で勤務している。非番・日勤・宿直当番の繰り返しの生活になるわけだが、当番の日は午後から出勤し、翌日の午前中までの勤務となるから、要するに二日分の仕事を、夜通し続けてやってしまうようなものだ。その結果、翌日の非番の日は、午前に帰宅すると、あとはひたすら眠ることになる。昨日、日勤の日を休日に割り当てていた貴子は、本来ならば今日は泊まりの日になるはずだった。だが、捜査本部要員になったことで、泊まりはなくなる。朝、出勤して、夜、帰宅する。徹夜がないのはありがたいことだが、生活のリズムが変わってしまうことは間違いない。第一、それなりに規則正しくとれていた休日は、全て消し飛ぶことを覚悟しなければならない。

とにかく一日も早く容疑者を割り出し、事件を解決する。それが捜査本部の指令だ。

まず、本部の入り口に設けられた受付で、捜査員たちは自分の名刺にポケットベルの番号、自宅住所、電話番号を書き込んで、箱に入れる。貴子も、「警視庁刑事部第三機動捜査隊　警視庁巡査・音道貴子」と刷られている名刺の余白に、指定された事項を書き込んで箱に入れた。

「おんどう、さん？」

受付にいた若い刑事が、半ば驚いた表情で貴子と名刺とを見比べて言った。その隣に座っていた、三〇代の後半に見える刑事も、脇《わき》から彼の手元を覗《のぞ》き込み、好奇の入り交じった目で貴子と見比べている。

「おとみち、です」

貴子は、事務的な口調で答えると、「ご苦労様です」という声を背中で聞き、分駐所から共にやってきた、主任の警部補以下四名のメンバーと共に講堂に入った。

「めげるなよ」

隣を歩いていた主任が、耳元で小さく囁《ささや》いた。貴子は、ちらりと主任を見、目元だけで微笑《ほほえ》んで見せた。

「慣れてますから」

女だというだけで、好奇の眼差《まなざ》しを向けられたり、あなどられたりすることに、いちいち目くじらを立てていては、とても刑事はつとまらない。それは、貴子が交通部から刑事部に異動になって、真っ先に学んだことだった。実際、今は労《いたわ》りの言葉をかけてくれる主任の警部補にしたところで、昨年、貴子が配置された当初は戸惑いの表情を隠さなかったし、必要以上に貴子を女として意識しているようなところがあったのだ。

——会議ひとつでめげてたら、やっていられるわけがない。

適度な間隔を置いて用意されているパイプ椅子に、前方から詰めて腰掛けながら、貴子はさり気なく周囲を見回した。同じ刑事部の所属とは言っても、警視庁の職員は数が多い。そこに、見知っている顔は発見できなかった。

捜査本部となった講堂の正面に用意された雛壇《ひなだん》には、五つの席が用意されていた。召集された捜査員がぞくぞくと集まり始めた頃、その雛壇に刑事部長、立川中央署長、捜査一課長、捜査一課第二強行犯捜査担当管理官、立川中央署刑事課長が現れた。貴子がざっと見渡した限りでは、約一〇〇名程度の捜査員が集まっていた。さっきまで受付にいた二人の刑事が、丸めた模造紙を持って現れ、雛壇脇のホワイトボードに広げて貼り出す。恐らく、現場周辺と思われる見取り図が描かれていた。

午後五時、捜査会議が始まった。まず、南雲刑事部長から簡単な挨拶《あいさつ》があり、事件の早期解決を望む檄《げき》が飛び、ついで脇田捜査一課長から、事件の概要が説明される。

「既に各方面に連絡した通り、本日未明に当署管内に於《お》いて発生した火災現場より、男性の死体が発見された。死体状況は、特に上半身に第Ⅳ度を含む重篤《じゅうとく》な熱傷を受けているものであり、その程度は、下半身に比較して極めて重いものである」

手元の原稿を読み上げながら、脇田捜査一課長は、そこで一つ咳払《せきばら》いをした。

「火災現場は、明け方まで営業しているファミリーレストランであり、目撃者の数は相当数にのぼるが、被害者自身から直接出火したという証言が複数得られ、また、本日午前中に執り行われた現場検証によって、被害者が装着していたとみられるベルト部分と、ベルトのバックルに見せかけたタイマー機能を有すると思われるものが発見されたことから、本件を時限発火装置を使用し、被害者を熱傷死させた殺人事件と判断した。なお、出火場所が人の集まる場所であり、死者こそ他には出なかったものの、重傷を含む怪我《けが》人は二二人を数え、その被害状況が、まさしく深刻なものであること、一歩間違えば、さらに大惨事になった可能性が十分に考えられること、社会に与える影響の大きさを考えると、卑劣な手段で己の欲望のままに、貴重な人命を奪うという挙動に出た犯人は、まさしく憎むべき社会の敵であり、我々司法警察に対する挑戦とも受け取れる」

雛壇にずらりと並んでいる面々は、その年齢や風貌《ふうぼう》から見ても、恐らく大半がキャリア組のエリートだろう。貴子たちからみれば、同じ組織に属しているとはいえ、まるで別世界の存在という感がある。捜査本部長は南雲刑事部長、事件そのものの指揮を執るのは脇田課長だが、現場の指揮となると、その隣の宮川管理官が執る。彼らは全て警視以上という、この階級組織の上層部の人たちだった。

——誰が作った原稿だか。

貴子は、緊張しながら事件の概要を知り、脇田課長の熱のこもった演説を聞く一方で、心の片隅では、ちらりと皮肉なことを考えていた。彼らに敵対心を持つつもりなど毛頭ありはしないが、「言うは易《やす》しだ」という気持ちも常にある。それに、面倒な指揮官が上に来たのでは、現場は窮屈になって、結局苦労するのは貴子たちなのだ。願わくは今、黙って脇田課長の話を聞いている宮川管理官が、現場の人間を使うつぼを心得ている、見通しの利《き》く頭の人間であることを祈るばかりだった。

お歴々の挨拶が終わると、今回の事案のカイミョウがつけられることになった。捜査本部の看板表札ともいえるカイミョウは、警視庁全署と報道関係に知らされ、今後の記録にも残される為《ため》、ある程度のアピール度を持たせるべきものだ。

——それにしても、思い切ったことをする。ベルトに時限発火装置なんて。

カイミョウを考えているのか、難しい顔で腕組みをしている南雲部長を遠目に見ながら、貴子は指先に挟んだボールペンを軽く振り、白紙のページが開かれた刑事手帳をこんこんと叩《たた》いていた。ホシの横顔が見えてこない。爆薬などの専門家か、それとも思想運動家だろうか。いずれにしても、時限装置を使うような犯行は、それなりに教養のある知的水準の高い人間による犯行に違いない。しかも粘着質で用心深い。大雑把で短気な人間には、細かい作業は無理だ。

久し振りに本部事件に駆り出された緊張感が、徐々に高まってくる。もしも、本当に被害者本人に時限発火装置をつけさせて焼死させたのだとすると、その手口には、背筋が寒くなる程の残忍さを感じる。

利己的。残忍。貴子は、刑事手帳に思い浮かんだことを書き込んでいった。刑事手帳は、警察手帳とは別に、刑事部の捜査員に配布されている。

——マニアか、テロか？　普通の人間が、そんなに手の込んだことを考えるだろうか。動機は。

南雲刑事部長は、やがて本事案を「立川時限発火ベルト殺人事件」と命名した。貴子は、組んでいた足を組み替えて、スカートの裾《すそ》を引っ張り、手帳のいちばん上にカイミヨウを書き込み、大きく四角で囲んだ。

「なかなか、センスのあるカイミョウだ」

隣に座っていた先輩捜査員が、すっと身体を傾けてきて小さく呟いた。貴子は、ちらりと横を見て、わずかに眉《まゆ》を動かして見せた。

「よかったですね、『ファミリーレストラン殺人事件』とかいうんじゃなくて」

貴子の言葉に、先輩も口元だけで微《かす》かに笑う。彼は貴子の緊張に気付いているに違いないと、ふと思った。彼らの、そういった目立たない細やかさを、貴子は好ましいと思っている。

――でも、緊張した顔をしてる？　気を遣わせるくらいに？

自分では、そんなつもりはないのだが、貴子が緊張しているときにはすぐに分かると、仲間たちはいつも言う。さすがに今回は、概要を聞いただけで、難しい事件になりそうなことが分かるから、緊張していても不思議ではない。貴子に話しかけてきた先輩だって、いつになく硬い表情をしているのだが、大抵の場合は、彼らは首を傾《かし》げながら「どうしてだ」と言うことが多かった。不器用、無愛想、不可解、というのが、貴子が得ている評価だった。ことに、不可解という点を、彼らはいつも口にする。分からないよなあ、どうしてそんなことにこだわるんだ、どうして、これが平気なんだ、どうしてそんなに力むんだ。どうして、どうして――。それでも、一年の間に大分打ち解けはしたのだ。だが、彼らの「わからない」という言葉の底には、常に「女は」というひと言が隠されていると貴子は感じている。最初の頃、貴子は「どうして」と言われる度に、「そっちこそ」と思った。そっちこそ、どうして女、女と区別しようとするのだ、と。

――今さら。そう力むほど、ガキじゃない。

カイミョウの決定に続いて、本部のデスク要員が決定された。デスク要員は、本部に詰めて各捜査員が収集してきた資料を集め、連絡を円滑に行うなどの下働き的な役割で、事件が解決するまでは、ほとんど帰宅もできないくらいに忙しい立場になる。所轄署の婦人警察官一名を含む五人の要員が決定すると、制服の婦人警察官がすぐに別室に行き、決定したばかりのカイミョウを大きく紙に書いてきた。その間に、本日の上がり時間は午後一〇時と決められた。

——上がりが一〇時っていうことは、解散は夜中過ぎ、か。

この会議が終了し次第、貴子たちは、予《あらかじ》め受付で提出した名刺をもとに作られた組み合わせで、二名一組の班を作られ、即座に捜査活動に入る。通常、土地勘のある所轄署、隣接署の応援捜査員と、捜査のプロである本庁の捜査員、機捜隊員らとが組み合わされる。今後は、全てその二人で行動することになるから、誰と組むことになるかは重要な問題だった。何しろ、事件が解決するまでは、一日の大半を共に過ごさなければならない相手である。貴子が女だと分かると、途端に嫌な顔をする捜査員も多いから、この組み合わせには、否《いや》が応でも神経質になる。ただでさえ、貴子はさっきから、全身にちくちくと視線を感じているのだ。

——女を初めて見るわけじゃあ、ないでしょうに。あんたたちの女房は男なの？

さっと振り返って、そんなことを言えたら、どれほど気分が良いだろう。だが、彼らは、自分は無関係だという顔をするに違いない。仕方がないのだ。彼らは、あまりにも女の、ことに同じ職場にいる女の扱いに慣れていなかった。これだけの人数が集まっていながら、さっきカイミョウを墨で書いてきた婦人警官を除けば、この捜査本部には女性捜査員の姿は貴子以外に見あたらない。

ここまでの手続きが、いかにも手順良く整然と進められると、ようやく捜査方針が決められることになる。今回の捜査本部で、捜査員たちを直接指揮することになるキャップとなった本庁捜査一課の綿貫《わたぬき》係長が、メモを片手に立ち上がり、ホワイトボードの前に立った。

○被害者の身元確認と交友者の捜査
○自他殺の見極め
○放火・失火の見極め
○現場の地取捜査
○現場資料に基づく捜査
○手口前歴者の捜査
○動機の見極め
○時限発火装置の薬品・部品の解明

ホワイトボードには順番に捜査項目が書き出されていく。貴子が、それぞれの項目を手帳に書き込んでいる間に、ホワイトボードの脇にスクリーンが用意された。ワイヤレスマイクを通して、綿貫係長のがさがさとした声が聞こえてきた。

「ええ、まず、本件の概要及び被害状況と、被害者の検視、解剖の結果から報告する」

講堂の照明が落とされ、スライドの写真が映し出された。まず、火災に見舞われた建物の全景が映る。一階の店舗部分はガラスが全て割れ落ちており、外壁には炎の勢いを物語るかのように、黒い煤《すす》がついていた。火は、六階建ての建物の五階の一部にまで達したらしい。

「これだけの規模の火災で、ガイシャ以外に死者が出なかったというのは奇跡に近い。幸いにして、このマンションは大半が店舗、または貸事務所として使用されているものだったので、深夜の時間帯に建物内に残っている人間が少なかったことが、その理由である」

カチャリ、と音がして、建物の内部が映る。

「ガイシャは、この火災現場の客席部分で発見された」

がらんとした店内は、どこも黒く焼け焦《こ》げており、消火の際の水の勢いで、多くの椅子やテーブルの残骸《ざんがい》は片隅に追いやられている。カチャリ、今度は店内のソファーが大映しになった。

「ガイシャが座っていたと思われる座席の焼け方は、他の座席に比べて極めて激しく、特に、背もたれ部分は大きく焼け焦げて、内容物も炭化している。一方の腰掛け部分は、他の部分とあまり変わらない程度の損傷である」

さらにスライドは進み、おおよその火災の状況が説明された。

「また、ガイシャの死体が発見された位置は、レストラン客席部分のほぼ中央であり、店の出入口からはかなりの距離がある。当時レストラン店内にいた、およそ八〇名の客と八名の従業員は、出火後速やかに避難しており、怪我人は出たものの、死亡者が出なかったことを考え合わせると、男性であるところのガイシャ一人が、煙に巻かれるなどして逃げ遅れた為に死亡したとは考えにくい発見状況といえる」

既に、本部設置を知らせる電報で、火災状況は知っていたが、それでも、実際に写真で見ると、その印象は一気に生々しいものになる。貴子は、全《すべ》てを頭に焼き付けておこうと、前方に腰掛けている捜査員の隙間《すきま》から、熱心にスクリーンを見つめていた。

「事件発生当時、レストランにいた客や従業員からも、突然ガイシャの身体《からだ》が燃え上がったという目撃証言が相次いでおり、炎に包まれたガイシャが『熱い、助けてくれ』と叫びながら床に倒れ込んだという証言も取れている」

何度目かのカチャリの後に、突然、ガイシャの写真が映し出された。貴子は、思わず胃の底からこみ上げてくるものを感じた。火災現場から運び出された直後の、担架にのせられたままの焼死体だった。焼けただれた衣服が、特に下半身に付着しており、焼死体特有のボクサー型の姿勢をとっているが、全身に煤を被《かぶ》っているせいか、ほとんど真っ黒で表情などはつかめない。

「一見して分かる通り、ガイシャは全身に第Ⅱ度から第Ⅳ度までの火傷《やけど》を負っているが、特に上半身の火傷が激しく、下半身の損傷との違いが顕著である。また、指紋、掌紋の採取も不可能であることから、照合は不可能であった」

もしも、一度でも警察の厄介になったことのある人物ならば、その全ての手の指の指紋と掌紋とが、警察のコンピューターに登録されているから、短時間で確認することが可能だ。だが、確かにこれだけひどい火傷を負っていたのでは、それは無理に違いなかった。

続いて解剖の前に、法医学研究室で撮られたものと思われる写真が映し出された。既に衣服はつけておらず、洗浄された後のそれは、貴子も最近は見慣れてきた、ただ解剖を待つ「物体」となっていた。実際、普通の生活の場にある死体と、解剖を待つ為にステンレスの台にのっている死体とでは、その印象はだいぶ異なる。スクリーンには、洗浄された結果、細部まではっきりと見えるようになったガイシャが大きく映し出されているのだが、貴子は、最初に火災現場で写されたものよりも、まだ冷静に受け止めることが出来ると感じた。

「被害者は男性。身長一七四センチ、体重六二キロ。一見して分かる通り、ボクサー型に硬直しており、全身に熱傷を負っているが、ことに、上半身は熱変化が激しく、頭部、顔面、胸部、腹部、背面および左右の腕は、全体に黒色に炭化している。それに比べ、腰から下および左右の足は比較的健常といえる状態で、発見当時は衣服も残っていた」

次に、顔の部分が大映しになった。ほとんど炭化している頭は、髪の毛もほとんど焼けており、目を閉じて、半分開いた口からは膨張した舌が飛び出している。耳は、すっかり炭化したのか、ほとんど見えない程度にしか残っておらず、この写真から、生前の被害者の容貌を予測するのは至難の業といえた。全身を見なければ、男女の区別すら困難なほどだ。

「ことに腹部、ちょうどベルトを締める部分の炭化は激しく、ベルトよりも下の部分とは大きな違いがある。また、足の部分には水疱《すいほう》、紅斑《こうはん》などが見られ、生活反応を示している。解剖の結果、上気道粘膜も熱凝固により白色に壊死《えし》していた。以上のことなどから、被害者は生前に焼かれたことは確実である」

死体の周辺、およびガイシャが腰掛けていたと思われる座席の周辺にも、油の流れたような形跡はなく、焼身自殺を疑わせるような容器、マッチ、ライターの類《たぐい》を発見することも出来なかったと、綿貫係長は報告した。また、午前中の現場検証によって、ガイシャが装着していたと思われるベルト部分と、バックルが発見され、ベルト部分にはタール状に変化した薬品らしきものが付着しており、バックルには時限装置と思われる仕掛けがあったとの報告も行われた。

「従って、自殺、または火災による焼死の可能性は極めて小さく、ガイシャ本人に時限発火装置を装着させるという、極めて特異な他殺事件と考えるのが妥当かと思われる」

そこで、係長はホワイトボードに書かれた「自他殺の見極め」という欄に棒線を引いた。

「まず、ガイシャの身元の割り出しが先決である」

貴子は、身元が割れてしまえば、この事件は案外簡単に解決するのではないかと思った。なぜなら、本当にベルトに時限発火装置が仕掛けられていたのだとしたら、ガイシャの周辺にいて、ベルトを装着させることの出来る人物を洗い出せば、それで良いとも思われるからだ。交友関係を洗えば、ガイシャにベルトを贈った人物が浮かび上がってくることだろう。

現場で燃え残っている遺留品を早急に洗う一方で、現場周辺での聞き込みを開始する。もちろん、市民からの情報も大きな頼りになるが、聞き込みの際には、被害者の写真を持ち歩いても効果は期待できないことから、被害者の身体的な特徴などから探っていく。

貴子は、キャップの話を聞きながら、メモをとり続けた。

「なお、ガイシャの身体的特徴として、右大腿部《だいたいぶ》および左足首に、かなり新しい傷跡が残っていた。これは、下半身の火傷程度が比較的軽かったことから残された、貴重な資料になると思われるが、何ものかによって咬《か》まれた痕《あと》、恐らく、かなり大型の犬などによって咬まれた咬傷《こうしょう》の痕と思われる」

メモをとり続けながら、貴子は一瞬、眉をひそめた。咬傷という言葉は、これまでの捜査会議に出てきたことのない言葉だった。キャップは、その歯牙痕《しがこん》からも、ガイシャの身元が分かるはずだと続けている。

——二カ所も咬まれて、すぐに焼かれて。

何という不運な男なのだろう。踏んだり蹴《け》ったりどころではない。貴子は、この数日のガイシャの気持ちを考えてみた。何故《なぜ》、自分ばかりが、そんな不運に見舞われるのかと考えたか、それとも、これも自分で蒔《ま》いた種だと、思い当たるところがあっただろうか。

——発火装置を仕掛けられるような男。

それほどの恨みを買うような男だったということだろうか。犬に咬まれたのは、単なる事故か、それとも誰かにけしかけられたからか、今時分に、この東京で野犬に襲われるということは、まずないはずだ。犬と発火装置とは何か関係があるのだろうか——。

「それでは、班組と捜査の分担を発表する。氏名を読み上げるから、起立して、それぞれの相方を確認した上、迅速に捜査活動を開始してほしい。上がり時刻は二二時、その後、二三時には、次回の捜査会議を始める予定である。以上、解散」

決定したばかりのデスク要員によって、次々に名前が呼ばれ始めた。貴子の周囲の男たちが、順次立ち上がる音が本部内に響きわたった。既に、外は闇《やみ》に包まれている時間だ。この時間からの聞き込みとなると、今夜は、大したことは出来ないだろう。

「三機捜隊、音道巡査」

貴子が呼ばれた。立ち上がると、少し離れた位置に、ずんぐりとした体型の中年の男が立ってこちらを見ていた。無表情。だが、口元が不機嫌そうに歪《ゆが》んでいる。

——丁と出るか、半と出るか。あのタイプは、どっちかだわ。

貴子は、軽く会釈《えしやく》をしたうえで、まだ名前を呼ばれていない捜査員の間をすり抜け、出口に向かった。視界の隅で、同様に出口に向かってくる人影が見える。午後六時、本部内に詰めていた捜査員たちは、順次、出口に向かい、それぞれの相方と受け持ちとを確認した上で、日没後の四方に散っていった。

「音道です。よろしく、お願いします」

出口で出逢《であ》った相方に、即座に名刺を出して頭を下げると、相方は黙って貴子の名刺を受け取り、それからまじまじと貴子を見た。

「でかいな」

ひと言だけ言うと、ずんぐりむっくりの男は、革製の黒いハーフコートを羽織りながら、大股《おおまた》で歩き始めた。

5

その夜、マンションに戻るとすぐに、貴子は手洗いに飛び込んだ。時刻は午前一時半を回ろうとしている。捜査会議が終わったのが既に零時半を過ぎていたのだから、仕方がない。眠いし疲れていたし、昨日にも増して全身が冷え切って空腹でもあったが、とにかく長時間、尿意をこらえていたせいで、下手をすると膀胱炎《ぼうこうえん》にでもなりそうだったのだ。既に、そんな兆《きざ》しがあった。

——こんなときに。

二三、四だったか、警察官になって間もない頃にも、貴子は膀胱炎に罹《かか》ったことがある。その後も身体が冷えたり体調を崩したりする度に再発した。寝込む程でもないが、あの不快感は人に訴えることも出来ず、かといって落ち着かない憂鬱《ゆううつ》な症状は放っておけばいつまでも続くから、当時はずいぶん苦労したものだ。知り合いに、良い漢方薬があると紹介されて半年以上も飲み続け、ようやく完治したつもりだったのに、こんなときに限って再発したのではたまったものではない。

——それにしても。

すっかり冷え切っている腰をさすりながら、貴子は小さくため息をついた。まあ、何という男と組むことになってしまったことか。あの滝沢という古参の刑事は、まるで貴子を敵か何かのようにでも思っているらしい。最初に「でかいな」と呟《つぶや》いたきり、結局、今夜は最後の最後まで、ただのひと言も、貴子に向かってまともに話しかけることはなかったのだ。貴子の方では、名刺まで差し出したのに、相手は名前を名乗ろうとさえしなかった。いくら、典型的な男性社会とはいえ、これ程までにあからさまなのは、いまどき珍しい。お陰で午後六時に本部を出て、一〇時に上がるまで、貴子は手洗いに行きたいとも言い出せなかった。これで膀胱炎に罹ったら、滝沢の責任だ。

――そんなことを言おうものなら、飛んで火にいる、だわ。相手の思うつぼ。

手洗いを出ると、貴子はすぐに風呂《ふろ》に入った。身体が温まってくるにつれて、ゆっくりと、深く呼吸が出来るようになり、やがて、大きなあくびが出た。滝沢は「でかいな」と言ったが、貴子の身長は一六六センチで、今時ずば抜けて大きいというわけでもない。その身体が、さらさらの湯を通して白く揺れて見える。貴子は、掌《てのひら》で胸から腹を撫《な》で、ついで爪先《つまさき》を摑《つか》んで足の筋を伸ばしながら、「あんたが、小さいんじゃない」と呟いた。この疲れは、捜査の、というよりも気疲れに近い。

結局、今夜は現場周辺の聞き込みに回った貴子たちだけでなく、各班ともに特にめぼしい収穫はなかった。ガイシャの身元も、まだ分かっていない。明日は、果たしてどんな動きが出てくることか、今頃、本部に泊まり込んでいるデスク要員たちは、各捜査員の提出した報告書をまとめながら、頭を悩ませているに違いない。とにかく、本格的に忙しくなる前に、膀胱炎を抑えることだ。

——あんな親父《おやじ》に小馬鹿《こばか》にされちゃ、たまらない。

ずんぐりむっくりの滝沢は、四五、六といったところだろうか、貴子と大差のない身長だから、彼が前に立つと、貴子の目の前には、薄くなり始めている髪がぺたりと頭に張り付いている景色が見えた。相手だって貴子が気に入らないかも知れないが、貴子の方でも、滝沢のようなタイプは生理的に受け付けない。脂《あぶら》ぎった凸凹の肌をして、煙草《たばこ》の脂《やに》で歯は黄ばみ、しかも団子鼻の上の目つきは陰険そのものときている、いかにも猜疑《さいぎ》心が強く、しつこそうな雰囲気を持っている、どこから見ても叩《たた》き上げのデカ丸出しのタイプだ。彼が、コートの前をはだけたまま、腹を突き出して、肩で風を切るように歩く姿は、短足も手伝って、まるで皇帝ペンギンのようだと貴子は思った。いや、アザラシの立ち姿か。とにかく、こちらから望んでは、決して連れだって歩きたいとは思わない相手だ。

——誰が選んでくれたんだか。あれじゃあ励みになんか、なりそうもない。

貴子は貴子なりに、いつも仕事の相方になる男を出来る限り好きになろうと努めている。時には、疑似恋愛にも近い気持ちになることもある。そうすれば、気持ちに張りが生まれるし、多少の無理も苦にはならないからだ。が、今度ばかりは、そう簡単に好きにはなれそうもなかった。それに、無理にそんな素振りを見せれば、逆に危険なことになりかねない。あの手合いの男は、女を女としか見ることが出来ないに違いないのだ。仕事のパートナーとしてよりも、あくまでも自分とは異なる性を持つ、まるで自分たちとは違う生き物としてしか見られない。良くも悪くも。それを、貴子は刑事になってから学んでいた。人間同士ではなく、あくまでも男と女なのだ。

——せいぜい、弱みを見せないようにするしかない。

浴槽の縁に頭をもたせながら、貴子は深々と息を吐いた。明日からは厚手の下着をつけて、何なら使い捨てのカイロも持っていこう。まったく、生理的に異なるのだから、女が男性よりも手洗いに手間取ることくらい、どうということもなさそうなものなのに、それだけで「だから女は面倒だ」とでも言われたりしては、たまったものではない。

とにかく、あの皇帝ペンギンのようなデカチョウと、何とかしてコミュニケーションを取る方法を考えなければならない。女としてではなく、仕事仲間として、コンビを組む相方として、受け入れてもらえる方法を探すより他にはないのだ。そうしなければ、今後の捜査に支障を来《きた》す。

——どこから崩すか。家庭？　趣味？　下手に機嫌をとるような真似《まね》はしない方が良さそうだし、かといって意地を張っていると思われるのは損だわ。

あんな男の為《ため》に、あれこれと頭を悩ませなければならないなんて、何とつまらないことだろうと思う。

どうせ考えるなら、黒こげの死体のことや皇帝ペンギンのことなどでなく、もう少し、まともな相手のことを考えたいものだった。だが、現実問題として、事件は毎日起きるのだし、神経は常に張りつめていなければならない。短大時代の友人などは、数え切れないほどの男に囲まれて、さぞかし選り取り見取りだと思うらしいが、そんな余裕などありはしないし、一度、煮え湯を飲まされた貴子から見れば、真面目《まじめ》で正義感も強く、職務に忠実、良く鍛えられた肉体を持つ、いかにも男性的な仕事仲間と接していても、滅多に心など動かされるものではない。別れた夫だって、典型的なスポーツマンタイプの、爽《さわ》やかさを売り物にしているような男だったではないか。

——誰も彼も、一皮むけば似たようなもの。

翌日、午前九時から三〇分程の捜査会議が終わると、捜査員たちは一斉に本部を後にした。その大半は、昨日に続いてガイシャの身元割り出しに、また、同様の手口で犯行に及んだことのある前歴者の洗い出し、時限発火装置の部品から製造元、販路を逆にたどる捜査などに分かれた。貴子は、昨夜とまったく変わらない服装に、同じ仏頂面《ぶっちょうづら》で煙草をくわえている滝沢と共に、目撃者の証言を集めることになった。相変わらず一人でせかせかと行ってしまおうとする滝沢は、昨夜はどこかで飲んだのか、妙に垢《あか》じみて余計に脂ぎって見え、貴子の朝の挨拶《あいさつ》にすら答えようともしなかった。

——女と組むことになった愚痴でもこぼしてた？

足早に歩く滝沢に歩調を合わせて並んで歩きながら、貴子は昨夜、どうやってこの男との会話の糸口を見つけようか、どんなふうに打ち解けたら良いかと、あれこれと思いを巡らしたことさえ忘れていた。やはり、苦手な相手だ、とても好きになど、なれそうもない。

二人が向かっているのは、火災に巻き込まれて負傷したレストランの従業員と客が収容されている病院だった。今回の事件で、二二人にのぼった入院患者のうち、既に三人は軽傷ということで昨日のうちに退院していた為、昨夜のうちにそれぞれの自宅に赴き、事情を聞き終えていた。深夜のレストランの客だった三人は、いずれも住まいが離れていたため、昨夜はそれだけで終わってしまった。

残りの負傷者は、現場近くの二カ所の救急病院に収容されていた。今日は正午に、デスクに一度捜査の進展状況を報告することになっている。その段階で、他の捜査員からも新しい情報が入っていた場合には、また新たな動きが展開することになるから、出来れば午前中に、残った一九人の負傷者から話を聞き終えておきたいと考えるのは、滝沢も同様のはずだ。

——何も言ってくれないんだから、分かったものじゃないけど。

取りあえず、ベテランの滝沢が、自分で判断して動いているのだから、貴子としては、それに従うだけだった。いつになることか分からないが、滝沢が話しかけてきたときに、きっちりと受け答えの出来る態勢だけを作っておき、それまでは黙って滝沢について歩こうと、貴子は覚悟を決めていた。

「どんなって言われても――男の人としか、覚えてないです」

「私が見たときには、もう炎に包まれてましたから。こっちはもう、逃げるので必死だったし」

一軒目の病院には、比較的軽傷の負傷者、男性客四人、女性客二人、男性店員二人が収容されていた。先に主治医のもとを訪ね、面接の許可をとった上で一人一人から事情を聴取したが、彼らはだいたい似たようなことしか言わなかった。

「最初に聞いたのは、ええと――ウェイトレスの女の子の悲鳴だったと思うんです。それで、何かなと思ってそっちを見たら、もう火が上がってました」

逃げる際に腕の骨を折ったという学生は、滝沢の質問に答えながら、ちらり、ちらりと貴子を見た。

「僕は禁煙席の方にいましたから、店の入り口から正反対の位置なんですよね。それで、何が起こったのかよく見えなかったし、こんな大ごとになるなんて、思ってもなかったし――そうするうちに、自分で燃えちゃってるらしい人が、立ち上がったんだよな。なんか、ドラマみたいな感じでさあ」

丁寧な話し方に慣れていないのか、その学生は滝沢の「へえ、そうかい」などという相槌《あいづち》に、すっかり友達に対するような口調になった。

「もう、焦《あせ》ったの何のって。そのうち、悲鳴は上がるし、真っ黒い煙が立ちこめてさ、とんでもなく臭いし、目なんか、こう、シカシカしちゃってね」

とにかく、ガイシャ本人から突然炎が噴き上がったことだけは確かなようだ。その時の驚きと恐怖を語るとき、負傷者たちは、この学生だけでなく、等しく怪我《けが》の痛みさえ忘れるかのようだった。

「何か、言ってたかね、その燃えちゃった人は」

「昨日も言ったよ、俺」

「もう一度、言ってくれよ。俺は、初めて聞くんだからさ」

「『熱い』とか、『たすけてくれ』って、何度も叫んでたけどなあ。でも、助けようがなかったよな」

「『熱い』『たすけてくれ』、ね。他には」

「あとは、動物みたいな声を上げてた。うぉぉっていうような」

「『うぉぉ』とね」

「――そんなことまで、書くの」

「一応な。ところで、なあ、どうしてあんな夜更《よふ》けに、飯なんか食いに行ったんだよ」

滝沢は、貴子の存在など全く無視するように、一人で学生とのやりとりを続けた。貴子は、自分も一応のメモを取りながら、滝沢の背後で黙って負傷者を観察していた。一人が喋《しゃべ》っている間は、もう一人は黙って相手を観察していた方が良い。少し離れた位置から表情や仕草などを観察していることで、新しい発見もあるからだ。

「あの――その人も、刑事さんですか」

話を聞き終えたところで、学生は興味津々《しんしん》といった表情で貴子を見た。貴子が目元だけで微笑《ほほえ》んで見せている間、だが滝沢は振り返りもせず、「まあね」と答えただけだった。

「へえ、女の刑事さんもいるんだ」

学生は、いかにも無邪気に貴子を見ている。すると滝沢は、ぱたりと音をたてて手帳を閉じ、「だからさ」と言った。

「助平な一般市民は、このお姉さんとじゃなきゃ、喋りたくないなんて、言うもんでね」

滝沢の説明に、学生は「なるほどねえ」と本気で感心したような顔をした。その間に、滝沢はむっちりと肉のついた毛むくじゃらの腕に巻いた、金の四角い時計を見ている。

「警察もな、少しはサービスをよくしないとさ」

「そりゃ、そうだ」

「飾りものでもさ、ないよりはマシだろうが、え？」

一つ目の病院を出ると、滝沢は再び足早に歩き始めた。ひと言、「くそガキが」と呟いたのだけが聞こえたが、貴子は敢《あ》えて聞き直さなかった。滝沢は、まるで貴子が疲れるのを待っているかのような急ぎ足で、しかも並んで歩いているのに突然角を曲がる。所轄《しよかつ》署勤務の滝沢にしてみれば、この付近の地図は不要といって良いのだろう。どこをどう通れば近道か、全《すべ》て把握しているに違いないが、せめて、並んで歩いていれば「次を右」くらい、言ってくれても良いではないかと思う。だが、この偏屈そうなデカチョウは、まるで、どこかで貴子を振り切ろうとさえしているかのようだ。

――無視する以上に、嫌がらせもするつもり？　私を、ただの影法師以下にしようっていうわけね。イメージアップのための、飾りものだから。

だが、貴子はあくまでも滝沢と同じテンポで歩き続けた。凍《い》てついた路地に、二つの靴音だけが響く。街は、一歩踏み込めばまだ正月の名残をとどめた空気を漂わせていた。建て売り住宅の塀に、二つの長い影が映るのを横目で眺めながら、貴子はふと、実家のことを思い出した。貴子が結婚した後になって、下町の建て込んだ一帯を離れ、埼玉の新興住宅地に引っ越した両親と妹たちの住む家から、最近の貴子はすっかり足が遠退《の》いていた。あの街、あの家並みを、自分の故郷とはとても思えない。

幾つかの路地を抜け、幹線道路を渡ったところにある二軒目の病院には、比較的重傷の患者が四名収容されていた。その中には、ガイシャが座っていた位置を覚えていたアルバイト店員も混ざっている。彼女が、もしかすると生前のガイシャを見た最後の人間かも知れなかった。

「困るんだよねえ」

患者の部屋を訪れる前に、まず主治医のもとを訪れると、先ほどの病院とは打って変わって、今度の担当医は神経質そうに眉間《みけん》にしわを寄せて言った。昨日の現場検証に際して、まだ精神的ショックから抜けきっていない患者たちから無理に事情を聞き出そうとしたことを、この若い医者は怒っているらしいことが、滝沢とのやりとりを聞いていて貴子にも察せられた。

「まいったなあ、そう怒んないで下さいよ、ねえ、先生。あたしらだって、辛《つら》いところなんですから、ね」

滝沢は、貴子に見せる顔とは別人のような、これ以上はないという程の愛想の良い笑顔を見せながら、自分よりも一〇センチ以上は長身と思われるひょろりとした医師の背中を叩こうとする。だが、三〇にも満たないように見える白衣の青年医師は、まるで汚いものから身を守るような姿勢で滝沢の手を避けた。

「あんた方は、聞きたいことだけ聞き出せば、それでいいんでしょうけど、僕らは患者さんの治療が仕事です。いいですか？　うちでお預かりしている四人の患者さんのうち、特に二人の場合は、火傷《やけど》の程度も重い。下手をすると、この一両日以内に二次性ショックに陥る可能性があるんです」

「はい、はい、二次性ショックですね。承知しております」

「その段階で死亡する危険があるっていうことなんですよ。特に、木崎昌代さんの場合は、精神的なショックも大きい」

「ははあ——精神的なショックに加えて、二次性のショックの可能性、と」

「もちろん、そうならないように、万全を期してはいますけど。そんなときに、あんた方にかき回されたくないんです」

「あ、いや、ごもっとも。もう、ほんのちょっと、一〇分、いや、五分でいいんです。ね、お願いしますよ。あれでしょう？　意識は、はっきりしてるんですよね？」

「ですから、もう少し症状が落ち着くまで、待って下さいって言ってるじゃないですか」

　青年医師は、明らかに苛立《いらだ》った声で、語尾に力を込めた言い方をした。だが、滝沢は俯《うつむ》きがちに「はい、はい」とは言うものの、やはり「頼みます」を繰り返す。

「ショック症状なんか起こされたら、たまりませんからね。そりゃあ大事にしてもらわなきゃ。でも、ねえ先生、分かって下さいよ、私らだって仕事なんだ。今のうちに、取れる話は取っておかなきゃならないんです」

医師の顔に、あからさまな軽蔑《けいべつ》の色が浮かんだ。不躾《ぶしつけ》、無神経、いや、それ以上の図々《ずうずう》しさで、滝沢は奇妙な笑みを浮かべながら若い医師を見上げている。

「あんたねえ――」

「木崎昌代の話が、後々になって、どれほど貴重なものになるかも知れないんです。先生だって、新聞くらいはご覧になってるでしょう？　あの火事はね、ただの事故じゃなかった。下手をすれば、もっとたくさんの被害者が出たかも知れない、それだけの危険性をはらんだ、あれは殺人事件だったんですって。ええ、お手間はとらせません。一〇分、いや、本当に五分でいい」

物腰だけは柔らかいが、決して後には引かないという雰囲気が、若い医師にも伝わったようだった。彼は、いかにもうんざりとした顔で、ちらりと貴子の方も見た。反射的に、貴子も医師から目を逸《そ》らさないまま、小さく頭を下げて見せた。この「うんざり」という表情は、貴子たちにとっては見慣れた表情のひとつだ。相手の都合も考えず、時には今のように無理難題を押し付けるような形をとってでも、しつこく顔を出すのが刑事の役目なのだから、嫌がられるのも無理もない。以前は貴子も申し訳ない、恥ずかしいという感情が先にたったものだが、お互いの職分を全うしているに過ぎないと、最近は割り切ることにしている。

「ところで、どうなんです？　先生のお見立てでは、木崎昌代、火傷の痕《あと》は残りますかね」

「――ショックを乗り切れば、ということです」

「そりゃあ、もちろん。で？」

「――完全に綺麗《きれい》になるということは、ないでしょう」

「そいつぁ、可哀想《かわいそう》だなあ。目は？　見えるように、なりますか」

「――そちらの方は、時間がたてば回復するはずですが」

結局、最後には滝沢は、もっとも重傷の木崎昌代の容体を聞き出すのに成功し、「少しだけですからね」というひと言をもらって、晴れて病室を訪れることを許可された。その、しつこい手口と、貴子に見せるのとは別人のような如才のない笑顔に、貴子は内心で脱帽していた。女では、とてもここまでは出来ないという気がする。しかも、今の貴子の年齢では、このような押しの強さ、図々しさを出すのは、まだ無理だ。

「私は立ち会えませんが、ナースに立ち会ってもらいますからね」

うんざりした顔の医師は、結局そう言い残すと白衣を翻《ひるがえ》しながら立ち去った。一般市民の中で、彼らがもっとも刑事を恐れないと、貴子はいつも思う。それだけの自信があるからか、プライドのせいか慣れなのか、恐れないどころか、常に見下したような雰囲気がある場合が多い。

「ったく、融通のきかねえ青二才だ」

医師の後ろ姿を見送ると、滝沢は吐き捨てるように呟《つぶや》いた。苦虫を嚙《か》み潰《つぶ》したような、いかにも面白くなさそうな顔だった。貴子は、百面相でも見ている気分で、そんな滝沢に従った。いつの間に調べ上げたのか、滝沢は早くも手帳を広げながら、収容されている患者の部屋を探し始めている。

消毒薬の匂《にお》いのする長い廊下を歩き、やがて目指す病室を探すと、滝沢はドアをノックし、途端に柔らかい表情になった。

「いやあ、こんな時に何度も申し訳ありませんねえ。是非とも、もう一度ね、お話をうかがいたいと思いましてねえ。私、立川中央署の者なんですがね」

それにしても大変な災難でしたな、などと言いながら、滝沢は相変わらず貴子を無視したままで病室に踏み込んでいく。貴子は、滝沢の背後に控えたまま、時には病室を訪れている患者の家族に会釈《えしやく》などをしながら、ひたすら黙って滝沢の事情聴取を見つめていた。

三人の負傷者から順に事情を聞き、最後に問題の木崎昌代の病室の前に立った頃には、既に昼近くになっていた。ドアの脇《わき》には「面会謝絶」と赤く書かれた札が下がっている。本当に、手短にお願いしますよ、と例の医師から指示されているらしい看護婦が、怯《おび》えたような表情で滝沢に言った。

6

薄汚れた窓越しに、埃《ほこり》っぽい風景が見える。初めて入ったラーメン屋は、慢性的に渋滞しているような、ダンプカーや大型トレーラーなどの通行の多い道路に面していた。申し訳程度の歩道は、誰かとすれ違うときに、轟音《ごうおん》を上げて通過する車に身体《からだ》を削られそうな不安さえ覚える程で、そんな道路に面しているラーメン屋は、滝沢が予想した通り、昼時だというのに閑散としていた。その店の、窓際の席に座って、滝沢は貧乏揺すりをしながら、ひたすら窓の外を眺めていた。

——かなわねえな、やりにくいったら、ありゃしねえ。

滝沢の貧乏揺すりは、苛立っているときの癖だった。同僚に言われて初めて気付いた癖で、それ以来、滝沢は自分が貧乏揺すりしていることに気付くと、努めて自分の気持ちを落ち着かせようとするようになった。元来、そう短気というわけでもないのだ。目の前には、相変わらずの無表情で例の女刑事が座っている。背ばかり高くて、首も手足も「にょっきり」という感じで伸びている女は、二七、八いや、八、九というところだろうか。胸の薄い、顔の小さな女で、そう化粧をしているようにも見えなかったが、白い肌をしていた。滝沢から見れば、小娘に毛が生えた程度だというのに、いかにもしれっとした落ち着きを見せて、彼女は昨日来、黙って滝沢についてくる。

——全く、何だって俺が。

特捜本部が設置されたときには、滝沢は久しぶりに緊張し、気持ちが奮い立ったものだ。火災現場から運び出されたホトケを真っ先に見たのは、この滝沢だったし、一目見た途端に、その焼け具合に不審を抱いた自分の目と勘の確かさに、密《ひそ》かに胸の躍る思いさえ抱いた。それが、こともあろうに女などと組むことになろうとは、まさしく冷や水を浴びせかけられたような気分だった。

「へい、タンメンお待ちどお」

たった一人で店を切り盛りしているらしい、四〇前後に見える瘦《や》せた男が両手に一つずつ丼《どんぶり》を運んできた。滝沢が店に入ってタンメンを注文すると、女刑事は「ふたつ」とだけ言った。そして、それきり黙って店内を眺め回していたのだ。しごく静かな表情で、ひと言も口をきかずに。滝沢にしてみれば、気詰まりなことこのうえなかった。

「いただきます」

テーブルにしつらえられている箸《はし》立てから割り箸を引き抜くと、音道刑事は小さく呟いて、さっさと箸を動かし始めた。勢い良く湯気を吹き、微《かす》かな音をたててタンメンを食べ始める。滝沢は、後から自分も箸立てに手を伸ばしながら、俯きがちに箸を動かしている彼女を上目遣いに観察した。軽くパーマがかかっているのかも知れないが、短い髪はいかにも細く、柔らかそうだ。箸を持つ手も華奢《きやしや》で、甲には静脈が浮いている。——それでも、自分の箸しか取らない程度の無神経さか。

女ならば、それくらい気がついても良さそうなものだと思う。だが、彼女は滝沢の方を見ようともせず、ひたすら自分の箸を動かすばかりだ。気がつかないのか、それとも滝沢に対するささやかな抵抗のつもりか、いずれにせよ可愛《かわい》げのない女だと、滝沢はさらに貧乏揺すりを続けながら、目の前に置かれた丼に箸を突っ込んだ。

滝沢が敢えて彼女に話しかけないのには、それなりの理由があった。第一に、滝沢は女を信じていなかった。女はすぐに嘘《うそ》をつく。裏切る。気分が変わる。感情が先走る。滝沢たちの仕事は信頼関係とチームワークとで成り立っている。そんなヤツを、仕事のパートナーとして選べる道理がなかった。

第二に、滝沢は元来女のデカなどというものを認めていない。これは男の仕事、男の世界だ。常に危険と背中合わせだし、仕事もきつい。人間の暗部ばかりを見せられるような側面があるし、ストレスもたまる。時間的にも不規則だし、咄嗟《とつさ》の判断力、行動力も要求される。そんな仕事を敢えて選ぶには、それ相応の覚悟と信念が必要になる。とても腰掛け程度に出来る仕事ではないのだ。しかも、体力的にも劣り、本能的に闘争心の弱い女には、所詮《しよせん》は無理が多すぎる。それでもデカになりたいというのなら、同じ捜査課でも生命の危険などにさらされる可能性の比較的低い、盗犯や知能犯の捜査官になれば良い。それが、こともあろうにこの女は機捜隊員だというではないか。いくら男女同権の世の中とはいえ、一体上の方は何を考えているのだと、滝沢はそれだけでも腹立たしい気持ちになる。

第三に、とにかく面倒くさいのだ。便所一つにしたところで、その辺で済ますというわけにもいかないし、帰りが深夜になるようなら、夜道を一人歩きはさせられないのではないかと心配になり、言葉遣い一つをとっても、男同士のときのようには気軽にズバリと言えなくなる。ことに若いとなれば、何事につけても滝沢の判断を仰ぎ、滝沢を頼りにすることになるだろう。そうなると、滝沢はまるで自分が引率の教師のような気分にさせられる。そんな面倒はご免だった。

第四に——実は、これが滝沢の心には案外重くのしかかっていたのだが、目の前の音道貴子が本部に現れたとき、滝沢の周囲の捜査員たちが一瞬ざわめいたからだ。

「あんな女がいたのか」

「一度、お相手してもらいたいもんだな」

滝沢の耳には、男たちのそんなざわめきが聞こえていた。滝沢自身、ただ眺めている分には、なかなか良い女だと思ったことは確かだった。それほどに、音道貴子は目立っていた。男顔負けの体格だったり、こちらが苦笑いするほどのご面相だったりすれば、さほどの注目も集めたかどうか分からないが、彼女は一見して、男とはまるで違う生き物に見えた。

「どうして、こういうときに限ってデスクに回されちゃったのかなあ」

若い和田などは心底悔しそうに、そんなことまで言った。その時は、滝沢だってまだコンビを組まされるとは思ってもいなかったから、一緒になって含み笑いをしていたのだ。だが、自分が彼女と組むことになったら、笑ってはいられなかった。むしろ、血の気の退《ひ》く思いだった。

「ごちそうさまでした」

つい、ぼんやりしそうになっていると、滝沢の視界に入っていた相方の丼の上に箸が置かれた。その先の方に、わずかにピンク色の口紅が付着しているのを見て、滝沢は、余計に嫌な気分になった。タンメンを口に運びながら、上目遣いに前を見ると、音道刑事はハンカチで口元をおさえているところだった。真っ白かった頬は紅潮して、額にもうっすらと汗を滲《にじ》ませている。

――慌《あわ》てて食ったか。

これは、相当な意地っぱりだと、滝沢は考えた。滝沢に遅れまいとしたに違いないのは分かるが、やはり可愛げがない。滝沢は、わざとゆっくりと箸を動かし、スープをすすった。その間に、彼女は「失礼」と言って立ち上がり、奥の手洗いに消えた。すっきりと伸びた細い足で、軽やかに歩いていく姿を横目で見送り、滝沢はため息が出そうになった。やはり、やりにくい。まだ、めそめそと泣き出すような女の方が怒鳴ったり叱《しか》ったり出来る分だけ気楽かもしれなかった。

数分後、滝沢が箸を置くと同時に音道刑事は戻ってきた。そして、すぐに横の椅子《いす》に置いたコートを着ようとする。

「そう急ぐこたあ、ねえだろう。会議は一時半からだ」

滝沢は、箸立ての横に置かれていた楊枝《ようじ》立てに手を伸ばしながら、ぶっきらぼうに言った。正午過ぎに定時連絡をしたところ、本部にはガイシャの身元が分かったという情報が入ったところだった。緊急会議は一時半から開かれるということになっていた。だからこそ、こうして昼食をとることが出来たのだ。女刑事は、相変わらずの無表情のまま、おとなしく元の席に腰を下ろした。滝沢は、煙草《たばこ》をくわえながら、そんな彼女の顔をじっと見つめた。ふてぶてしい程に落ち着きはらっている。

「あんたさ――」

煙草の煙を吐き出しながら、滝沢はゆっくりと口を開いた。音道は、小さく「はい」と言い、正面から滝沢を見る。

「腹の中で、思ってるんだろう」

「何を、ですか」

「自分がいなければ、木崎昌代の話は取れなかったって」

滝沢は、貧乏揺すりをしながら、目を細めて彼女を見据えた。まだ頬を紅潮させている音道は、さほど表情を変えることもなく、ただわずかに眉《まゆ》を曇らせている。

「――私が行って、良かったとは思いました」

やがて、彼女はゆっくりと口を開いた。あくまでも抑えた声で、特に感情的にもなっていない。

「どうしても、今日中に木崎昌代の話を聞きたかったことは確かなんですから、結果的に、それが出来たのなら、それで良かったと思っています」

主治医が面接に難色を示した木崎昌代という娘は、煤《すす》で目をやられていることもあって、周囲の全《すべ》てに対して異常なまでの恐怖を示した。滝沢は滝沢なりに、出来るだけ穏やかな声で話しかけたつもりだったのだが、彼女は悲鳴を上げて「怖い」を連発したのだ。

「私は、関係ないっ！　どうして警察の人が、何度も私のところに来るんですか。私は何もしてないのに、ただ、注文されたものを持っていこうとしただけなのに！」

昌代は全身を震わせ、どれほど強烈な衝撃を受けているかを表した。このままパニックを起こされても困る、それこそショックを起こされたら、警察の責任になるなどと滝沢が後ずさったとき、音道が彼女の手を握った。その途端に、昌代はおとなしくなってしまったのだ。

「大丈夫よ、もう大丈夫。怖くなんかないわ。ここは安全だし、あなたの怪我《けが》も、すぐによくなる」

音道はゆっくりと、諭すような言い方をした。ベッドの横に屈《かが》み込んで、彼女は昌代の包帯を巻かれた手をさすり、「怖かったわよね」「痛かったでしょう」などと言った。それから数分後、昌代は音道に対して、ぽつり、ぽつりと話を始めたのだった。まるで、妹が姉に甘えているような口調だった。

「まあな、俺の後ろばかり歩いてたんじゃあ、給料泥棒みてえなもんだしな」

滝沢は、苛々《いらいら》と貧乏揺すりを続けながら、音道から視線を逸《そ》らした。

「――」

「飾りもんじゃ、ねえんだ。少しは、役にたってもらわなきゃなあ」

「――」

「これからも、せいぜい男性恐怖の女子どもか、女好きの野郎にばかり会えることを祈ってるよ」

自分でも不思議な程にきつい言葉しか出てこない。だが、それでも音道の表情は変わることがなかった。少しは泣くなり膨れるなりしてみろと思いながら、滝沢は乱暴に席を立った。まだ金を払っている最中の音道を置き去りにして、さっさと埃っぽい風の舞う街に出ると、滝沢は後ろも振り返らずに歩き始めた。細っこい小娘のくせに、自分よりもよほど落ち着いて見える、言っていることも筋が通っている、そう思うと余計に癪《しゃく》にさわった。

——あんた、デカを続ける限り、こういう思いをし続けるんだぞ。それよりは、早いとこ嫁にでも行って、子どもでも産んだ方がいいだろうが。

気がつくと、背後に滝沢と同じテンポでついてくる靴音がある。何故《なぜ》だか、逃げ出したいような気持ちで、滝沢は追い立てられるように署に向かって歩き続けた。全く、捜査以外のことでこんなにあれこれと考えなければならないなんて、何と疲れることだろうと思った。

第二章

1

男は、薄っぺらな紙の上で、わずかに斜に構えたポーズをとり、口元をほころばせていた。額に一筋の髪を垂らし、不敵な程に物怖《お》じしない目つきで、真《ま》っ直《す》ぐにこちらを見つめているところなどは、なかなか堂に入ったものだ。男にしては細すぎる眉《まゆ》と、切れ長の目元は、かなりあくが強いが、もう一〇歳も若ければ、二流か三流のアイドルスターのような印象を与えたことだろう。自分の魅力を十分に心得ている、人に見つめられることに快感を覚えるタイプ、そんな感じの笑顔だった。だが、男は二度と笑わない。それどころか、今は黒く焼けただれ、木偶《でく》人形のようになって、頭蓋骨《ずがいこつ》から腹まで開けられた挙げ句、大学病院の法医学研究室の冷凍庫に入っている。まだ、身内が引き取りに来ないのだ。

「菅原琢磨《すがわらたくま》というのは偽名でありまして、本名は原照夫《はらてるお》。年齢も三〇歳ではなく三四歳ということです。二〇歳のときに都内で暴行傷害事件を起こしておりますが、処分保留で釈放されております」

夜の捜査本部に、担当捜査員の声が響いた。方々から微《かす》かなため息が洩《も》れた。前科があるということは、通常ならば指紋照合にかければ、すぐに身元は割れたはずなのだが、不幸にして今回のホトケは火傷《やけど》の程度がひどかった。それが身元確認を遅らせた原因の一つになったのかと、誰もがそう思ったに違いない。ガイシャにとっても、貴子たちにとっても時間の損失だった。

貴子が滝沢と向かい合ってタンメンを食べた日から、さらに二日が過ぎて、その夜の会議は午後八時から始まっていた。疲れ果て、冷え切った身体《からだ》を引きずるようにして捜査本部に戻ったのが七時過ぎ、それから貴子は、勝手に捜査報告書を書き上げていく滝沢の脇《わき》に座り、何の意見を差し挟むこともできずに、一時間を過ごした。身体が温まってくるに連れて、徐々に押し寄せて来ようとする睡魔と闘いながら、自分なりに今日一日の行動を思い起こし、何かの発見はなかったかと考えようとしたのだが、印象に残っているのは相方の小憎らしい後ろ姿ばかりだ。

全く、何日たっても貴子と馴染《なじ》もうとしない相方は、今日も今日とてレストランの関係者からの聞き込みを続けながら、貴子を空気のように無視し続けた。昔気質《かたぎ》の職人のように、捜査のコツは盗んで覚えろとでも言うつもりなのか——とても、そんな先輩心からの行動ではないに決まっているが——ただの一度も貴子の意見など求めず、どんな相手に対するときにも貴子を押し退けるかのように自分が前に踏ん張って立った。貴子の方から話しかけても、さもうるさそうに顔をしかめるばかりだし、こうして本部に戻ってからだって、普通ならば後輩である貴子に指図して報告書を作成させ、自分はコーヒーでも飲んでいれば良いものを、嫌味たらしく首など回しながら、どうにかこうにか数枚の報告書を書き上げている。

——少なくとも、読む方は私の文字の方を喜ぶと思うけど。もちろん、女文字は信用できないなんて考えるような、とんまな読み手じゃなければの話だけどね。

相手がそういう態度をとり続けている以上、こちらだって悪い方にばかり考えたくなる。大して収穫があったとも思えない捜査内容を、やたらと筆圧の高い、いかにも調書で鍛えましたと言わんばかりの四角張った癖字でごまかしているかのようなものではないかと、貴子は、つい皮肉っぽい考えにとらわれながら、出来損ないの受験生みたいな姿勢で机に向かう滝沢を眺めていた。こういう、「男でござい」を売り物にしているような男に限って、実際はノミの心臓、肝っ玉の小さいヤツに違いないと、貴子は日夜、皇帝ペンギンのような後ろ姿を見る度に考えるようになっていた。ついでに言わせてもらえば、こういう男はセックスだってきっと下手だという気がする。

——どうせ、お座なりなお務めで子どもの二、三人も産ませたってところじゃないの。女房の顔を見てみたいものだ。

そんな下らないことでも考えていなければ、本当に大あくびが出そうだと思っていたところで、ようやく一日の締めくくりの会議が始まったのだが、その途端に、貴子の頭からは眠気など消し飛んでしまった。待ちかねていたガイシャの写真が、ようやく配られたのだ。

「先日の参考人であります北山貞子《さだこ》にも、この写真を見せましたところ、菅原琢磨に間違いないとの証言を得ることが出来ました」

二日前、ホトケの身元に心当たりがあるという人物が本部に連絡を寄越したことにより、菅原琢磨という氏名がもたらされたときには、これで捜査にも弾みがつくことだろうと、誰もが思ったはずだった。夕方までにはガイシャの生前の写真も入手でき、昨日の朝からは、本格的に彼の周囲を洗い始めることになったはずだった。それが、思わぬ手間がかかったのは、彼が本名ではなく、偽名で通していたせいだと分かった。

「また、北山貞子は、原照夫という名前はまったく知らなかった模様で、菅原が名前を使い分けていたことも知らなかったと言っています。ただ、それほどの驚きは見せておらず、『なるほどねえ』という感想でありました」

北山貞子とは、たまたま、火災のあった当日に例のレストランで待ち合わせをしていたという、四四歳の主婦だった。彼女は、約束の時間に三〇分ほど遅れたお陰で火災に巻き込まれずに済んだのだが、翌日になっても待ち合わせ相手と連絡が取れなかった為《ため》に、ひょっとしたらと考えて届け出てきたのだった。ガイシャとの関係については、「単なる知人」であり、きちんと知っているのは携帯電話の番号だけだと彼女は言い張った。何故《なぜ》すぐに待ち合わせ相手の安否を確認しなかったのか、火災のあった翌々日まで、何を逡巡《しゅんじゅん》していたのかという捜査員の問いに対して、彼女は「それほどの付き合いではなかったから」と答えたそうだ。

「そんな時間に若い男に会って、ヤる以外に何の目的があったっていうんだよ、なあ」

二日前の会議のとき、貴子の耳には、そんな囁《ささや》きが聞こえていた。周囲には波のように含み笑いが広がったものだ。貴子も、もっともな話だと思いながら、知らん顔をしていた。たとえこちらが同意を示すつもりで振り返ったのだとしても、捜査員たちは、急に気まずい表情で口を噤《つぐ》んでしまったりするものだ。今更、「ヤる」「ヤらない」などという表現くらいで動揺などするはずもないのだが、彼らは必要以上に気を遣う。

「また、参考人が唯一《ゆいいつ》の連絡方法として番号を教えられていた携帯電話が、別の女性名義のものであることも、全く知らなかったと言っています」

ホトケは損傷が激しい為に、直接に遺体を見せて確認させることは出来ない。その代わりに捜査員は、参考人が覚えている限りの、待ち合わせ相手の身体的な特徴を聞き出した。北山貞子は、菅原琢磨が一〇日ほど前に野犬に足を咬《か》まれたと言っていたこと、さらに左下の奥歯に二本の金歯を入れていることを挙げた。それらの特徴は、ガイシャのものと一致している。ガイシャの右太股《ふともも》及び左足首に残っていた咬傷《こうしょう》については、新聞テレビなどの報道にも流していない特徴だったし、義歯についても同様だった。それにより、参考人が待ち合わせしていた相手はガイシャであることに間違いないと断定された。そして、彼女によって、名無しのホトケだった男は、菅原琢磨、三〇歳「くらい」、職業はモデルクラブ経営「らしい」ということが判明したのだ。

――なるほどねえ。

貴子は、ようやく生身の人間だった当時の姿を現したガイシャのスナップ写真をしげしげと眺めながら、この男ならば、深夜のレストランで、アバンチュールを夢見る欲求不満の主婦と逢《あ》い引《び》きの約束をしていても分からないではないと思っていた。この風貌《ふうぼう》で、しかも二つの名前を使い分けていたとなると、過去の暴行傷害以外にも、叩《たた》けばかなりの埃《ほこり》が出る男だという感じがする。もちろん、当人は既に死亡しているのだから、叩きようもないのだが、尋常とは思えない手口で殺害されたのには、それなりの理由があってしかるべきだと、そんな気がした。

「本籍地は栃木県塩谷郡――福島県境に近い山村でありまして、同地には現在もガイシャの両親と兄夫婦が林業の傍ら農業を営んでおります。栃木県警を通じて照会しましたところ、原照夫は一六歳のときに家出をしたきり、以来、一度も帰郷するどころか、親元にも連絡を入れていなかったということで、その為か、遺族は遺体の引き取りを渋っている様子です」

菅原琢磨が、なぜ原照夫だと分かったか、それから担当捜査員は説明を始めた。とにかく北山貞子から聞き出した菅原琢磨の携帯電話の番号から、契約者の氏名を調べた。その結果、電話の契約主は菅原琢磨などという男ではなく、都内でバーを経営している女性であることが分かった。その女性にあたったところ、確かに菅原琢磨は「昔からの友達」であり、電話を貸しているという。彼女は、電話を貸すほどだから――単なる友達が、携帯電話をそっくり貸し与えるものかどうかなどという質問が飛び出したのは当然のことだ――北山貞子よりは多少は菅原に近い存在だったと見え、菅原の自宅の電話番号も知っていた。そちらの方の契約者は、今度は確かに菅原本人であり、同時に住所が分かった。自宅と思われる賃貸マンションは、やはり菅原琢磨名義で契約が結ばれていたが、その際の連帯保証人――これまた、支店を何軒か持っている美容室の女性経営者だった――によって、ようやく原照夫の名前が浮かび上がってきた。また、住民票からも原照夫の名前が見つかり、同時に本籍も割り出された。

「自宅マンションは、JR国立駅から徒歩七、八分の距離にありまして、家賃二六万という高級賃貸マンションであります。ガイシャは、ここで一人で生活をしていた模様で、家具などから見ましても、その暮らしぶりは、かなり贅沢《ぜいたく》なものであったように見受けられました。ただ、ガイシャ個人の私生活および生活史などを感じさせるようなものは極めて少なく、何というか——ホテルの部屋のような印象を持ちました。特に、日記、アルバムなどの類《たぐい》は見つかっておりません。また、免許証、パスポート、健康保険証の類もみつかりませんでした」

たった一枚のスナップ写真ですらも、なかなか見つからなかったということだ。関わりのあった女の一人が、やっと二人並んで写した写真を持っていたから良かったようなものの、それが唯一のものだった。普通の人間は、生きていればそれなりに、様々な痕《こん》跡《せき》を残すものだ。何もしていないようでも、毎日何かしらのゴミを出す。それが、写真どころか身元を証明するものさえ見つかっていないとなると、ガイシャは相当に自分の身辺に気を配って生きなければならないタイプの男だったか、または、他にもアジトのようなものを持っていたと考える方が自然のように思われる。

貴子は、自分たちが参考人巡りをしている間に、身元割り出し担当の捜査員たちは、ずいぶん忙しく動き回っていたのだと、半ば羨《うらや》ましい気持ちにもなった。捜査は、虚《むな》しさが常に付きまとう。大きく絡《から》み合っている毛糸玉の、ようやく一つの糸口を見つけ出し、やっとの思いでほぐしたと思っても、それが何かにたどり着くということは滅多にない。たった一本の糸を手繰り寄せる為に、捜査員たちは無数の無駄な糸を丁寧に解きほぐさなければならない。

「——また、マンションの住人などにガイシャの写真を見せて回ったところ、原の顔をきちんと見知っている住人はほとんどおりませんでした。建物そのものがオートロックであることから、管理人も置いておりません」

一六のときに家出をして、原照夫は何故名前を変え、どんな人生を歩んでいたのだろうか。どうやって、家賃二六万のマンションに住めるようになったのか。身元が判明するまでにも、これだけ複数の女性が浮かび上がってくる男とは、どんな男だったのか。

——なかなかのことを、やってたんじゃないの？　あんたを恨んでる人間なんか、山ほどいるんじゃない？

その夜は帰宅するなり、着替えもせずにベッドに倒れ込み、貴子はしばらくの間、ただぼんやりとしていた。とにかく、足がだるくて、爪先《つまさき》が疼《うず》くように痛む。腰も痛かった。今朝、出がけに使い捨てのカイロを貼《は》り付けておいたから、さほど冷えてはいないはずだが、腰の骨がずれているような感じがした。一日中、歩き回っていたのだから無理もないのはわかっている。それでも、こういうときに、貴子はふと自分の年齢を考えてしまう。やはり、二〇代の頃とは違うと感じる。以前の貴子ならば、疲れて帰宅しても、こんな風にベッドに倒れ込むことなどなかった。これから先は確実に、体力を維持していくのが難しくなっていくことだろう。そう思うと憂鬱《ゆううつ》になる。

——気疲れもある、絶対。あんな親父《おやじ》と、四六時中一緒にいるんだから。

全身が綿のように疲れ、頭など空っぽになっているはずなのに、それでも少し気分が落ち着いてくると、一日中考え続けてきて、もううんざりしているはずのガイシャのことが気になり始める。

――馬鹿《ばか》な男、誰からもらったの、あんなベルト。

貴子は、咳払《せきばら》いともため息ともつかない、うめき声に近い声を上げながら寝返りを打ち、仰向《あおむ》けになって天井を見上げた。やはり肩から背中、腰にかけてがぱんぱんに凝っている。大きく伸びでもしたら、そのまま背中がつってしまいそうだ。

――女？　あんたに、あのベルトを渡したのは。

恐らく人から物をもらい慣れている男だったのだろう。携帯電話に始まり、マンションの保証人も、当日に待ち合わせをしていたのも、全《すべ》てが年上の女なんて、まともじゃない。

それまでは、黒こげのイメージしかなかった哀れな男が、ついに名前を持ち、写真によって顔を見せ、その生き様を暴《あば》かれ始める。本人が好むと好まざるとに拘《かかわ》らず、貴子たちは総力を結集して文字どおり彼を丸裸にしていくのだ。不思議なものだと思う。名前を知ったときには、既に相手の人生は終わっているのだ。これから先、貴子がどれほど彼の人生に近付こうと、絶対に接触する可能性はない。

――死んだ男のことばっかり、こんなに真剣に考えなきゃならないなんて。

情けない話。相手を思って、こっちが胸を焦《こ》がすならいざ知らず、本人がもう既に焦げてるんだから。

「でも、早く、あんたをあんなふうにしたホシを見つけないとね、私だってあのクソジジイから離れられないんだから」

全く、あの滝沢には腹が立つ。たまに口を開けば嫌味ばかり、二言目には「ご立派」だの「ご親切」だの、ろくな褒め言葉も使いはしないのだ。相方として、多少なりともいい思い出の一つも作らせてくれれば、それだけで貴子は満足だし、滝沢の評価も上がろうというものを、あの男は考えが浅いというか、古臭いというか、そんなことさえ思いつかないらしい。どう考えたって、ケツの穴が小さいのだ。

「まあ、所詮《しょせん》、男なんてそんなものよ」

ため息と共に天井に向かって呟くと、貴子はようやくベッドから起き上がった。今日のスーツはクリーニングに出すには、まだ早い。

「せいぜい、身だしなみを整えて、あんたの為に、あのペンギン親父と歩かなきゃね」

原照夫に、一体どれほどの女性関係があったかは知らないが、恐らく彼女たちのうちの誰よりも、自分は彼の実像に近い姿を知る存在になることだろうと思うと、おかしいような気分にもなった。その夜、貴子は眠りにつく寸前になるまで、留守番電話にメッセージが残されていることに気付かなかった。いつもならば、帰宅していちばんに確認するのに、そんな、習慣になっていることも忘れていた。

《もしもし、貴子？　お正月にも連絡を寄越さないから、心配してるのよ——ああ、お母さんです。たまには、帰ってきたら？　お父さんも、行子《ゆきこ》たちも、待ってるから——それから、智子《ともこ》がねえ——とにかく一度、連絡してちょうだい。その時にでも、話すことにするわ。それにしても、あんた、元気なんでしょうね？　言っても聞かないだろうけど、危険なことは、ないんでしょうね？　全く、やっぱり、あんたが警察官になりたいって言ったときに、もっと反対していればよかったって、最近、お母さんはねえ——》

テープは途中で切れていた。母のメッセージは、いつもこんな具合だ。そのくせ、電話をかけなおして続きを入れておくということは、しない。喋《しゃべ》る方も不満かも知れないが、メッセージを聞く貴子の方も、妙に消化不良のような気分にさせられる。それが、いつもの母のメッセージの入れ方だった。貴子は、足の方に座布団《ざぶとん》を折り畳んだものを置き、ちょうど足に枕《まくら》をあてるような形にして、ようやく横になった。足のだるさとむくみを取るには、この方法がいちばんだ。それにしても、下の妹が何か問題でも起こしたのだろうか。五つ年下の妹は、貴子といちばん気が合っていた。

——電話ね。電話。

元々、貴子が警察官になりたいと言い出したとき、猛然と反対したのは母だった。貴子の家は、親戚《しんせき》を含めて、ほとんどが公務員か医療関係、または教育者になっている。

生活の安定もさることながら、表向きは、金儲《もう》けに走らない、功利目的に生きない、というのが、家風とも言えるものだった。貴子の父も役人だったし、母とは職場結婚だった。だから、貴子も幼い頃から、自分は公務員になるのだろうと思っていたし、もしもなるのならば、絶対に婦人警官だと決めていた。別に、悪者が嫌いだとか、正義のためにとか、そんなことを考えていたわけではない。ただ、小児喘息《ぜんそく》を治すために習い始めた合気道を生かせたらと思っていたし、制服にも、多少の憧《あこが》れがあった。一日中、机に向かっているような仕事は性に合わない、出来れば体を動かして、めりはりのある生活を送りたい。最初は、そんな程度の動機だった。

短大を卒業して、警察学校に入校するときには、母は半ばヒステリックに反対し、入寮するために荷造りする貴子の横で、さめざめと泣き続けた。だが、父は賛成してくれた。公務員ならば、何でも良いと思っていたのかも知れないが。

婦人警官を目指す女性には、とにかく勝ち気で、小意地の悪い女が多かった。女ばかりの世界とはいえ、そこは、平和で華やか、おっとりとした短大とは別世界の、情緒の欠片《かけら》もないような女がずらりと揃《そろ》っていた。正義感、使命感という鎧《よろい》の内には、滴《したた》り落ちるほどの女っぽさをひそませている女。コンプレックスと裏返しの清廉《せいれん》さを売り物にするような女、実は充分に世俗的で下品な意地汚さに満ちているくせに、高潔を気取るような女、恥ずかし気もなく下品な言葉を口にする女。自分だけが正しいと思う、奇妙な思い込みや、力みすぎ、自意識過剰などは、掃いて捨てるほど見てきた。嫉妬《しっと》、いじめ、嫌がらせ、どうしてこういう人が警察官など目指すのか、一体何を考えて日々を過ごしているのか分からなくなるような女が多かった。寮に入っていた半年間、貴子は、敵は異性ではなく、同性なのだと、幾度思い知らされたか分かったものではない。それでも、挫折《ざせつ》もしなかったのは、貴子の意地と、ほんの少数の素敵な先輩や友人に恵まれたためだ。ことに、たった一人の先輩が、ひたむきさ、真面目《まじめ》さ、純粋さといったものを持ち続け、何も、女らしさをかなぐり捨てなくとも、一人前の婦人警官にはなれるのだと身を以《もっ》て教えてくれた。彼女がいなければ、貴子は婦人警官になることを、とうに諦《あきら》めていたことだろう。

警察学校を卒業すると、寮も変わって、所轄署《しょかつ》に配置になり、新任教養の後、貴子は交通執行係としてミニパトに乗っていた。同じ年代の女の子が、まだ学生を続け、または淡い色合いのスーツに身を包んで、ナチュラル・メイクに凝る頃に、貴子は、規律が重んじられる、完璧《かんぺき》な縦社会の最底辺に身を置くことになったのだ。

——あんたが、お巡りさんねえ。

でも、似合ってるかもね。一般の企業に勤めるようになった短大時代の友人は、たまに会うと、悪戯《いたずら》っぽく笑いながら、そんなことを言った。そして、その時になって初めて、貴子の頑固さには驚かされたことがあるとか、融通が利《き》かない性格だと思っていた、などと言った。貴子は、自分がそんな風に思われていたことを知って愕然《がくぜん》となり、いつまでも、蝶々《ちょうちょう》のようにひらひらとしている娘たちと自分との違いを知って、淋《さび》しい一方で、警察官になったことは、間違いではなかったのだと確信した。当時、まだなりたてのほやほやの婦人警官だった貴子には、それなりの理想があったし、多少融通が利かなくとも、法の番人として、社会秩序の維持のために働くのだという、気負った使命感に燃えていたのだ。

ミニパトで街を走るようになると、一般市民だった頃には、別段意識もしなかった様々なことが見えてきた。こちらが白と黒に塗り分けられた軽自動車に乗り、制服を着ているだけで、世の中の男というものは、ずいぶんと態度が変わるものだということも、そのときに発見した。つい一年前、短大生だった貴子には、まるで見えなかった世間の男たちの実態というものが、様々な方向から見えるようになった。やたらと低姿勢になってみたり、または、何々署の某を知っているのだから、大目に見ろというようなことを平気で言ったり、自分たちは仕事で動いているのだ、勝手に車を移動されては商売にならないとすごまれたり、実に様々なことがあった。あの頃、駐車禁止の取り締まりをしていたときには、後から笑えるような話が多かったと思う。先輩には嫌味や小言を言われることも少なくなかった。絵に描いたような怖いおばさんもいた。だが、最初の職場は総じて楽しかった。同世代の気の合う同僚たちと、哀れな一般市民の話をしては、年中笑っていたような気がする。そして、何課の誰が格好良いとか、何子は誰それと付き合っているそうだとか、売れ残りの先輩は、実は年下の巡査に愛人がいるとか、ごく普通の若い娘の会話を交わしていた。制服を着ていようと、中身はOLと大差なかったのだと思う。

——恥ずかしいくらい、みっともないくらいに、若かった。

その後の貴子の経歴を考えてみると、まるで警察そのものに自分の運命を牛耳られているような、そんな気がしなくもない。上司の勧めに従って、無邪気に女性の白バイ隊員になりたいと希望を出したときから、貴子の人生は徐々に変わっていった。まず、手始めに、白バイ講習を受ける為《ため》に、朝霞《あさか》の訓練所に通っていたときに知り合ったのが、交通部にいた別れた夫だったのだ。自分には、明るい未来が開けている。そう信じて疑わない日々が続いた。あの頃は得意満面、有頂天で、人生バラ色と信じて疑わない、いちばん小生意気な頃だった。何ごとにも、あっけらかんとしたもので、上司から叱《しか》られたって平気なものだった。

女性の白バイ隊は、警視庁のイメージアップ作戦の一環としての、ある種のキャンペーン要員のような色彩が濃かった。職務の内容としては、実際の取り締まりなどよりも、マラソンや公式行事などの先導とか、危険のない、女性として目立たせたいような場所にばかり回された。それでも最初のうちは、それなりに華やかな気分も味わい、マラソン中継をテレビで見ていた知人から電話をもらったり、雑誌の取材を受けたこともあった。ミニパト時代の同僚からはやっかまれ、男性からはよけい者扱いをされても、まるで我が世の春といった気分だった。恋が、貴子を強く、大胆にもしていた。

やがて、彼との交際も順調に進み、ゆとりともいうのか、心地良い退屈が貴子の心に広がり始めた。このまま、いつまでも看板代わりの白バイ隊員でいたのではつまらないと思うようになった。緊張感が足りない。何かに挑戦している感覚が味わえない。

――いいじゃないか。みんな、良くやってるって言ってるぜ。バイクの技術だって上達してきてるんだし、大会に出て上位に入れよ。

彼は、貴子の苛立《いらだ》ちを知ると、そんなことを言って慰めてくれた。だが、貴子が代わりばえのしない日々を過ごしている間に、彼の方は、交通機動隊員として、実に様々な経験を積んでいた。似たような格好をしていても、彼と同じ経験は出来ない、一緒に歩んでいるつもりでも、結局は置いていかれてしまうと、貴子の中で焦《あせ》りが募った。それならば、もっと自分の可能性を試したいと、そんなことを考えて、刑事部への異動を希望したのだ。そう簡単に聞き入れられるはずがないと思っていたからこそ、気軽に希望を出したのだが、ここでも皮肉なことに、貴子は「特別に」刑事部の盗犯捜査係に任用され、刑事になるための捜査講習を受けることになった。あの時の、彼の驚いた顔を、貴子は今でも覚えている。「デカになるのか」と、鳩《はと》が豆鉄砲を喰らったような顔になり、彼は、それから諦めたような笑顔で「カミサンがデカとはなあ」などと言ったものだ。それが、実質的には彼のプロポーズだった。そして、貴子が二六、彼が二八の時、二人は結婚した。

結婚後、貴子は鑑識の手伝いをするようになり、贓品《ぞうひん》捜査のために、質屋回りなども覚えた。あの頃は、刑事ごっこをしているようで、新たな刺激に包まれつつも、何とも気楽なものだった。新婚家庭に戻ると、貴子は揃って食事出来る日は、その間中、一日に経験してきたことを喋り続けた。だが、やがて、本部の留置管理課勤務となった頃から、風向きが変わって来たのだ。女子留置人の看守勤務を担当することになって初めて、貴子は本物の犯罪者と接することになり、様々な年齢の、様々な経歴を持った女たちを見ることになった。

どうしてこんな人が、何故《なぜ》こんなことにと、毎日毎日、同じ疑問にぶつかりながら、貴子は何人の女たちを見たか分からない。貴子に対して敵意をむき出しにする者、どこか懐《なつ》かしそうに話しかけてくる者、実に様々な女がいた。自分と大差ないと思う、きっかけ一つ間違えただけだと思うのに、貴子と彼女たちとの間には、厳然たる違いがあった。捕まった者と、捕まえた者の違い。貴子は、彼女たちの話を夫には聞かせなかった。守秘義務云々《うんぬん》よりも以前に、同性として、話すべきではないという思いがあったのだと思う。

やがて、第二強行犯第三係、つまり、殺人事件担当に回されて、貴子の頭は、さらに目まぐるしく回転せざるを得ない状況になった。とにかく、徹底的な男性社会が、ようやくよそ行きの顔を捨てて、貴子の前に立ちはだかったのだ。捜査課全体に、六人程いる婦人警察官は、互いに力を合わせているかといえば、そうとばかりも言えず、係や年齢、もちろん性格の違いも手伝って、警察学校当時と同様、決して味方とばかりは言い切れない。第一、二〇〇名近くもいる本部の捜査員に混ざれば、そんな数の婦人警官など、芥子粒《けしつぶ》程度の力も持ち合わせてはいなかった。

来る日も来る日も、貴子は男性に混ざって慣れない仕事に走り回り、書類の書き方を覚え、「せめて、足手まといになるな」と言われながら、必死で実際の捜査を覚えていった。そして、気が付いたときには、夫とのすれ違いが増え、彼の帰りが不定期になったことにも気付かず、職場でも家庭でも、見え透いた嘘《うそ》の相手をしなければならないことになっていた。

――結局、いいように振り回されてるのは、私の方かも知れないんだわ。

もしも母の言う通り、保母か何かになっていたら、どんな人生が開けていたことだろう。賑《にぎ》やかで、穏やかな日々が約束されたとでもいうのだろうか。今頃は、子どもの一人も産んで、母親同士の会話に興じているだけで満足していたか。そうなっていたら、オートバイにも乗らなかっただろうし、拳銃《けんじゅう》の扱いも覚えられなかった。気絶するほど疲れることもなく、膀胱炎《ぼうこうえん》の心配をしたり、人間の醜さばかりを見ることもなかっただろう。皇帝ペンギンみたいな男に嫌味を言われることもなく、男は女を守るものだと、信じ込んで暮らしていられたかも知れない。それはそれで、良い人生だったことだろう。いや、絶対に、その方が良い。平和で穏やかで、呑気《のんき》で。だが、今更後戻りは出来なかった。第一、貴子は一度として、そんな生活に憧れたことはなかったではないか。いつでも刺激を受けていたい、人の本音を暴《あば》きたい、ことに刑事になってからは、貴子は常にそう思っている。

罪を憎んで人を憎まず。そんな偉そうなことを言うつもりはない。ただ、赤の他人に対する憎しみなど、そうそう持続できるものではないということだ。憎むのだって、エネルギーが必要だ。次々に起こる事件と、絶えることなく現れる犯罪者に対して、そんな青臭い感想など、そう抱き続けられるわけではない。それほど暇ではない。

——電話ね。元気よ、心配いらないって、とにかく、そう言うこと。

たとえ電話は出来ても、当分の間は、とても休みなど取れそうにないのだが、そんなことは母には言えないだろう。愚痴も言えず、仕事の内容も言えない。母にしてみれば、歯がゆいことだろうとは思う。けれど、電話の感じでは、どうやら妹の方に何か起きているようだから、今のところ、母の心配も分散されているということだ。それならば、その方が有り難い。とにかく電話する。電話。電話——眠りに落ちながら、貴子は、それだけを繰り返して自分に言い聞かせていた。まるで、身体《からだ》が沼に引きずり込まれるように、意識が闇《やみ》の中に沈んでいった。

2

菅原琢磨。本名、原照夫。一九六一年三月二八日生まれ。父、元治《げんじ》、母、秀代《ひでよ》は存命。七歳上の兄は家業を継ぎ、五歳上の姉は郡山《こおりやま》に嫁いでいる。照夫は地元中学を卒業後、県立高校に進学するが一年で中退、その後家出を繰り返してその都度連れ戻されるものの、一六歳のときに、ついに行方が分からなくなった。四年後の二〇歳のときに、都内で暴行傷害事件を起こし、現行犯逮捕された際の取り調べによれば、家出後は上京し、上野、錦糸町《きんしちょう》などを転々とした後、六本木のディスコの店員となったという。ケンカに強いタイプでもなく、マエもなかったことから処分保留のままで釈放され、そこから先の行動については、不明な点が多い。現在の職業についても、明確なことは分かっていない――。

捜査本部では、早急に原照夫の現在の職業と、交友関係を洗い出すことになった。もちろん、証拠として押収《おうしゅう》されている時限発火装置からも、薬品、部品の両方から捜査をすすめている。だが、薬品については、科捜研で成分鑑定を急いでいるものの、さらに一週間以上はかかるものと予想されるし、部品についても、市場に広く出回っているものばかりが使用されていることから、物証から容疑者を割り出すのは、相当な困難が予想されていた。同様に、手口前歴者の洗い出しも困難だった。こんな手口で、過去において殺人を犯した人物は、各捜査員の記憶と同様、警察が誇るコンピューターにも登録されてはいなかったのだ。つまり、今回の事件については、ホシの輪郭が非常に摑《つか》みにくいということだった。残った道は、とにかくガイシャの周辺から洗い出すこと以外にない。捜査員が足を使って、歩いて歩いて歩き回ること以外に、事件解決の糸口を発見出来そうな要素はなかった。

貴子と滝沢は、これまでに事情を聞いてきた目撃者に、再び写真を見せて歩いた。彼らは、口を揃えて原照夫に見覚えはないと言い、唯一《ゆいいつ》、火傷《やけど》を負った木崎昌代がはっきりとガイシャを覚えていると言ってはいるのだが、残念なことに彼女の視力は未《いま》だに回復していなかった。原の職業、行動半径が見えてこない限りは、どうにも聞き込みが難しい。他の班がそれぞれ、原の女関係や、ディスコ店員時代の交友関係からの洗い出しをしているのだが、それでも彼の現在の姿は容易に見えてこないまま、さらに数日が過ぎた。

「いや、だから、どっかで見かけたような気は、するんですけどねえ」

その日から、貴子たちはレストランの入っていたビルの、他のテナントを回ることになった。管理事務所が、あるにはあったのだが、ちょうど前任者が辞めた後の火災だったということで、当時は管理人もいなかった。

「どこで見かけたんです。それを思い出して欲しいんですがねえ」

滝沢の言葉に、相手の男は心底困った顔で腕組みをしている。

「とにかく、うちのお客さんじゃないことは、確かなんだけど。お客さんなら、ねえ、必ず覚えてますから」

焼けたレストランのすぐ上階で美容院を経営している男は、片手で頬をさすりながら言った。今回の火災のとばっちりを受けて、当分の休業か立ち退《の》きを余儀なくされているのは、この美容院だけではなかった。

「男でも、美容院に行くかね」

「当ったり前じゃないですか。今時、そんなこと言うなんて、刑事さんも古いなあ」

ビルには、二階に美容院と並んで英会話スクール、写真スタジオがあり、三階には歯科医院、健康器具会社、占星術師、鍼灸《しんきゅう》院、四階になると会計事務所、スポーツ用品店事務所、設計事務所、社名からだけでは業務内容の分からないような事務所などが入っていた。さらに、五階、六階にも、似たり寄ったりの設計事務所、マッサージ師、イベント企画会社、デザイン事務所、霊感占い師などが軒を連ねている。それらのうち、二階の全《すべ》ての店舗と、三階の歯科医院、健康器具会社、鍼灸院、四階の設計事務所と、その真上にあたる、五階のイベント企画会社にまで、被害は及んでいた。結局、大きな建物ではあっても地下から三階までと、あとは縦に細長く焼けてしまっていては、当然のことながら、このビルは取り壊しになるだろうという話を聞かせてくれたのは、目の前にいる、この美容師だ。

「この写真の男が、犯人なんですか？」

ちょうど焼け跡の処理に来ていた美容院経営者は、未だに焦《こ》げ臭い匂《にお》いの立ちこめる空間から姿を現すと、明らかに憔悴《しょうすい》しきった顔で貴子たちの前に立った。

「あら、燃えちゃった人。気の毒にねえ、ひどいことになっちゃって——なぁんか、見たことあるような気も、するわね」

「どこで見ました」

滝沢に聞かれて、美容師は「そうねえ」と首を傾《かし》げる。

「だけどねえ。死んじゃったって聞くと、こう、寒気がするわね。出来ることなら、知らない人の方がいいような気がするなあ。ちょっとでも知ってたってなったら、こんなに呑気な顔、しちゃいられないもんねえ」

いったん口を開くと、商売柄か、立て板に水だ。貴子は、自分一人で向かい合っているのなら、無駄な世間話などせずに、早く聞くだけのことを聞いて、さっさと次に回りたいところだった。いかにも薄っぺらで、一人で喋《しゃべ》り続けるような男が、貴子は嫌いだ。

本当は、何の情報も持ち合わせていないくせに、とにかく好奇心ばかり強くて、何とか話を引き延ばそうとしている、そんなタイプに見えた。

「それにしても、相当な被害じゃないの、おたく」

滝沢は、そんな美容師の話を、ふんふんと相槌《あいづち》を打ちながら聞き、ついでに自分からも余計な話をし始めた。

「しかし、災難だったよなあ」

「もう、災難なんてもんじゃないですよ。今、急いで代わりの物件を探してますけどね。一体、いくらかかるか、分かったもんじゃない。せっかく、ここまでにしてきたっていうのに、また借金地獄よ」

それは気の毒だが、とにかく写真の男の話はどうなったのだと、貴子は口を挟みたいのを堪《こら》えていた。見覚えがあるならある、ないならないで、どうして必要なことだけを聞かないのだ。美容師は、いい気になって、ついに自分が住み込みで修業をしていた頃の話まで始めた。小一時間も美容師と話し込んだところで、滝沢はようやく「いや」と手をあげた。

「また、何かあったら、協力をお願いするかもしれないけどね、それまでは、ひとつ気張って、な」

美容師は、まだ話し足りないというような、半ば拍子抜けした顔をしていたが、諦《あきら》めたように「ええ」と頷《うなず》いた。そういう仕草の一つ一つが女っぽく見える男だった。

――ペンギンにはお似合いかもね。

残る店舗と事務所は、最上階に至るまで、大半が留守だった。エレベーターも動かないままの無人のビルを、それでも貴子と滝沢は階段を使って、一軒ずつノックして歩いた。半数近くの部屋には「連絡先」という貼《は》り紙がしてあり、住所や電話番号が書かれていた。誰もが、ビルが取り壊されることを見越して、急いで新しい落ち着き先を求めているのに違いない。貴子は、かじかんだ手で、それらの全てのメモをとった。そんなとき、滝沢は、それくらいしか出来ることもないのだろうといわんばかりの表情で、自分はメモも取り出さずに煙草《たばこ》を吸っていた。

――はいはい、何でもいたしますよ。どうせ、あんたがメモを取ったって、後から読み返せないに決まってるんだから。

建築現場のように、外から見ると白い覆《おお》いをかけられてしまっているビルの通路は、底冷えがするほどに寒く、外光が白いシートを通して雪明かりのような雰囲気を作り出していた。上階に行けば風も強く、シートは不気味な音を立てて膨らんだり通路側に迫ってきたりする。そんな、火災の後のビルの通路に吸殻を捨てる相方を眺めながら、貴子は、内心でため息をついていた。ただでさえ、貴子は道ばたに平気でゴミを捨てるような人間がたまらなく嫌いなのだ。しかも、ここは火災現場ではないか。

「あ、よかった、ねえねえ刑事さん！」

再び冷え切っている階段を下りて、ようやく二階まで来たときに、背後から甲高い声が響いた。振り向くと、例の美容師がひょろ長い手を振っている。貴子は、反射的に滝沢を見た。滝沢は、「おう」などと、昔なじみに対する挨拶《あいさつ》のような答え方をした。

「ねえねえ、ちょっとちょっと！」

美容師は、ぴょんぴょんと飛び跳ねるような格好で、いかにも嬉《うれ》しそうな声を上げた。

「どうしたい」と言いながら、くわえ煙草のままで美容師の方に歩き始めた相方の後ろ姿を眺め、貴子は、ついため息をつきながら、その後に従った。

「あのね、ちょっと思い出したことがあるの。よかったわ、まだいてくれて」

この男は、本物のホモなのだろうか、滝沢の腕に手を置いて、薄気味の悪い笑顔を向けている。まるで乙女の恥じらいのような、まるで似合わない笑顔だ。とにかく、これまで貴子が一緒に聞き込みに回った中で、こんなに嬉しそうに滝沢に話しかける人間を見たのは初めてだった。

——悪趣味。

美容師は、ちらりと貴子を見て、わずかに小首を傾げるように笑ってみせる。貴子は、とても笑みを返すつもりにもなれず、黙って相手を見つめ返した。こんな男に、たとえば、「怖い婦警さんね」などと言われたとしたって、どうということはない。

「前にね、うちに来てたお客さんから聞いたことがあるんですけど、この上にねえ、何ていうの？　デートクラブみたいな、そんなのが、入ってるっていうのよ」

「デートクラブか」

滝沢の顔は見えない。だが、声からすると、あまりぴんと来ていない様子だ。

「女子高生相手の、そんなのだったらしいんだけど、あれ、いいアルバイトになるんですってねえ。そういえば、ここのビルのエレベーターって、本当によく人が乗ってるのよ。それも、制服の女子高生。私たちが帰る時間になっても、よおく、女の子を見るもんだから、最初は上の階に塾でもあるのかと思ってたくらい」

美容師の筋張った大きな手の中指には、シルバーの指輪が光っていた。その手をひらひらと動かしながら、美容師は熱心に話し続ける。

「そしたら、上にデートクラブがあるっていうじゃない？　へえ、こんな場所にも、そういうところがあるの？　って、私、びっくりしちゃって。だって、ねえ、外から見たら、ぜーんぜん分からないもの。そんな話をしててね、うちではお客様がお帰りになるとき、ほら、そこのエレベーターの前までお見送りするんですけど、先に、上から乗ってきてた人がいたんですよね。ここのエレベーターって、ほら、ドアがガラス張りだから、降りてくると中が見えるのよね。そしたら、そのお客さんが、くるっと振り返って、『あの人』って言ったの」

肉のそげ落ちた頰をわずかに紅潮さえさせて、いやに一つ一つが大きく見える歯の間から唾《つば》を飛ばしながら美容師は、そこで「煙草、一本いい？」と言った。これでは、まるで本物のオカマだ。滝沢は、自分の煙草を差し出し、火を点《つ》けてやりながら「それで」と先を促している。

「僕はね、最初は『あの人』っていう意味が分からなくて、まあ、結構いい男じゃない、なんて思ってたのね。そしたら、そのお客さんが、唇だけ動かして、『デートクラブ』って、言ったのよ。あら、じゃあお客さんなのかしらと思ったら――その時には、もうドアは開いてたんだけど、彼女、その男の人の隣に立ちながら、いかにもさり気なく『社長さん』って」

美容師は、色の悪い薄い唇をすぼめて、ふうっと煙草の煙を吐き出した。そして、その時の情景を思い出そうとするかのように、かなり芝居がかった遠くを見る目つきになった。

「その人がねえ――ね、さっきの写真、もう一度、見せてもらえます？」

滝沢は、言われるままに背広の内ポケットから原照夫の写真を取り出した。美容師は眉根《まゆね》を寄せて真剣な表情で写真に見入った。

「この人だったんじゃないかなぁと思ってねえ――私、その後ももう一度見てみたいっていうか、会ってみたいっていうか、そう思ってたんだけど、それっきりだったような気がするんですけどね。ほら、私たちの仕事って、結構朝が早いし、滅多に外に出ないし、従業員は、階段を使うことになってるもんですから。でも、いい男だし、結構印象には残ってるのよ」

それに、商売柄、一度見た顔は忘れないのだと、美容師は誇らしげにつけ加えた。

「もしも、そうだとしたらね、ここのビルの管理会社に聞けば、分かると思うの」

そっちには、とうに他の捜査員が回っているはずだ。既に写真も入手しているし、本名も分かっているのだから、テナントに入っているのだとすれば分からないはずがないと思う。だが滝沢は「ああ、管理会社ね」と、半ば感心したような口調で答えていた。本気なのか、美容師への愛想なのか、貴子には判然としなかった。

「場所、ご存知？　八王子なんだけど。それにしても僕、刑事さんて生まれて初めて会ったわ。わあ、本当に、いるのねえ。何か、ドラマみたいねえ。やっぱり、男らしいわねえ」

美容師は、一人で興奮している様子で、なおも嬉しそうに喋り続けた。貴子は、ここまで長々と話を聞かされた以上、偶然でも奇跡でも構わないから、その美容師の記憶力に間違いがないことを祈るだけだと思いながら、ひたすら黙って立っていた。

「八王子の管理会社、と。まずは、そっちに回るか。どっちみち、テナントに入ってた連中は、全部ばらばらになっちまってる」

ようやく美容師から解放されてビルから出ると、冬の陽射《ひざ》しさえ眩《まぶ》しく感じられた。

滝沢は、珍しく貴子に語りかけるような独り言を洩《も》らした。そして、貴子が一瞬、返事をするべきかどうか迷っている間に、今度は貴子を見て「なあ」と言った。

「あ——先に、管理会社から回りますか」

咄嗟《とっさ》に答えると、滝沢は煙草を取り出しながら、ああ、とも、うう、ともつかない声を出し、「あんたさ」と言った。

「どっちから当たるんでも構わねえけど、もう少し、考えろや」

「——考えるって」

滝沢は使い捨てのライターで煙草に火をつけながら、顔の半分を歪《ゆが》めて見せた。

「俺の後ろに立ってるのは、あんたの自由だけどな、あんなしかめっ面《つら》で、高飛車な顔をされてたんじゃあ、やりにくくてしょうがねえって言ってんだ」

咄嗟に顔が真っ赤になるのが分かった。貴子は、急いで「私は」と言いかけたが、滝沢はそれを遮って言葉を続けた。

「女なんだから、愛想を振りまけとは言わねえが、武器にすりゃあ、いいじゃねえか。にこっとしてやれよ、え？　善意の市民に対してまで、何も、野郎みたいにぶすっとして、ああいう見下した態度をとるこたあ、ねえだろう。いくらお偉いつもりか知らねえがな、あれじゃあ、聞ける話も聞けねえよ。それとも、あんた、ああいうタイプが嫌いか、え？　嫌いな奴《やつ》からは、話も取りたくないってか」

「そんなつもり、ありません」

「ああそうかい。そんなら結構。俺はまた、お嬢さんはオカマなんか許せねえって、そう思ってるのかと思ったよ」

「――まさか」

「または、な、女だからって嘗《な》められまいと、必死で肩肘《かたひじ》でも張ってるんじゃないかと思ったがな」

滝沢は、目を細めながら、唇の端だけで笑ってみせた。背筋を冷たいものが伝うような、は虫類のような目つきだ。

「そういうつもりも、ありません」

「そりゃ、なお結構だわな。これで、ひ弱なお姫さまの肩こりだけでも、こちとら心配せずに済むってわけだ」

貴子は、ぐっと顎《あご》を引き、唇を嚙《か》みしめて滝沢を見た。今度は、顔から血の気が退《ひ》いていくのが分かる。ショルダーバッグのベルトを握っていた手に力がこもった。

「じゃあ、安心ついでに、ひとつ、お願いがあるんですがね」

貴子は、思わず視線を逸《そ》らしたい衝動に駆られた。その瞬間、この男から取り調べを受ける立場でなくて良かったと思った。こういう陰険な目つきで、じわじわと攻められるのは、たまらないと思う。

「——なんでしょう」

「せめて、余計なことばっかり考えるのは、やめにしてもらえませんかね。俺たちゃあ、無駄に歩き回るのが仕事だ。それが退屈だったり、つまらなかったりするんだったら、とっととやめちまえ」

それだけ言うと、滝沢は一人で歩き始めた。貴子は、耳の中で自分の鼓動を聞きながら、夢中になって滝沢を追った。手足が震えているのは、寒さの為《ため》ではない。貴子のことなど、見向きもしたことのないはずの滝沢から、まさかこんなことを言われるとは考えてもみなかった。

——くそじじい。言ってくれたわね。

駅に向かって歩きながら、貴子の中で奇妙な興奮が湧《わ》き起こっていた。全身をアドレナリンが駆けめぐっている。身体《からだ》の奥底から、言葉にならない、様々な棘《とげ》が顔を出す。こんな感覚は、実に久しぶりのことだ。声を荒らげ、感情の全てをぶつけたい衝動と戦いながら、貴子は、滝沢に従って、駅員のいる改札口を警察手帳を見せて通過した。

ホームに並んで立つと、滝沢は相変わらずの虫類のような目で、ちろりと貴子を見る。貴子は、胸の奥が激しく波立っているのを感じながら、その滝沢を見据えた。

「——なんだ」

「――」

日焼けか酒焼けか知らないが、滝沢は肉のたるんだ茶色い顔に、冷笑を浮かべて貴子を見ている。

「言いたいことがあったら、おっしゃってくださいよ、うん？」

この野郎、あんたが人を見るときの、その胡散《うさん》臭い目つきは、何なんだ。人のことが言えた義理か、一目見てデカ丸出しの、その顔つきは、何とかならないのか。第一、この私が、いつ仕事が嫌だと言った。私は、いつだって黙ってあんたの後をついて歩いてるじゃないか。仕事じゃなかったら、三メートル以内にだって近付くものか。

「――申し訳ありませんでした」

混雑するプラットホームで、貴子は深々と頭を下げた。ちょうど、滑り込んできた電車が、コートの裾《すそ》をはためかせる。貴子は、滝沢の薄汚れた靴をじっくりと観察出来る程に時間をかけて頭を下げ続けた。やがて、ドアの開く音がして、滝沢の靴が動き出した。貴子は、ようやく顔を上げて自分も滝沢に従った。

――あんたの言葉に納得して、謝ったんじゃない。

ヒーターの効いている電車に乗り込みながら、貴子は呟《つぶや》いていた。確かに反省の余地はある。だが、貴子は、自分の内に湧き起こったこの感覚を、しばらくの間味わっていたかったのだ。懐《なつ》かしかった。不思議な程に、嬉しかった。

攻撃的で乱暴で、後先も考えない、その代わりに正直で溌剌《はつらつ》としており、弾《はじ》けるようなエネルギーを持った――しばらく前までの貴子ならば、そんな興奮は、よく味わっていたものだった。職場でも、バイクに乗っていても、家庭でも、貴子は時折こんな感覚を味わった。身体の奥底から、迸《ほとばし》るように溢《あふ》れ出てくるこれは、時には厄介の種にもなった。口論を呼び、相手を傷つけ、嵐《あらし》のように吹き荒れたこともある。

――私は、そういう人間だった。

嫉妬《しっと》という、もっとも扱いにくい感情が自分の中で嵐のように吹き荒れるのを、生まれて初めて経験して、困惑し、持て余し、疲れ果てて、結局は自分の内に封じ込めようとするまでは、貴子は人から「不可解」などと言われたことはなかった。不器用とは言われたが、無愛想、不可解などと言われるようになったのは、離婚してからのことだ。

「――管理事務所の住所は、確認してあるんだろうな」

ふいに、滝沢が口を開いた。貴子は、急いで隣を見、ほとんど目線の変わらない大きな顔に向かって頷いた。滝沢は、まだ何か言いたそうな顔をしていたが、は虫類のような目を幾度か瞬《しばたた》かせると、すっと前を向いてしまった。

――あんたに、感謝しなきゃいけないかしら。こんな感覚を、思い出させてくれたんだから。

せっかく呼び起こされたこの感覚を、忘れたくなかった。今は、単純に表に出すほど子どもではなくなったが、自分の内に、その思いが渦巻いているのと、すっかり冷え切って静かな心持ちでいるのとでは、雲泥《うんでい》の差がある。

貴子は、久しぶりに挑戦的な気持ちで、電車に揺られ続けた。いつか、この男の鼻を明かしてやりたい、それが無理なら、全《すべ》ての感情をホシにぶつけてやりたいと、そんなことを考えていた。

3

その日のうちに、捜査はまた新たな展開を見せた。オカマの美容師の記憶は確かだったのだ。ビル管理会社で調べたテナント契約者の中には、菅原琢磨の名も、原照夫の名もなかった。顔写真を見せても、管理会社の社員はガイシャを知らないと答えた。これは、あのオカマの美容師の勘違いだったか、と滝沢が落胆しかけた時、偶然にも、出火以来、唯一《ゆいいつ》連絡のとれなかったテナント契約者と連絡がとれたという報告が、管理会社に入った。

「菅原さんに、全て任せてあるんですが」

電話の主は、そう言ったらしい。「菅原?」と聞き返す社員の声が、滝沢の耳に届いたのだ。

「又貸しになるわけですから、言いたくなかったんですが」

電話を替わってもらった滝沢に、電話口の女の声は言った。現在は九州でクラブを経営しているという女は、東京にいる頃にガイシャと関係があり、東京を引き払う際に、菅原に自分の借りていた事務所を又貸ししたのだと説明した。もともと、モデル派遣業という業務内容で契約していた事務所を、菅原は「ちょうど良い」と言って借りたらしい。当然のことながら、女性の氏名と身元を聞き、最寄りの警察署にガイシャの写真を電送した結果、女は、ガイシャを菅原と認めた。類焼している部屋ではなかったから、中には立ち入っていなかったが、滝沢は、その事務所の扉を覚えていた。「チェリー・ブンブン」という、手作り風の表札しか掛けられていなかったテナントに、一体、何をしている事務所なのかと、内心で首を傾《かし》げたものだ。だが、モデル派遣業という業種も、最初にガイシャの身元に心当たりがあると申し出た北山貞子の供述と一致している。滝沢は、急遽《きゅうきょ》捜査本部に連絡を入れ、「チェリー・ブンブン」に対する捜索差押請求書を作成し、裁判所に提出する手はずを整えた。

そこは、2DKほどの部屋だった。入り口の鉄の扉には、相変わらず「チェリー・ブンブン」というプレートが掛けられていて、外から見ただけでは、いったい何をしている事務所なのか、まるで分からない。

玄関を開けると、入ってすぐの壁面一杯に黒い模造紙が貼《は》られている。上の部分には下手くそな手書きで「全員しょうしんしょうめいの女子高生！　私たちがお相手しま～す」という言葉が金色で書かれており、文章の頭と尻《しり》には、ご丁寧にピンクのハートマークが入っていた。そして、四、五センチの間隔を置いて、およそ八〇枚ほどのサービスサイズのスナップ写真が右下に番号をふられて並んでいた。そのうちの何枚かは大きなハートで囲まれて、「一二月のナンバー1」などと書き込まれている。まるでソープランドかファッションマッサージといった感じだ。だが、それら全ての写真の中で笑っているのは、全員が制服の少女たちだった。写真の下には、ご丁寧に「都立高校2年」「私立女子高1年」などと書かれているが、中にはどう見ても中学生と思われる少女もいた。

滝沢からの連絡により、本部から駆けつけた捜査員と鑑識課員と共に部屋に踏み込んで、それらの写真の前に立った途端、滝沢は反射的に写真の中に末の娘の顔を探した。まさかとは思いつつも、どの写真を見ても、滝沢の娘と似たり寄ったりの、特別に派手そうな雰囲気でもない少女たちなのだ。この中に、滝沢の娘が混ざっていたって何の不思議もないように思われた。

「前の管理人がいれば、細かいことも聞けたかも知れないんですけれども、生憎《あいにく》、二カ月ほど前に身体をこわしまして、やめましたものですから。私どもでは、家賃さえきちんと入れていただければ、いいわけでして。何しろ、又貸しされていたんじゃあ、それ自体が契約違反で、こちらだって迷惑してるんですし」

家宅捜索に立ち会わされることになった管理会社の社員は、寒さのせいばかりとも思えない程に顔面を蒼白《そうはく》にして、しどろもどろの言い訳を繰り返すばかりだった。滝沢は、その社員を見た後で、ちらりと音道を振り返り、彼女に顎で指図をすると、自分はロール式のビニールを敷かれた部分だけを踏んで、部屋に上がり込んでいった。背後から「ここで、お待ちになっていて下さい」という音道の声がする。お嬢さんは、そう馬鹿《ばか》ではないらしい。さっき、滝沢が厳しいことを言ったときも、泣いたりわめいたり、またはロ答えをするのではないかと思ったのに、彼女はしごく丁寧に謝った。見た目はやわな小娘に見えるが、なかなかどうして、下手な青二才よりもよほど手強《てごわ》い相手かも知れなかった。

事務所の中は、玄関から真っ直《まっす》ぐに延びる短い廊下があり、その左に二つと右に一つ、正面にも扉があった。左の扉の手前の方には、いかにも少女趣味の「WC」という木製の札が掛かっていて、奥の一つは戸が開け放たれた状態で固定されており、ぴらぴらとした吹き流しのような、ビニール製の暖簾《のれん》ともカーテンともつかない代物《しろもの》が垂れ下がっていた。本来はダイニングキッチンらしいそこが、事務室になっていたらしい。作りつけの流しの横には小さな冷蔵庫が置かれていて、調理台の上には、カップ麺《めん》の空容器やインスタントコーヒー、ポットなどがあったが、食器棚やテーブルの代わりに、スチール製の机、ロッカーなどが置かれ、電話も引かれていて、一応は事務室らしい体裁を整えている。捜査員たちは、主にその狭い室内を捜索していた。

右の扉と正面の扉は、入ってみれば一つの部屋につながっていた。元々は独立した部屋だったのだろうが、仕切りを取り除いて、大きく一部屋として使っていたのだ。

そこは全体にピンクのカーペットが敷き詰められ、白いテーブルが置かれて、その周囲に幾つものクッションが転がっている以外は、カラーボックス程度のものが置かれているだけの空間だった。目に付くのは、山ほどの雑誌と菓子の袋、ティッシュペーパー、それにCDカセットプレーヤーくらいのものだ。全体に、果物のような花のような、甘ったるい匂《にお》いが満ちている。つまり、この部屋は火災のあった夜から、締め切ったままにされていたのに違いないということだ。一度でも空気が入れ替われば、この部屋にも煤《すす》の匂いが入り込んだはずだ。何しろ、火の手はこのすぐ下の階の鍼灸《しんきゅう》院、隣の設計事務所にまで及んでいたのである。だが、この部屋はついさっきまで少女たちがいたような雰囲気をそのまま漂わせている。女子高生たちは、恐らく下校途中でここに寄り、ここで菓子を食べ、雑誌を読み、好きな音楽でも聴きながら、自分を指名してくれる馬鹿なロリコン男がやってくるのを待っていたのだろう。

「要するに体のいい女郎屋ってとこだな」

「ここで、娘たちはお茶を挽《ひ》かずに辞書をひくってか」

滝沢は、部屋の隅々まで眺め回し、目に付いたものは全て手にとって調べて歩いた。滝沢の娘も読んでいそうな雑誌をぱらぱらとめくりながら、内心でうんざりし始めていた。見知らぬ男に時間で買われるのを、こんな息苦しくなるような部屋で、雑誌を読みながら何時間でも待っているなんて、今時の娘たちは、どういう了見なのか、滝沢にはまったく理解できない。

「あの、何でしたら鍵《かぎ》をお預けしますから。私も、帰って仕事があるものですから――」

途中、一度外に出ると、音道から言われた通りに通路に立って待っていた管理会社の社員は、どうしようもなく落ち着かないといった表情で、すがりつくように滝沢に話しかけてきた。この男は、滝沢が会社を訪ねたときから、既に不安でいっぱいといった顔になっていたのだが、今や、そこに疲労の色まで加わって、情けない程の顔つきになっている。かなり小心な男なのかも知れないが、一般市民ならば、当然の反応ともいえる。滝沢たちは、死神でもない代わりに、幸運の女神でもない。

やがて、彼は他の捜査員に連れて行かれた。ガイシャの商売は、売春防止法に引っかかる可能性が大きい。もちろん、今回の捜査とは直接には無関係かも知れないが、それを知っていて部屋を貸していたとなると、管理会社の方にも、ある程度詳しい事情を聞かなければならないことになる。

そして数時間の後、捜査員たちは大量の少女たちの写真、顧客名簿、領収書などと共に、ガイシャの私物と思われるものも大量に押収《おうしゅう》して引き上げることになった。原照夫は、自宅マンションではなく、事務室の方に、大切な私物を保管しておいたらしい。もしかすると、火災の折に携帯していて焼失したのではないかと思われた預金通帳やパスポートなども、全てが金庫から発見された。

「こいつは、相当な曲者《くせもの》だったって感じだなあ」

「だが、こんな程度で、ああいう殺《や》られ方をするもんかね」

「だなあ。女のやりそうなことでもないし」

家宅捜索を終え、マンションの階段を下りるとき、滝沢は他の捜査員とそんな話をして歩いた。歩きながら、こういう会話をしていること自体が、かなり久しぶりだという気がする。考えてみれば、音道と並んで歩いているときには、滝沢は一切口をきかないのだから、当然だ。何気なく首を巡らしてみると、音道は少し遅れて、俯《うつむ》きがちに階段を下りてくる。

「どうです、女のデカさんとの仕事は」

滝沢の視線を追っていたらしい隣の捜査員が、にやにやと笑いながら滝沢の脇腹《わきばら》をついてきた。おいでなすった、と思いながら、滝沢は顔をしかめて見せた。

「もう、たまんねえよ」

「そんなに、楽しいですか」

わざとらしく笑う捜査員に、可能な限り皮肉っぽく笑い返し、滝沢は今度は大袈裟《おおげさ》に肩をすくめて見せた。はっきりと言ってしまって、話が回り回って相方の耳に入るのはまずい。

「もう、楽しくて楽しくて、涙が出らあ」

それだけ言うと、隣の男はくっくっとさも愉快そうに笑った。人の気も知らねえで、何を笑っていやがると思いながら、滝沢も皮肉な笑みを浮かべ続けていた。

押収した資料をもとに、捜査員たちは新たな方向に捜査の範囲を広げ始めた。まず、原照夫が経営していた「チェリー・ブンブン」の実態を探る必要がある。「会員」として名前を登録していた全ての女子高生および顧客が洗われることになった。原は、一人でそのデートクラブを運営していたのか、協力者や従業員はいなかったのか、顧客、会員である女子高生などと金銭面でのトラブルはなかったか、痴情面では、怨恨《えんこん》は。デートクラブ経営のノウハウはどこで仕入れたのか。隣近所から聞いたところでは、原は一年半程前からあの事務所を使っていたらしいが、それ以前には何をしていたのか。私生活を把握している人間は——。捜査員たちは、あるいは女子高生の写真を懐《ふところ》に、あるいは「チェリー・ブンブン」あての領収書を手にして四方に散った。預金通帳から、原が金を振り込んでいた先、または振り込まれていた先の捜査も行われることになった。

滝沢班と、あと数個の班は、引き続きビルのテナントの全てに、改めて聞き込みに回り始めた。最初に話を聞いた美容院経営者のひと言が、捜査に大きな進展を呼んだことは確かだが、だからといって、いや、だからこそ、他の入居者からも改めて、ちゃんと話を聞く必要がある。繰り返しての地取捜査は、常に欠かせない。

「小娘を働かせて、甘い汁を吸ってたんだから、ろくな野郎じゃあ、ねえなあ」

つい、いつもの調子で独り言を言ってしまった後、ふと横を見て、滝沢は思わずしまった、と思った。隣を歩いているのは、相変わらず愛想のない音道だ。彼女は、滝沢の視線に気付いたのか、表情を変えないままで、それでも取りあえず「そうですね」と答えた。

まったく、可愛《かわい》げのかけらもない女だ。素直で結構、頭もいい、それは分かったが、どうにもこうにも気詰まりなのがたまらない。滝沢は、だが、今は文句を言う理由も見つからないから、とにかく黙って歩くことにした。

二階の美容院と並んでいた英会話スクールと、その隣に入っていた写真スタジオの人間の両者からは、比較的簡単に話を聞くことが出来た。だが、彼らは一様に、ガイシャの顔にも見覚えがないと言い、四階にデートクラブが入っていることすら知らなかった。英会話スクールの方では、代替の教室を探すのにてんてこまいの様子だったが、会社組織だけに対応は冷静で、迅速な様子だ。それに比べて写真スタジオの方は、個人経営ということもあり、高価な機材が燃えてしまったことで、頭を抱えていた。

「だって、考えてみてくださいよ。若い頃から苦労して、やっと開いたスタジオだったんだ。必死の思いで、ここまで来て、こんなことになるなんて——死んだ人には、申し訳がないが、どうしてそんな時間に、下のレストランにいたんだって、そう言いたい気分です」

写真スタジオというよりも、町の写真館の親父《おやじ》のような雰囲気の経営者は、これまたローンがたっぷりと残っていそうな瀟洒《しょうしゃ》なマンションの入り口に現れ、疲れ果てた表情で、そう語った。

「保険は？　入ってなかったんですか」

「入ってはいましたよ。もちろん。だが、全額支給されるかどうかは分からないし、それまでにも時間はかかるでしょう。しばらくの間、営業も休まなきゃならんのですしね、取り返しがつかないですわ」

火災に対する怒りはある。だが、それがレストランの失火でも、放火でもなく、個人を狙《ねら》った殺人のとばっちりだったということで、彼は怒りの矛先をどこへ向ければ良いか分からない様子だった。

滝沢は、努めて自分をコントロールしながら話を聞いていたが、それでも、普段の聞き込みよりも疲れるのを感じていた。殺しなら殺し、火災なら火災で、もう少し違った感触があるのだが、今回はどうも勝手が違う。しかも、焼け死んだ男がろくでなしだったと思うと、巻き添えを食った人たちは余計に哀れだった。

「焼けてないのは、どことどこだ」

三階に入っていた鍼灸院経営者と連絡が取れないと分かったところで、滝沢は思わず音道に話しかけた。多少は、気持ちに余裕のある人の話も聞きたいものだ。

「三階では、占星術師の部屋だけです。あとは、四階に入っていた会計事務所、スポーツ用品店事務所になります。そこから上は、ほとんどが無事でしたが、ここから一番近いのは――」

「占い師だ。占い師のところから、行く」

「――はい」

「あんた、お得意なんじゃないか？　女は皆、占いが好きだろう」

大人げない言い方をしていると思う。だが、滝沢にしてみれば、これでも精一杯というところだった。一度でも優しい言葉をかければ、すぐに甘えが出てきて、図々《ずうずう》しい態度をとるのが女という生き物だ。第一、誰かに話しかけるということは、まずその相手に興味を抱く必要がある。

――とんでもねえ、こんな小娘のどこに、興味なんか持てるものか。

下衆《げす》な興味くらいなら持てるかも知れないが、まさか男経験を聞くわけにもいかない。

男同士なら笑い話で済むことが、とんでもない災いを呼びかねないのだ。それでも一応は大切なパートナーなのだから、必要最低限のことだけは話そうとは思うのだが、何を言っても動じない様子を見ていると、つい、もっときついことを言いたくなる。

「何だったら、あんたが話を聞けよ」

「――よろしいんですか」

「よろしいですよ。俺ぁ、インチキ占い師なんか、苦手だからな。あんたがオカマを嫌いなようにさ」

「では――あちらの出方を見て、判断させてください。私の方が適しているようであれば、私に話を聞かせてください」

妙に用心深くなりやがって。そりゃあ、確かに女の方が適している場合も、あるにはある。前の、目を傷《いた》めてた入院患者みたいに、男を受け付けようとしないことだってあるだろう。だが、仕事となったら適するも適さないも、あったものではない。女と一緒に聞き込みに回って、助かったと思うのは夜更《よふ》けに女の一人住まいを訪ねるときくらいのものだろう。

――おつむの悪い女子高生の聞き込みでもしてりゃあ、いいものを。

滝沢だって、自分の娘と似たような年頃の娘たちが何を考え、どういう理由でデートクラブなどというところに出入りするのか、興味がある。そっちの担当になっていれば、きゃあきゃあとうるさい小娘の相手で面倒かも知れないが、音道の方は、もう少し面目を施すことができたかも知れない。

「デートクラブ、ね」

それにしても、と思って歩くうち、またつい独り言が出た。滝沢は、急いで隣を見、音道が何の反応も示していないことを知ると、わずかな苛立《いらだ》ちを覚えながら口を噤《つぐ》んだ。何ですか、何か言いましたかとでも、聞いてくれればいいものを、知らん顔をしていることに腹が立つ。とにかく、今日あたり、一度それとなく、末娘には釘《くぎ》を刺しておこう。馬鹿な真似《まね》だけはするんじゃないぞ、後々後悔するような真似だけはしないでおけよと、言っておく必要がありそうだった。

4

原照夫は、さほど評判の悪い男ではなかった。商売の内容は内容でも、暴力団との関係なども特に浮かび上がって来ず、多額の借金もない。女性関係は複雑だった様子だが、彼と関わった女たちは、せいぜい「貢《みつ》がされちゃったわ」と言う程度で、ことさら恨みを抱いている様子もないという。第一、驚いたことに原は月々一定の額を貯金しており、受取人を母親にしてある生命保険にも入り、クレジットカードも滅多に使用した形跡はなく、表向きとは異なる堅実な性格だったことがうかがえる。

「そりゃあ、必要な額は女から出させてたんだろうから、てめえの稼いだ分は貯金でも何でも出来ただろう」

捜査員の中には、そんな感想を洩《も》らす者もいた。デートクラブなどを経営しようと思うような輩《やから》に、ろくな連中はいないという、それはかなりの確率で当たっているかも知れないが、それでも偏見に他ならないと貴子は思った。まあ、人のことは言えないかも知れない。貴子だって、オカマの美容師には偏見を抱いたのだから。

現在の商売も、それなりに収支は合っていたようで、会員となっていた女子高生、また、顧客名簿に載っていた連中から話を聞いても、原についての悪い評判はなく、かつてトラブルが起こったという話は出てこなかった。ことに女子高生たちは、原を「琢にい」と呼んで慕っていたという話は捜査員を驚かせた。親にも教師にも話せないような相談事でも、「琢にい」になら話すことが出来た、相談に乗ってくれたと供述した少女は、五人や一〇人ではなかった。

原は、彼女たちを主に口コミで集めていたらしい。そして、会員になった少女たちには、全員に無償でポケットベルを貸していた。客が指名したときに、その少女を呼び出すためのものだが、持っている以上は誰に番号を教えようとも、自由に使ってもかまわない。多くの女子高生たちは、ただでポケベルがもらえるという誘い文句で集まったらしいが、その上、割のいいアルバイトが出来れば、こんなに楽な話はないと考えたらしい。

「中には、親父の給料よりも稼いでた娘もいるってさ」

その夜、捜査会議が終了した後で、数人の捜査員が本部に残り、簡単な料理を用意して酒を飲み始めた。どこかの店に行けば容易《たやす》いのだが、よそでは話せない話題も多いし、かえって周囲に気を遣う。だから、気兼ねのいらない本部で酒を酌《く》み交わす方が気楽なのだ。貴子と滝沢の班が、原の職場を突き止めてから、さらに四日が過ぎていた。

「デートの後、どうするかは、本人の自由ってことになってたらしいからな。そりゃあ、適当にヤらせてりゃあ、それなりに稼ぐだろう」

「それにしても、自分たちを利用して、食い物にしてるような野郎をだよ、そんなに信用するか？　相談まで持ちかけるくらいに」

「自分たちの普段の生活とは関わりがない分、気楽なんじゃないですかね。年上の、兄貴みたいな感覚だったんだと思いますけど」

捜査員たちは、紙コップで乾杯をした後、口々に今回の事件についての様々な感想を述べていた。ガイシャの横顔は、徐々に浮き彫りになってきてはいても、今回の犯行に結びつくような糸口はというと、とんと現れてはいない。自然に、話題は原の人物像とデートクラブという商売に集中してくる。

「そういうところが、ガキだっていうんだよな。相手は、一六、七の頃から夜の商売に入って、女を食い物にして生き延びてきたような野郎だぞ。いくら生意気なこと言ったって、その辺の男を手玉に取ってたとしたって、女子高生なんか丸め込むのは、わけねえだろう。どうして、そのことに気が付かないかねえ」

原照夫が菅原琢磨と名乗り始めたのは、ディスコを転々としていた頃かららしい。二二、三までは、いわゆる黒服として働いていた彼は、その頃から女には不自由していなかったようだ。その後、ディスコを辞めてホストクラブで働くようになり、二七のときに年上の女に店を出させている。当時はバブル景気で日本中が沸いていた頃だから、経営は順調かと思われたが、一年半で倒産。その後、再びホスト稼業《かぎょう》に戻り、ヒモのような生活もしていた。三一で今度はテレクラ商売に手を出すが、これも失敗、そして、立川にデートクラブを開いたのが一年半前ということだ。原の人生を見ると、男の友達の影というものはほとんど見えない。その代わりに、一人の女を見つければ、そこから糸を紡《つむ》ぐように次々に新しい女が現れた。本部設置から、休みなく働き続けてきた捜査員たちは、地取捜査担当と、時限発火装置担当以外は、ほとんどが原と関わりのあった、実に様々な職種、年齢の女たちからばかり話を聞いて歩くような状態になった。

「馬鹿《ばか》女は、何も女子高生に限らんでしょう。あの北山貞子もそうでしたけど、自分が話を聞いた中には、五四歳っていう病院長の女房っていうのだっていましたからね」

「そうだよな。あの事務所を又貸ししてた九州のクラブのママだって、還暦近いっていうし」

捜査員たちは、酒が入るにつれて、中に貴子が混ざっていることを忘れ始める。貴子は、「馬鹿女」などと言われて怒るようなつもりもないので、黙って彼らの話を聞いていた。確かに、そう言われても仕方のない女はいる。

「よっぽど、あっちが良かったんじゃねえか」

「そりゃあ、そうでしょう。小娘ならともかく、ばばあを誑《たら》し込むにゃあ、それなりに——」

一杯機嫌で言いかけていた捜査員の一人と、つい目が合ってしまった。顔だけは覚えている、四〇前後と思われる捜査員は、はっとした顔になって、慌《あわ》てたように口を噤んでしまった。「お構いなく」と言うのもおかしなものだし、まるで話の内容が分からないというふりを出来る年齢でもないから、貴子は出来るだけさり気ない顔をするしかない。

「いけねえ、いけねえ、そういう下品な物言いは気をつけないとな」

瞬間的に誰かが取り繕うような声を出した。何となく奇妙な空気が流れる。こんな時、どういう反応を示すのが一番良いのか、貴子はいつも迷う。さり気なく横を向いていても、視界の隅で、滝沢が相変わらずの虫類のような目でにやにやとこちらを見ているのが感じられた。

「まあ、女の恨みは山ほど買ってるだろうが、それにしたって、今度のありゃあ、どう見ても女のやりそうな手口じゃねえしなあ」

他の捜査員が再び口を開いた。貴子は、小さく頷《うなず》きながら、ようやく視線を移すことが出来た。

――それに、そういう男は案外女の恨みを買わないものなんじゃないかしら。上手に付き合って、いい思いをさせて、上手に別れる。

そうでなければ、ドンファンのような生活は送れなかったに違いない。デートクラブに出入りしていた女子高生が、口を揃《そろ》えてガイシャを「琢にい」などと呼んでいたのも、それなりの理由があってのことだという気がする。

「音道さん、いける口なんでしょう」

ふいに、若い刑事が、一升瓶を抱えて回ってきた。貴子の紙コップになみなみと酒を注いで、彼は貴子の返事も待たずに、愛想笑いを浮かべると、さっさと他の刑事の方に行ってしまった。目で追っていると、彼はいかにも甲斐甲斐《かいがい》しく、古参の刑事たちに向かっても、腰を屈《かが》めて酌《しゃく》をしている。

「醤油《しょうゆ》のいる人、言って下さい。ここにありますから」

他の若い刑事が声を出した。貴子と同年代というところだろうか、ワイシャツの袖《そで》をたくし上げ、ネクタイもボタンの間から内側に挟み込んで、毛むくじゃらの腕で給仕をしている姿は、なかなか堂に入ったものだ。

——女のいらない世界。

刑事部に異動になったばかりの頃は、貴子なりに気を遣って、こんな時には男たちに酌でもして回らなければならないのではないかと考えたものだが、そんなことをすれば、男性の捜査員たちは余計に窮屈そうな顔になるか、または酔いが回ってくるに連れて、貴子をホステスか何かのように扱い始めるということが分かった。第一、彼らは、意外な程にまめまめしく料理や酒の用意をする。女手のない職場で、必要に迫られて身に付いたことなのだろうが、一見すると縦のものを横にもしないように見える男たちが、慣れた手つきで給仕をする姿は、微笑《ほほえ》ましいものがある。だから、ある時から貴子はこういう席でも、いっさい動かないことに決めていた。

——そうそう、あのヤマは、本当にドラマチックでしたよね。

——ああ、そういう噂《うわさ》だ。何せ、キャリア組の中でも、頭一つ抜け出てるっていう話だから。

——勘がなあ、鈍くなってきてることは、確かかも知れねえんだ。何でもデーター、データーって言われてるうちにな。

夜が更け、酒が進むにつれて、男たちは、過去の様々な事件についての思い出や、印象に残っているホシの人物像について語り始めた。誰の経験談も興味深いものだと思う。だが、貴子に対して、それらの話を筋道を立てて聞かせてくれる者はいなかった。機捜隊員として、まだ一年足らずしか活動しておらず、本部事件の経験も浅い貴子には、注意深く耳を傾けていても分からないことが多い。

「頭がいいことは、確かだろうな。大体、時限発火装置なんていうのを考えつくヤツは、よっぽどのマニアか、専門職の場合が多いと思うよ」

「かつての活動家か何かっていうことは、ないんですかね」

「活動家が、どうしてヒモ野郎を殺す必要がある？」

再び今回の事件に話題が戻ってきた。

視線を巡らせると、ほとんど正面に近い席で、顔見知りらしい捜査員と並んで座っている滝沢が目に付いた。誰よりも、一際《ひときわ》ずんぐりとした格好で、貴子の相方は、いかにも機嫌の良さそうな顔で隣の仲間と話している。貴子と一緒にいるときには見せたこともない、人なつこそうなリラックスした表情だ。

「普段から薬品の扱いに慣れてることは、確かだろう」

「科捜研から結果が出るのは、そろそろでしたよね」

「薬品が特定出来れば、入手先だって絞り込み易《やす》いはずなんだがな」

一体、薬品からの捜査とは、どういうルートをたどれば良いのだろう。これから経験することかも知れないが、都内、または東京近県に、そういう薬品を入手出来るような先は、どのくらいあるものなのだろうか。貴子の左側で、恐らく証拠物から捜査していると思われる連中の話に耳を傾けながら、貴子は話に加わるチャンスをうかがった。

「そりゃあ、怨恨《えんこん》だとすりゃあ、すごい手口だったと思うがな。女じゃあ、無理だろう」

「決めつけるのは、危険じゃないですか。薬品の知識さえあれば、別に力仕事っていうわけじゃないんですから」

「だが、生理的に女があいう手口を選ぶと思うか？　あそこまで手の込んだ方法を」

貴子の右側にいる連中は、犯行の動機について盛り上がっている。誰もが、この事件に夢中になっていた。ゴールの見えないレースを戦うからこそ、仲間が大切なのだということを、捜査員たちは十分に知っている。貴子だって、その一員だった。だが、本部設置以来、貴子はただの一度も、この事件について誰かと語り合ったということがない。その都度、あれこれと思うことがあったとしても、話す相手がいない。

——相方とさえ、だもの。

白けた気分で、検尿に使うような紙コップを傾けているうちに、馬鹿馬鹿しくなってきた。ここから大声で滝沢を呼んでみようか。

どうして私とは話してくれないんですか、どうして、他の人には愛想がいいんです、私のどこが気に入らないんですか、どうして、わざと喧嘩《けんか》を売るような物言いばかりをするんです。本当に私のことを影法師か、マスコット程度にしか考えていないんですか――それとも、あのとき、「ひどいわ」とでも言って、泣いて見せれば満足でしたか。そうすれば、やはり女はこんなものだと、安心出来たんですか、相方なら、男女に関係なく、後進を育てることを考えるべきじゃないんですか。今のあなたのそれが、私を育てていることになるんですか――。

あれこれと考えているうちに、またも胸の底が熱くなってきた。よし、もっと熱くなれ、もっと、怒りをためてやれと、貴子は半ば自虐《じぎゃく》的な気分で、その感覚を味わっていた。この怒りは、何も滝沢一人に向けられているわけではない。ここにいる全員、警察の機構そのもの、いや、男という生き物全体に向けられているのだ。

「馬鹿なこと言うなよ、俺はなあ、この本部が設置されてからというもの――」

ふいに、滝沢の濁声《だみごえ》が聞こえてきた。だが、座は賑《にぎ》やかさを増して、男たちの声は徐々に大きくなっており、滝沢の声を途中でかき消した。貴子は、頃合を見計らって退散するべきだと結論を下した。

「どう」

ふいに声がした。振り返ると、一升瓶を差し出して、顔だけ見覚えのある捜査員が立っている。彼は、貴子の紙コップが空っぽになっているのを確認すると、勢い良く酒を注ぎ始めた。

「滝沢さん、いい人だろう」

酒を注ぎながら、貴子と同年代に見える男は言った。

「面倒見がいいしさ、ああ見えても、神経は細やかだし」

そりゃあ、あんたたちにとっては、いい人でしょうよ。男同士、皆で仲良し、結構ね。貴子は、愛想程度でさえ笑う気にもならず、黙って名も知らぬ同僚を見ていた。

「まあ、照れ屋のところがあるからなあ、女性が相方だと、少しは取っつきにくいかも知れないけど」

「照れ屋、ですか」

わざと驚いた顔をして見せて、貴子はまじまじと相手を見た。ああいうのを照れ屋というのかと言おうとして、その言葉だけは呑み込んだ。人の腹を探るのが商売の男たちは、こんなときにでも必ず相手を観察している。

「違うかな」

案の定、その男は試すような目つきになって貴子を見る。貴子は、口元だけをわずかにほころばせて、軽く首を傾《かし》げて見せた。

「滝沢さんのこと、よくご存知なんですか」

腹を読ませないためには、こちらから質問するに限る。貴子はわずかに姿勢を変え、なるべく相手の顔を正面から見て問い返した。

「昔ね、同じチームになったことがある」

「じゃあ、今度も組めたら良かったですね」

「ああ、ちょっとは期待したんだけどね」

私にとってだって、その方がずっと有り難かったと思うわ。一体、誰がこんな組み合わせを考えたんだか。

「色んなことを教わったよ、あの人からは。俺の恩人の一人だと思ってるんだ」

そりゃ結構。

「それに、あの頃は、休みが一緒のときなんか、釣りに誘われたこともあったんだ」

滝沢は釣りが好きなのか。あんな男に趣味があるとは思わなかった。貴子は、いかにも熱心に見えるように、ゆっくりと頷いて見せながら、幾分酔いも回って、気持ち良さそうに滝沢との思い出を語る男を見つめていた。釣りに行ったときの滝沢の喜び様や、二人でどんな場所に行き、何を釣ったかなどという話は、貴子には退屈なだけだった。釣りは嫌いだ。日頃、都会という海で容疑者を釣り上げる仕事をしていて、休みの日にまで糸を垂らすような真似《まね》はしたくない。

「滝さんもさ、今よりもずいぶんスマートで、髪も、こう、ふさふさしてたよなあ。こうして考えてみると、あの人も老《ふ》けたわ」

あの人に若い頃があったっていう方が、私には驚きだわ。でも、スマートだろうと髪が多かろうと、あの性格は変わらなかったんじゃないの。

名乗らないままの同僚は、そこで長々と息を吐き出した。

「まあ、滝さんにしてみれば――俺とは組みたくなかったかもな」

「どうしてですか？　一緒に釣りまでした仲なんでしょう？」

男は、ちらりと貴子を見た。言おうか言うまいか、何か迷ってる顔。咄嗟《とっさ》に、貴子も自分の内で言葉を探した。

「思い、出しますかね」

探るように男を見た。男の目が迷いに揺れた。貴子は、相手に分かるように、自分も小さくため息をついて見せた。これが、エサだ。まあな、と、男が小さな声で呟《つぶや》いた。酔った魚は案外簡単に引っかかる。

「そりゃあ、思い出すだろう。あの頃は滝さんとこのかみさんも、まだ家にいたし、俺はまだ独身だったから、よく押しかけちゃあ、あれこれと食わしてもらってた」

わずかに顔を赤らめ、目をとろりとさせている男は、半ば懐《なつ》かしそうな表情になった。彼は警戒していない。貴子は、さり気なさを装うのに、わずかな努力を要した。自分が釣り上げられたことを気付かせてはならない。今は、視界の片隅にすら入っていない滝沢を十分に意識しながら、「奥さんねえ」と呟くと、彼は、大きくため息をつき「ひと事じゃあ、ねえけどな」と言った。

「俺だって、いつかみさんに家出されるか、分からねえと思うとき、あるからさ」

「――そう簡単に、家出なんかしないでしょう」

「あんた、知らないだろうけどな。滝さんとこのかみさんは、ほんと、よく出来た人だったんだ。とっても、そんな、男つくって家をおん出るような、そんな人じゃなかったんだがなあ」

一瞬、胸を締め付けられるような気がした。男は、紙コップに残っていた酒を一息に飲み干すと、立ち上がって酒を注ぎにいった。貴子は、男の後ろ姿を見送り、ついでさり気なく周囲を見回して、今の会話を気にとめる者などいないことを確認した。滝沢も、かなり離れたところで他の連中との話に興じている。

やがて、酒を注いだ男はゆらゆらと歩いてくると、貴子の前を通過して、他の連中の話の輪に加わってしまった。つい今し方まで貴子と話していたことなど、頭の片隅にも残っていないかのように、彼は新しく注いだ酒と新しい話し相手を求めた。いい頃合だった。貴子は、そっと立ち上がると、手早く帰り支度をして、気付いた人にだけ挨拶《あいさつ》をした後、本部を抜け出した。終電にはまだ何とか間に合う時間だ。

――なるほどねえ。女房に捨てられると、ああなるわけね。

混雑している電車に乗ってからも、貴子は同じことばかりを考えていた。滝沢の、あの頑《かたく》なさ、底意地の悪さの理由が、ようやく少し分かったように思う。

どうせ、捨てられるような男だったのだ。家庭を顧みず、威張り散らしてばかりいたのだろう。顔を見てみたいと思い、会う前から軽蔑《けいべつ》していたような女房に、今は拍手さえ送りたいくらいだ。いい気味、ざまあみろ、そう思いたいのに、貴子の心は寒々と冷え切り、どんどんと気が滅入《めい》り始めていた。

——聞かなきゃよかった。

何も、滝沢の人生などに興味はなかったのだ。あんな親父《おやじ》が、どんな生活を送っていようと、どうだっていいじゃないか。冗談じゃない。似たもの同士なんかじゃないわ。私は自分で望んで離婚した。自分から、ケリを付けたのよ。そう思うのに、地滑りでも起こしたかのように気持ちが沈む。

——私は負けたんじゃない。捨てられたんじゃない。

嫉妬《しっと》などしたくなかったから。そう、信じていた夫が、貴子も見知っていた女——それも、自分よりも数段劣ると思っていた、これまで気にもとめてこなかったような女——と付き合っていると知ったとき、貴子はまず冷静にならなければと自分に言い聞かせ、次に夫を信じようとした。だが、正面から話し合おうとしたのに、夫は卑屈に目を逸《そ》らし、二度と貴子の目を見ようとはしなかったし、二人の関係を修復しようともしなかった。一度失われた信頼は、二度と回復されることはなかった。残された道は、自分が負わなければならない傷を最低限に抑えることだけだった。

嫉妬に翻弄《ほんろう》されたくない、泥仕合は嫌だ。それに、たとえ嵐《あらし》が過ぎ去ったとしても、もう二度と、同じようには愛せない気がした。第一、夫は、貴子が思っていたような男ではなかったのかも知れないとまで思った――何しろ、あんな女と寝たいと思うような男じゃないの――よくある不倫話に、まさかこの自分が遭遇し、嫉妬に狂う妻の役を演じるなんて、真っ平だと思った。だから、貴子からケリを付けたのだ。裏切られたけれど、捨てられたのではない。

「どしたの、悲しい顔して」

突然、耳元で囁《ささや》きが聞こえた。ぎょっとなって振り返ると、もう少しで自分の顔とくっつきそうな距離に、見知らぬ顔があった。

何なの、この小僧。いい度胸じゃない。
二七、八というところだろうか。まさか、仕事仲間と乗り合わせてしまったかと思ったのだが、見覚えはない。カシミア風の黒いコートの襟を立て、白いのっぺりとした顔で、髪はオールバック。どこかの中小企業の営業といったところだろうか。とにかく、同業者の匂《にお》いはしない。今の本部で見かける顔ではないことにほっとしながら、貴子は一〇年来の知り合いのように人なつこい笑みを浮かべて、ますます身体《からだ》を寄せてくる男を見つめた。整髪料の香りが鼻腔《びこう》を刺激し、同時に酒臭い息を感じる。

「嫌なことがあったんなら、俺に話せよ」

その場で「馬鹿《ばか》じゃないの」と言っても良かった。だが、貴子はその一方で、不思議な懐かしさにとらわれていた。耳に人の息を感じるなんて、何と久しぶりのことだろう。あの原照夫という男も、こんな風に女たちに囁いていたのだろうかと思った。身も心も疲れ始めていた女たちにとって、その囁きは砂漠で出逢《であ》ったオアシスのようなものだったに違いない。女たちは、決して多くを望んだのではない。たった一瞬だけでも、ほっと息をつきたかったのかも知れない。だとすると、ある意味で原照夫は人助けをしていたようなものだ。

「ねえ、話そうよ、な？」

情けない。自分がそんな女たちと同じに見えるというのか。いかにも淋《さび》しそうに？　物欲しげに？　すがれるのなら、相手も選ばないように？

男の手が貴子の腰に回って来た。貴子はその手を柔らかく握り返すと、軽く捻《ひね》りながら男の背中に押し戻した。相手は一瞬顔をしかめ、貴子の力に意外そうな顔をしたものの、それでもなおかつ奇妙な薄笑いを浮かべて貴子に顔を寄せようとしてくる。周囲の人々は、貴子が男ともともと連れだと思っているのかも知れない。誰もが疲れた顔を背けていた。

「何だったら、送っていくからさ」

車内アナウンスが駅名を告げ、電車が減速を始めた。貴子が降りる駅だ。

「ここで、降りるの」

「じゃあ、俺も降りよう」

貴子は、うんざりしながら男を見た。

「そんなに私と話したいの？　何を」

男は、にんまりと笑って「何でもいいさ」と囁く。

貴子は、小さくため息をつくと、出来るだけ愛想の良い笑みを浮かべて男の胸元に手をおき、そっと顔を近付けながら「それなら、それでいいけど」と囁いた。嬉《うれ》しそうに何か言おうとした男の顔を見つめながら、胸元においた手で、ぐっと襟を掴《つか》み、間髪を入れず相手の喉仏《のどぼとけ》のあたりまでその手を引き上げて、更に捻ると、男の喉からぐう、という声が洩《も》れた。貴子は、男の喉仏に握り拳《こぶし》を押し付けながら、今度は正面から男を見据えた。あまりに近い距離で、焦点が絞れないくらいだ。

「だったら、駅前の交番でっていうのは、どう？　あそこなら暖かいし、何だったらそのまま一泊する場所も手配してあげる。よかったら、ひと足先に行って待っててあげてもいいのよ」

それだけ言ったところで、電車のドアが開いた。ねじ上げていた男の襟を突き放し、貴子はさっと踵《きびす》を返して電車から降りた。

5

その一帯は、夜も整然と訪れるようだった。十分な空間を取り、現代建築の粋を集めたかのようなビルたちは、既に人気もなく静まり返っているのに、灰色の空間に少しでも潤《うるお》いをもたらそうと考えられた結果生み出された、規則正しく配置された人工の木立や、申し訳程度の遊びのあるスペース、この一角が、自然の入り口である海——どれほど澱《よど》んでいようと——に面していることを思い出させ、また人々の心に温《ぬく》もりを与えると信じられている木肌を生かした遊歩道など、この人工の街の呼び物となるような箇所は、全《すべ》て美しくライトアップされていた。照明のお陰で息づいている風景。計算の上になり立った偽物《にせもの》の自然の息吹《いぶき》。灰色の倉庫街にこぼれ落ちた模造ダイヤの煌《きら》めき。生活感のない、現実から切り離された時間が流れる街。

この街のいちばんの魅力は、そこから見渡せる風景の、その多彩な美しさ——都心は宝石箱をひっくり返したようにきらめき、レインボーブリッジは規則正しい美しさとある種の迫力を見せつけ、さらに、もう少し早い時刻ならば、離着陸を繰り返す飛行機も、大きく見える——だったが、それは、建物の上階にいてこそ楽しめるものだった。一歩でもビルの外に出れば、そこには灰色の風が吹き抜け、現実の生活に直結している道路が走り、疲れた老人の手の甲に浮き上がった静脈のように、羽田に向かうモノレールや高速道路の高架線がうねっている。夏になれば、風向きによっては縦横に走る運河から、澱んだ水の匂いが流れてくるはずだ。だが、今は冬だった。海辺の街とも思えないほど、ビルの谷間を吹き抜ける風は乾いていた。ただでさえ人の息吹を感じさせない空気は、さらに埃《ほこり》っぽく、冷たく切りつけてくる。

堀川一樹《ほりかわかずき》は、そのビルの谷間で、襟を立てたコートのポケットに片手を入れたまま、少しの間、その風に吹かれて立っていた。既に午前零時を回って、浜松町と羽田とを往復しているモノレールはとうに終わっている。この、人工の街から抜け出すために残された方法は、品川あたりまで歩くか、またはタクシーを止めるかだ。だが、すぐには決めかねている。酔った頭が判断を鈍らせていたし、柄にもなく、どこか感傷的になっていることも確かだった。

——俺らしくもないよな。

実際、自分らしくないと、堀川はため息をついた。乾いた風が白く見える息を吹き飛ばしていく。ふと昔、煙草《たばこ》を吸っていた頃のことを思い出してしまった。こんな夜更《よふ》けに、薄汚れた風に吹かれて、これで煙草でもくわえていたら、さぞかし絵になったことだろう。そういえばあの頃、いつも持ち歩いていたジッポーのライターは、どこにいったのだろう。捨てたのか、誰かにやったのだったろうか。何年間か愛用していたライターは、当時の恋人の贈り物だった。

――今頃は、誰かの嫁さんになってるんだろうな。

　ますます、自分らしくもないと思う。何故《なぜ》、今夜に限って、そんなことまで思い出さなければならないのだ。こんな気分の時に、会いに行く女の一人も思い浮かばないのが悪いのか。いつの間にか、めっきり老け込んだということなのだろうか。もう、ガキじゃない。いつまでも、お祭り気分ではいられないということだろうか――。

堀川は、大きな深呼吸をすると、ようやく足を前に踏み出した。とは言っても、特に目的があるわけではない。ただ、もう少し、この冷たい風に当たっていたかった。気分はますます感傷的になりつつあり、たとえ、明日の朝は最悪な気分で目覚めることになろうとも、とにかく今夜は徹底的に酒を飲み、この鬱々《うつうつ》とした気分に首まで浸っていたいような気もする。

今夜の気分のきっかけを作ったのは、課長のひと言だった。

――キミだって、昨日や今日入ってきた新入りじゃあ、ないんだろう?

そのひと言にショックを受けたというわけではない。あんな下らない男の、たったひと言に興奮した自分自身に驚いたのだ。

仕事に全力を尽くすなんて愚の骨頂、あくまでもクールに、ドライに、適当なところで切り上げれば、それで良いではないかと思ってきたのに、いつの間にかクソ面白くもない仕事人間になりつつあったのだろうかと思う。気が付けば一人でオフィスに残って、大嫌いな残業などしてしまい、自己嫌悪《けんお》がどんどんと膨らんできて、ついにホテルのバーで一人で酒を飲むに至った。それが今日の顛末《てんまつ》だ。

——こうやって、ただのじじいになっていくのかな。

サラリーマンなんか柄じゃないと、笑っていたのはいつのことだっただろう。まさか、この自分が毎日ネクタイを締め、スーツを着て、ブリーフケースなんていうものを提げて歩くことになるとは、想像もしていなかった。

見上げれば、星の代わりにビルの屋上につけられている、赤いランプが明滅を繰り返しているだけの空だった。普段、モノレールの駅に直行するときには気が付かない、妙に素気ない街の横顔。撮影用のセットのような、計算され尽くした美しさと、その張りぼてのセットの後ろに回り込んだときのような、薄汚れた埃っぽさ。

前方には、闇《やみ》が広がっていた。このまま真《ま》っ直《す》ぐ歩いて橋を渡れば、左手には東京水産大がある。闇はますます濃くなるだろう。こんな都心で、これ程までに人気のない一角、闇の広がる場所があるだろうか。品川駅まで歩くなら、引き返して右に曲がらなければならないのは分かっていた。それでも、自然に足が動いていた。浜松町までは、歩くと何分くらいかかるのだろうかと考えながら、堀川はぶらぶらと歩いた。

風が、心地良かった。どれほど濁ろうと、海は海、水辺は水辺。ちくしょう、綺麗《きれい》な海が見たい。

いつだって、遊ぶことばかり考えていたい。ガキねと言われようと、下らないと思われようと、楽しくなけりゃあ、人生じゃない。そう思ってきたのだ。

——俺は、仕事人間なんかじゃない。

ふと、背中に誰かの視線を感じた気がした。堀川は立ち止まって、ゆっくりと振り返った。だが、あたりには人っ子一人見あたらない。当たり前だ。こんな街に夜更けまで残っているのは、羽田を利用する旅行者か、下心があって是非とも夜景が必要な連中に決まっている。彼らだって、今頃はホテルの部屋にこもって、それぞれの時間を過ごしていることだろう。滅多に訪れることのない、この埋め立て地の夜を、めいめい楽しんでいるはずだ。

——毎日、通ってりゃあ、クソ面白くもない街だがな。

再びブリーフケースを振りながら、ゆっくりと歩き始める。ベッドに直行したい思いと、もっと他に、すかっとすることをしたい思い。ベッドに直行だって？　もうそれだけで、年寄り臭い。すかっとするだって？　だが、最近はどこでどうすりゃ、すかっと出来るのか、システムが分からない。いや、それは別に大した問題じゃない。その気になれば、どこでだって。

やはり、誰かに見られている気がした。堀川は、もう一度立ち止まって、今度は警戒しながら振り返った。乾いた風の吹き抜ける道があるばかりの景色。すぐ上を首都高速が通っているお陰で、昼間でも薄暗い風景は、周囲の闇のお陰で、幾分白っぽく見える。スモッグをたっぷりかぶった植え込みの木々が、風にか、または高速道路の振動でか、細かく震えている。空車のランプをつけたタクシーが猛スピードで走ってきた。堀川がとめようかどうしようか考える間もなく、ヘッドライトは彼の前を通過し、赤いテールランプだけが視界に残された。やはり、気のせいらしい。人がいるはずがない。まるで、死んだような街。

——だだっ広い、石の棺桶《かんおけ》みたいだ。

何故だか、そう思った。猥雑《わいざつ》でもなく、整然ともしておらず、無機的ともいえず、新たな息吹もない。若くも年老いてもおらず、躍動的でもなければ静寂もない。色彩もなければリズムもない。

「ついでに、夢も希望もだ」

今夜は、徹底的に青臭いことを考える夜らしい。それも良いではないかと思いながら、堀川はまた歩き始めた。もしも、自分が若い女だったら、こんな場所を呑気《のんき》に歩くことは出来ないのかも知れない。暗い夜道を歩く恐怖、電車の中で出逢った痴漢、会社の女子社員たちも、そんな話題をよく出してくる。

——女ねえ、女。

自分とはまるで違う生き物。昔は、あんなに欲しいと思ったものだが、最近は少しばかり面倒にもなってきた。おふくろは、見合いをしろとうるさく言う。あんたは、もっと早く結婚すると思っていたのよ。だって、お兄ちゃんと比べたって、あんたの方がいつだって、女の子に人気があったじゃないの。

——見合い、か。

それも悪くはないだろう。女なんて、どうせ二つのパターンしかないのだ。女房に向いているか、愛人に向いているか。その見極めさえ間違えなければ、あとは、どれも大差はない。

ようやく、このまま歩いていても、駅にたどり着くのはいつのことになるか、分かったものではないということに思いが至った。大体、そろそろ終電になろうという時刻に、駅を目指すのも馬鹿げた話だ。やはり、タクシーをとめて、麻布《あざぶ》あたりまで出てしまおうかと思ったときだった。背後で、かち、かち、という音を聞いた気がした。咄嗟《とっさ》に、やはり誰かいるのかと思い、初めて恐怖に近い感情が湧《わ》き起こってきた瞬間、誰かに背中を突き飛ばされた。堀川は、抵抗する間もなく道路に押し倒された。手にしていたブリーフケースが乾いた音を立てて、少し離れた場所に落ちる音がした。膝《ひざ》と手のひら、それから顎《あご》に痛みを感じ、恐怖と驚愕《きょうがく》とで鼓動が速まった。

——え？

耳鳴りを聞きながら、何事か考えようとしたとき、堀川は肩の後ろ、ちょうど肩胛骨《けんこうこつ》のあたりを強く抑えられたまま、耳元に熱い息を感じた。同時に、何かの匂《にお》いが鼻腔《びこう》を刺激した。生き物の匂い。獣の匂いだ。何が起こったのか判断するよりも早く、次の瞬間、首筋に鈍い痛みが走った。熱い湿り気と、何かが食い込む感触。堀川の頭の中で嫌な音が響いた。めきめき。

その時既に、堀川の意識は失われていた。だから、身体《からだ》を転がされ、次にのど首に痛みを感じたときには、まるでひと事のようなものだった。ものすごい力で喉を摑まれたような感じがした。鈍く、熱い感触が全身を貫き、耳の奥で、血の流れる音がごうっと響いたが、堀川には痛みは分からなかった。死ぬほどの痛みだったのだから、分からなかったのは皮肉な幸いだったかも知れない。その、焼けるような痛みと、皮膚に何かが食い込む感触、なま暖かい息、粘りと湿り気のある音、生臭さ——次には、冷たい風に内臓がさらされているような、ひりひりとする奇妙な感じ。しゅう、と音を立てて、熱い喉から何かが迸《ほとばし》る。もしも、堀川の魂が肉体から抜け出し、その様子を眺めることが出来たら、彼は思わず目を背け、悲鳴を上げたに違いない。生臭さは、音を立てて喉から噴き出す血の匂いだったし、粘りと湿り気のある音とは、堀川自身の肉が、食いちぎられた音だったのだ。

ごぶごぶ、というような音を立てて、分解できないままのアルコールを含んだ血液が、自分の首から噴き出すのを、堀川の見開かれたままの瞳《ひとみ》が見つめていた。その時、まだ多少は生の余韻を残していた脳は、淡い緑色の虹彩に囲まれた、小さな丸い瞳を二つ、発見しただろうか。口元に血を滴《したた》らせ、それは湿った黒い鼻で、堀川の死の匂いを嗅《か》ぎあてながら、的確に彼の喉を食いちぎったことを確かめていた。既に何も感じていない堀川の脳は、それを識別することも、恐怖を味わうこともなかった。頭の中では、実際には見たことのない、心電図の波が思い浮かんでいた。心臓は、まだ動いている。上から何かに抑えられているが、堀川の頭の中では、緑色のグラフが、ぴこん、ぴこんと山を描いていた。

二つの瞳は、堀川の視界から外れた。同時に、胸の上に感じていた重みも消えた。街路樹が、黒い影となって彼の視界を覆《おお》っている。耳には、微《かす》かなうなり声も届いていた。次の瞬間、今度は頭に、点々と痛みが走った。大音響が脳に響いた。最初は、みりみりと、終《しま》いには、めきめき、ばり、と。その大音響に包まれながら、堀川の脳は活動を停止した。ぴこん、ぴこん、つー。

ただのガラス玉になった瞳が、全ての風景を映し出してはいたが、最後に見たものが何だったかを説明することは不可能だった。親の薦めに従って、見合いでもしようかと考え始めていた、そう真面目《まじめ》でもないサラリーマンは、ものの一分とたたない間に骸《むくろ》となった。勢い良く噴き出していた血液は、勢いを弱めながらも流れ続け、彼の周りに大きな血だまりを作りつつあったが、闇の中では、それも判然とはしなかった。頭上では高速道路を走り抜ける車の音が絶えなかったし、時折は海岸道路を走り抜けるタクシーやトラックもあったのだが、歩道の植え込みのお陰で、彼の姿はドライバーの視界には入らなかった。堀川は、相変わらず一人で人工の街に取り残されていた。永遠に取り残されたのだということも、本人は気付いていなかった。

6

頭を動かすと、アルコール漬けになった脳味噌《みそ》がちゃぷちゃぷと音をたてそうだ。滝沢は、むかつく胃袋を抱えて、幾度となく深呼吸を繰り返していた。パイプ椅子《いす》の背もたれにあてている背中が痛む。肝臓が腫《は》れているのだろうか。

「——この、有機過酸化物とは、通常実験室で取り扱われる薬品の中でも、もっとも危険な物質に数えられるといってよいものでありまして、異常な程の不安定さを持つ、いわば、特殊な化合物群に属しております」

待ちに待った、科捜研からの成分分析の結果報告ではあるが、このまま、あと三〇分も続いたら、滝沢の胃袋の内容物の方が反応を示しそうだった。とはいっても、アルコール以外には残っていないはずではあるが。とにかく、分かりやすく手短に説明してくれよと、滝沢は祈りたい気持ちで、とにかく前を向いていた。同じ気持ちで説明を聞いている人間は、滝沢の他にも、あと五、六人はいるはずだ。何しろ、仲間内で今朝方まで飲んでいたのだから。

「この、異常な程の不安定さと申しますのは、衝撃、スパーク、または他の形の偶発的な発火に対して、極端に敏感であるという意味でありまして、強い酸化剤や還元剤にはもとより、熱、摩擦、衝撃および光に対して敏感に反応します」

話の内容は、かなり興味深いものではある。こう見えても、昔は理数科系の頭だと言われていたもんだ。だが、いかんせん、こういう話はアルコールとは相性が悪いらしい。いくら聞いていても、頭に入る前に溶けてしまうような気がしてならなかった。滝沢は、幾度目か分からない深呼吸をしながら、努めて神妙に話を聞く姿勢を必死で保ち続けた。自分の吐く息が酒臭いのだから、深呼吸をすると、それだけでもう一度酔いそうな気がする。いや、こりゃあ、二日酔いではなかった。ずっと、酔い続けているのだ。

「この、過酸化物を生成することが知られている化合物のタイプには、アルデヒド、エーテル、アリル、ビニルといったタイプのものが含まれておりますが、今回の発火装置に使われた薬品は、恐らくベンジル基の水素原子を含む化合物、断定は出来ませんが、過酸化ベンゾイルなどではなかったかと思われます」

科捜研から来た係官は、そこでホワイトボードに大きく過酸化ベンゾイルと書き、その横に〈$C_6H_5CO{-}O{-}O{-}COC_6H_5$〉と書き込んだ。解放されたら、絶対に薬局に寄ってソルマックを飲もうと思いながら、ふと横を見れば、優等生のお嬢様は今日も相変わらず取り澄ました表情で、しっかりとメモをとり続けている。相方が記録しておいてくれれば、滝沢はとにかくこの場にいるだけで良かった。どうせ、他の役には立たないのだから、せいぜい頑張ってもらいたいもんだ。

「過酸化ベンゾイルとは、塩化ベンゾイルをアルカリと、過酸化水素または過酸化ナトリウムとで反応させて製造する白色の粉末結晶で無臭の薬品であります。強い酸化作用があることから、小麦粉や油脂、ロウなどの漂白剤として、また、医薬品、化粧品などの原料として、さらに広くプラスチック工業などにも用いられます。九九パーセント以上の純度のものは、国内では入手不可能とされておりまして、通常は油や水と混ぜて、純度五〇パーセントのペーストか、二五パーセントの湿体という形で取り扱われます。が、この湿体を自然乾燥させ、ついでメタノールに一夜漬けて、更に風で乾燥させれば、乾燥粉末を得ることが可能です」

係官は、講義でも行っているかのように、ホワイトボードに様々な文字を書いていく。滝沢は、下手をすれば、すぐにでも重く垂れ下がってきそうな瞼《まぶた》を必死で押し上げながら、やっとの思いでそれらの文字を見つめていた。

「この乾いた過酸化ベンゾイルは、一〇三度で自発的に分解し、たとえば、段ボールなどで筒を作り、この中に約一キロの過酸化ベンゾイルを入れて、導火線で火をつけますと、約三メートルの炎が出ます。その際の炎の出方は、ただ燃えるというよりも、いわば爆燃といったもので、火炎放射器のような非常に強烈な炎の噴き出し方をします」

　捜査官の間からわずかなどよめきが起こった。こりゃあ、確かにテロで使えそうな手口だと、酔っぱらった頭でもそれくらいは分かる。そんなもので燃されたら、確かに黒こげになっちまうことは間違いがない。無臭で、白い粉末、それが爆燃か。そりゃあ、ガソリンなんかよりも、よっぽど手軽じゃないか。

「先ほども申しましたように、有機過酸化物は、異常なほどに不安定な化合物でありまして、この過酸化ベンゾイルは、光に対しては安全と思われますが、分解温度も低く、また、衝撃、摩擦でも爆燃します。また、爆燃中は鼻をつく匂いや目への刺激があり、黒煙が出、燃えた後にはタール状のものが残るという特質があります」

　確かに、火災の後、目が痛いと訴えて出る者が多かった。あの、音道としか話そうとしなかったアルバイトの娘も、目が痛み、黒い煙が出たと言っていた。滝沢は、かれこれ二週間以上も前のことになる、現場検証のときのことを思い出していた。あの時には、まさかこんな妙な事件になるなんて、考えてもみなかった。それが、男が勝手に燃え出したというし、時限装置は見つかるし、お陰で俺は、お嬢様と楽しい毎日を過ごすことになっちまったってわけだ。

「この薬品については、一九九〇年に、都内で唯一《ゆいいつ》製造していた化学工場が爆発炎上事故を起こし、多数の死傷者を出したことがありますので、ご記憶の方もおいでかと思います。大量になれば、それだけの大災害を起こす、また、その危険性の極めて高い薬品であります。今回の火災現場で発見されました、被害者のベルトと思われるものに付着しておりましたタール状の物質は、おそらく、その過酸化ベンゾイルの燃えかすと考えてよろしいかと思います」

係官はようやく長い講義を終えて椅子に座った。捜査員たちの間から、微かなため息のようなものが洩《も》れた。話が退屈だったからではない。もちろん、滝沢のように、誰もが二日酔いであったはずもない。一人の人間を殺害するのに、それ程までに危険性の高い薬品を使用し、しかも、時限発火装置を使って、周囲に及ぼす影響すらも考えていないホシの残虐《ざんぎゃく》な手口に、誰もが怒りを新たにしているのに違いなかった。

薬品についての説明が終わるのを待っていた綿貫係長が、咳払《せきばら》いをしながら立ち上がった。ワイヤレスマイクを通して、いつもの濁声《だみごえ》が響いてきた。

「これまで、ガイシャの身辺からの捜査を重点的に行ってきたが、決定的な手がかりも見つからず、重要参考人さえも浮かび上がってきていないのが現状である。このままでは、捜査は長期化するのではないかと、マスコミも批判的な目を向け始めていることは、諸君も承知していることと思う。だが、薬品が特定されたことで、我々は視点を新たに据え直し、また、意気込みも新たに、突破口を切り開くべきである。今後は、主に薬品の入手ルートの方に主力を注ぎ、より地道で精力的な捜査に精励して欲しい」

係長は、科捜研があれこれと書き付けたホワイトボードを消させ、あらたな捜査方針を書き始めた。その間に、デスク要員が何かのコピーを配った。誰もが疲労の色を隠せない顔で、黙々と捜査員の間を歩き回っている。やがて、滝沢の手元にもコピーが届いた。さっき係官も言っていた、過去における過酸化ベンゾイルの事故の新聞記事と、都内近県の化学工場、薬品会社および、大学などの研究室に、様々な薬品を卸している、いわば試薬屋と呼ばれる業者のリストだった。

「これまで、デートクラブに出入りしていた女子高生および、ガイシャの女関係を洗っていた担当は、全《すべ》て、薬品の入手経路解明に回る。さらに、現場付近の聞き込みに回っていた諸君も――」

滝沢は、見出しは読めるのだが、新聞を縮小コピーした記事までは読めなかった。どうも最近、細かい文字が読みづらいのだ。おまけに、まだ酔っている目では余計だった。新聞のコピーは、取りあえず後回しにして、試薬屋などのリストを眺めていると、欄外に小さく「過酸化ベンゾイル　$7／100g」という値段の相場が出ていた。そう高価な薬品じゃあ、ない。三メートルの火柱を上げさせようと思ったら、たったの七〇ドル、つまり一万円もあれば、発火装置から導火線まで、全てが調達できるということだ。

「とにかく、諸君も疲れていることと思うが、ここは、もうひと頑張りして——」

ふいに係長の声が途切れた。必要以上に脳味噌を揺らさないように、そっと顔を上げると、誰かが係長に耳打ちをしているところだった。やめてくれよ、また人が燃えたなんていう話は聞きたくない。滝沢は、椅子に深く座りなおし、背筋を伸ばした。じっと座っていたお陰で、だいぶ酔いがさめてきている。滝沢の身体《からだ》が、必死でアルコールを分解しているのだ。捜査員全員が揃《そろ》っている前で、綿貫係長は一瞬眉間《みけん》にしわを寄せ、難しい顔になると、即座に脇田課長に何かを耳打ちした。課長も、とたんに表情を険しくさせた。

「今、報告が入った」

係長の声が響いた。

「昨夜、品川区の天王洲《てんのうず》で、若い男が野犬らしいものに襲われて死亡するという事件が起こった。今朝の新聞、ニュースなどでも報道されていたものだが——野犬は現在も行方が分かっていない。その、ガイシャに残っている歯痕《しこん》が、どうも本件のガイシャの太《ふと》股《もも》に残っていたものと、酷似しているらしい」

今度は本当のどよめきが起きた。滝沢は、再び酔いが蘇《よみがえ》ってきそうな頭を必死で働かせようとした。どういうことだ。俺たちは、過酸化なんとやらを追いかけていくんじゃないのか。どうして、ここで犬っころが出てくるんだ。

「所轄《しょかつ》署と連絡を取り合い、至急検討した上で、結果は通達する。ひょっとすると、そっちの方も併せて捜査することになるかも知れん。途中報告を正午に入れるように。それまでは、決められた通りの捜査活動を続けて欲しい」

普段よりも、かなり長かった捜査会議は、奇妙に心残りな、いやらしい雰囲気で終わった。建物の外に出たときには、既に冬の陽射《ひざ》しは朝のものではなくなっていた。いくら陽射しが弱いとはいえ、やはりこういう体調のときには太陽は苦手だ。歩き出すと、まだ残っているアルコールが体内を駆けめぐり始めた。今日、滝沢の班は、とりあえず配られたリストに載っていた試薬屋の数軒を回ることになった。

犬と、爆薬。過酸化なんとかと、犬っころ。今どき野犬だって？　しかも天王洲で？　天王洲？

「天王洲って、どの辺りだ」

駅に向かって歩きながら、滝沢は思わず呟《つぶや》いた。何となく聞いたことはあるのだが、ぴんと来ない。

「ベイエリアです」

しごく落ち着いた声が聞こえてきた。俯《うつむ》きがちに歩いていると、音道の声は横からというよりも、斜め上から聞こえてくる。滝沢は、彼女を見上げる気力もなく、「ベイ、エリア」と繰り返した。つまり、海っぱたか。

「浜松町から羽田に行くモノレールに駅が出来ています。一つ目に」

確かに、あっちの方は、最近めざましい勢いで変わってきているとは聞いている。だが、滝沢はこれまでに、品川区、大田区といった、いわゆる城南地区の所轄署に回ったことはなかった。東京中を走り回っているようでも、縁のない場所に関しては、とんと疎《うと》くなっているものだ。

「滝沢さん」

それにしても、気分が悪い。やはり、薬局を探したいと思っていると、音道の声がした。滝沢は、彼女を無視するほどの気力もなくて、「ああ?」と返事をした。

「その、天王洲の事件と、こっちの事件と、関係があるでしょうか」

「知らねえ」

「同じ野犬に咬《か》まれたんでしょうか」

「分からねえって、そんなこたあ。あんた、天王洲って行ったことあるのか」

ちょうど数十メートル先に、薬局の看板が見つかった。滝沢は、音道の返事も待たずに、すたすたと薬局に入ると、ソルマックを買い、その場で飲んだ。一箱に二瓶入っている液体胃薬は、滝沢のお気に入りでもある。残った一本はコートのポケットに入れ、店から出ると、音道が黙って立っていた。

「何の話だったかな」

てきた。

「私に、いただけませんか」

滝沢は、顔をしかめながら音道を見上げた。お陰で、眩《まぶ》しい陽の光が直接に目に入っ
「何だよ」

「滝沢さん」

「何を」

「ソルマック」

音道は、いつにも増して愛想のない、硬い表情でこちらを見ている。滝沢は、何だか悪戯《いたずら》を見つかった子どものような気分で、ポケットに入れた小瓶を取り出した。音道は、バッグから財布を取り出そうとしている。

「いらねえよ、金は」

言いながら小瓶を押し付けると、滝沢はそのまま歩き始めた。何だ、外で待っていたのかと思ったら、しっかり見ていやがった。全く、抜け目のない女だ。いつも、あんな風にぴりぴりとしてるから、胃が痛むんだろうよ。

気がつくと、足音が付いてこない。おやと思って振り返ると、音道は、薬局の前でソルマックを飲んでいた。それから、店先に置かれているごみ箱に空き瓶を放り込み、小走りで追いかけてくる。滝沢に追いつくと、彼女は普段と変わらない口調で「失礼しま

した」と言った。

「調子が悪いのか」

途中で、休みたいとか苦しいなどと言われては迷惑だ。滝沢は、疑い深い目つきで、じろじろと音道を見た。そういえば、顔色が悪いかも知れない。普段から白い顔をしているが、確かに今日は青ざめて見える。

「大丈夫です」

頑張り屋のお嬢さんは、滝沢が予想した通りの返事をした。滝沢は、胃が軽くなってくるに連れて、徐々に回転し始めた頭で、さて、どんな言葉を返そうかと考えた。親切なおじさんだなんて思われるのは迷惑だ。かといって、可愛《かわい》げのない女に、これ以上突っ張られるのも腹が立つ。

「さすがに、繊細なお嬢さんにゃあ、ちょいとキツいヤマになってきたからな」

思ったよりも気の利《き》いた台詞《せりふ》が出なかったが、まあ仕方がない。よし、だいぶ調子が戻ってきたと思っていると、「いえ」という短い返事が聞こえた。

「二日酔いなだけです」

女のくせに、二日酔いだと？　滝沢は、昨日は確か、彼女は早く帰ったはずなのにと思いながら、駅の改札を手帳を見せて通過した。誰と飲んで、二日酔いになんかなったんだ。酒を飲みながら、俺の悪口でも言ってたんだろう。ちきしょう、ソルマックなんか、やるんじゃなかったと思った。

7

【野犬の仕業か？　会社員襲われて死亡
〜深夜のベイエリア〜】

《昨夜未明、東京都品川区東品川三丁目の路上で、若い男性が首から血を流して倒れているという一一九番通報があった。救急車がかけつけたところ、現場は東京モノレール天王洲アイル駅に程近い路上で、男性は仰向けの姿勢で倒れており、既に死亡していた。警視庁城南署が現場に急行して調べたところ、死亡していたのは、堀川一樹さん(三二)＝目黒区中町一・会社員＝と分かったが、首から血を流している他は着衣などに乱れはなく、付近には堀川さんのものと思われる鞄《かばん》も発見され、財布なども残されていた。また、傷口を調べたところ、首の左右に鋭い牙《きば》の痕《あと》を含む楕円《だえん》形の歯型と思われる傷跡があり、喉笛《のどぶえ》を大きくえぐり取られたような形で、首の骨も折れていることが分かった。また、堀川さんの両肩の背部には、獣の爪痕《つめあと》のような皮下出血も認められることから、警察では、堀川さんは大型の犬に襲われ、首を咬まれた為《ため》に死亡したのではないかと見ている。

現場は、近年の臨海開発で、竹芝、晴海などと並んで新しいビルの林立する一角。シーフォートスクエアと名付けられて、レストラン、劇場、ホテルなどが立ち並び、ベイエリアとして若者を中心に人気を呼んでいる。堀川さんは近くのビルにある会社に勤めていた。この近辺は、縦横に運河が流れる倉庫街で、深夜になると人影は途絶え、犬を散歩させる人などもあまり見かけないという。城南署では、堀川さんの首の骨が折れていたことと歯型から見て、襲ったのが犬であるとすると、かなり大型犬であると思われ、また現場の近所には、それほど大型の犬を飼っている家もないことから、野犬の可能性もあるとして、捜査を始めた。》

——野犬ねえ。

貴子は、三日前の夕刊から目を離し、人知れずため息をついた。捜査本部が設置されてから、初めての休養日だった。コタツの上には、朝晩ポストから取り出しただけの新聞が、もう一週間分はたまっている。その他にもコーラの空き缶やカップ麵《めん》の容器、洗濯しようと思っていたハンカチ、外したままのピアスなども置きっ放しになっていて、まるで物置だ。

昨夜、ベッドに入るときには、せっかくの休みなのだから、バイクの手入れもして、少しは走りに行きたい等と考えていたのだが、目が覚めたら既に昼を回っていた。こんな時間からでは、もう何も出来そうにない。それに、窓の外はどんよりと曇っていて、いかにも寒々としている。たまにはどこにも出かけずに、身体を休めるのが良いかも知れないと考えながら、取りあえずコーヒーを淹《い》れ、たまっていた新聞を開いたら、その記事が目についた。休日とはいえ、今一つ気分がすっきりしないのも、当然のことだった。捜査はすっかり暗礁《あんしょう》に乗り上げている。その上、今度はこのベイエリアでの事件まで関わって来そうな気配なのだ。

——でも、そのお陰で通り抜けた。

新聞の日付を眺めるうち、その三日前というのが、貴子がいちばん恐れていた日だったことに気付いた。昨年のその日、貴子は離婚届に判を押したものを残して、一人で引っ越しをした。いわば離婚記念日だったのだ。その日が来たら、どう過ごそう、どんな気持ちで切り抜けようかと思って、何日も前から憂鬱《ゆううつ》だったのに、なんだ、忙しさに取り紛れているうちに、すんなりと乗り越えてしまったというわけだ。

昨年、この部屋に越してきたのも、雪でもちらつきそうな曇り空の日だった。宿直明けで、ほとんど眠っていない身体には、寒さが余計にこたえた。そして、運送屋も引き上げ、生まれて初めて一人で暮らすことになる部屋に取り残された時には、心細さに身の置き所さえ見つからない気分だった。取り返しのつかない失敗をしたのではないか、悔やんでも悔やみきれない時を過ごしてきたのではないかと、そんな気持ちでいっぱいだった。強がって、誰にも手伝いを頼まなかったことさえ、愚かな選択だったような気がしてならなかったものだ。

余計な感傷に浸る暇もなく、仕事に追われていたのはかえって幸せだったかも知れない。とにかく、何とか記念日をやり過ごすことが出来た、それだけで、少しは気持ちが安定してくる。あとは事件のことだけを考えることにしよう。そうこうするうちに、きっと春になるはずだ。貴子は香ばしいコーヒーを飲みながら、再び仕事モードに頭を切り替える。

――偶然か、故意か。故意なら、相当に訓練されている犬だわ。人を襲う為に、訓練された犬？

新聞の記事は、その時点ではおおよそは正確な内容を伝えているといえる。だが、事実には若干不足している。そして、それ以降、一昨日、昨日の新聞には、この件に関する記事は見あたらない。警察が何も発表していないのだ。

実際、凄惨《せいさん》な死体だったという。新聞記事には書かれていないが、堀川一樹というガイシャは、実は二度にわたって首を咬まれていたことが分かっている。一度目で首の骨をへし折られ、さらに二度目の襲撃で喉を食いちぎられていたのだ。その上、頭部にも歯牙痕《しがこん》が残っており、解剖の結果、頭蓋骨《ずがいこつ》は破裂骨折を起こしていた。三度の襲撃は、いずれも致命傷となっており、手足、胴体などには咬まれた形跡はなかった。

つまりホシ——と呼んで良いものかどうか、とにかくガイシャを襲った相手は、念には念を入れて、しかも確実に相手の息の根を止めたのだ。その上、食いちぎられた肉片は、死体のすぐ傍で発見されている。

咬傷《こうしょう》から見ても、その犬が巨大なばかりでなく、非常に強力な顎《あご》を持っていることが分かるが、さらに言えば、そこには明らかに「殺意」のようなものが感じられる、というのが、捜査陣の考え方らしい。警察がマスコミへの発表を手控えている理由は、凶暴な野犬が都内を徘徊《はいかい》しているような印象を植え付けて、いたずらにパニックを起こさせることを懸念《けねん》したためと、時限発火ベルト事件との関連とが、今一つ解明されていないためだった。

原照夫の大腿部《だいたいぶ》に残されていた歯牙痕も、かなり大型の犬によると思われるものであり、牙の位置や歯型の大きさからみれば、天王洲のガイシャに残されていた歯牙痕に匹敵しているという。だが、チーズやリンゴなどをかじった痕ならばともかく、人の皮膚に咬みついた傷跡から、その特徴の全《すべ》てを調べることは、相当に困難だという話だった。人間と獣の識別、ネズミやうさぎなどといった小型の動物と、ブタ、犬などとの識別は可能であっても、それ以上になると、かなり曖昧《あいまい》な部分も出てくるというのだ。だが、今時この東京で、野犬の被害が相次ぐということ自体が不自然なことは間違いがない。飼い犬が逃げ出したという報告も入っていない。

原照夫と堀川一樹に何らかのつながりがあることがはっきりすれば、貴子たちの捜査本部は、ベイエリアの事件も包括して捜査することになるだろう。話は面倒になりそうだが、実を言えば貴子だけでなく、多くの捜査員が、それを望んでいるはずだった。何しろ、今のままでは、あまりにも手がかりが少な過ぎるのだ。

科捜研から薬品の成分鑑定の結果が出ることを、本部は心待ちにしていた。だが、その結果を持って都内をかけずり回った結果、貴子たちが思い知ったのは、過酸化ベンゾイルからホシを割り出すことがいかに困難か、ということだった。

過酸化ベンゾイルという薬品は、消防法により危険物第五類に指定されており、取扱量が一〇キロを越えた場合には、その量や取扱場所についての届け出が必要になる。これを怠ると、懲役一年以下、罰金三〇万円以下に処せられる。だが、実際には無許可で貯蔵している化学工場やその他の企業は後を絶たず、その量もトン単位になっているはずだという話だった。つまり、過酸化ベンゾイルの年間の流通、消費量は半端《はんぱ》ではないのだ。しかも、いずれの企業においても、その管理が厳重だったかどうかは疑問が残る。科捜研の係官が説明したとおり、食品、医薬、化粧品、高分子化合物製造加工と、ありとあらゆる業種で使用されている。多くの場合は油分や水分を加えられ、安定した状態で使用されるために、それが危険であるという認識すら、全ての関係者に行き渡っているかどうか分からないという。また、大学や研究所などに薬品を卸している、いわゆる試薬屋でも、過酸化ベンゾイルは一般の人間が容易に入手できることが分かった。特殊な薬品であるならば、入手経路からたどることが可能だと考えていた捜査陣にとって、その事実は重くのしかかってきた。確かに、薬品に対する専門的な知識は必要だろう。時限装置についても、その理論は単純だし、部品も市販のものが使用されているとはいえ、ベルトのバックルに内蔵させるという手口は、やはりそれなりの知識と技術を備えた人間でなければならない。それなのに、原の周囲に、そんな人物は浮かび上がってこなかった。

「やはり、徹底的に目撃者探しをする方が近道だと思います」

「ベルトが、普段使っていたものと変わっていたことは、何人かの女子高生が気付いていたんです。絶対に、殺された当日に、ホシはガイシャに接近したはずです」

昨夜の捜査会議では、疲労の色の濃くなってきている捜査員から、そんな意見が相次いだ。誰もが苛立《いらだ》ちを隠さなくなってきていた。

ガイシャの身元は分かった。職業も、私生活の部分もおおよそが摑めてきている。現場には、時限発火装置という決定的な物証まである。聞き込みにより、原照夫がいつもと違うベルトを締めていたのは、殺害された当日からであることが分かっている。それなのに、これ程までに手がかりの一つもつかめないヤマというのも珍しい。普通ならば、ガイシャに恨みを持っていた存在や、金銭、痴情の絡《から》んだトラブルの影などが見えてきて良いはずなのだ。殺害の方法から見ても、相手は相当念入りに、計画的に原照夫を殺害したと考えられる。そこまで執拗《しつよう》に追うからには、それ相応の動機がなければならないはずだ。決して無差別殺人でもなければ、テロである可能性も低い。ホシは、原照夫個人を狙《ねら》ったのだ。

だが、二つの名前と胡散《うさん》臭い過去を持ち、一見様々な問題を抱えていても不思議はない、一人や二人から殺意を抱かれていても頷《うなず》けるかのように見えたガイシャは、現在のところは、誰かから逆恨みされているような気配すら見あたらないではないか。

「絶対に、何か見落としているはずなんだ」

「第一、事件当日のガイシャの足どりが、まだはっきりしていないじゃないですか。徹底的に捜査したとは思えません」

「大体、ガイシャが例のレストランの上にデートクラブを構えていたんだって、初動捜査に力を入れていれば、もっと早く分かっていたことなんです」

そんな言葉が飛び出したときには、さすがの滝沢さえ、むっとした顔になったものだ。貴子は、口元を歪《ゆが》める滝沢を横目で見ながら、これまでに聞き込みに歩いた人々の顔をいちいち思い浮かべていた。誰かが嘘《うそ》をついているのだろうか、それとも忘れているのか、こちらの質問の仕方が悪かったのか――。

「現在、検討を重ねているが、もしも天王洲の事件と、こちらの事件との関連性が認められれば、新たな突破口になる可能性も出てくるということだ。諸君も疲れていることと思うが、明日は一日ゆっくり休養して、明後日からまた新たに、捜査に取り組んでもらいたい」

すっかり険悪な雰囲気に満ちてしまった捜査会議は、結局のところ、脇田《わきた》捜査一課長のそんなひと言で締めくくられた。疲労が苛立ちを強めていることは確かだった。それに、全ての捜査が徒労に終わっているような無力感が追い打ちをかけている。この辺りで、一日だけでも休養を取らせてもらえるのは、貴子のみならず、他の捜査員にとっても有り難かったはずだ。願わくは、明日になったら、天王洲の事件との関連が分かってくれますように。そうなれば、新たな糸口が見えてくる可能性がある。

——だけど、関係がなかったら。どうなるんだろう。私たちは、やっぱりこれまでの資料の中から捜査を続けなきゃならない。

とにかく、原が死んで得をする人間を探すことだ。誰が得をする？　女たちは？　商売敵がいたのか？　年上の愛人の夫という線は？　ああ、いや、大方の捜査は済んでいるはずだ。家庭のある女たちは、いずれも見事な程にしたたかに、原——菅原琢磨の存在を隠しおおせていた。彼女たちは誰もが心の底から原を求めてはいなかった。誰もが、本気で涙を流したりもしなかった。

——考えてみれば、哀れな男。

玩具《おもちゃ》にされていたのは、原の方だったかも知れない。未《いま》だに親元に引き取られもせず、冷凍になっている男の人生とは、一体何だったのだろう。

——馬鹿《ばか》だったのよ。馬鹿な男だったの。

よく眠ったつもりなのに、また瞼《まぶた》が重くなってくる。一つだけある座椅子《ざいす》に背をもたせ、大きく頭を反らせて目を閉じると、貴子は大きく深呼吸をした。出来ることならば、何も考えたくない。ふと、数日前の夜の電車で声をかけてきた男のことが思い出された。結局、後を追ってくる度胸もなかったらしい、あの薄っぺらな男。滝沢の皇帝ペンギンのような姿も思い浮かぶ。そして、浮気がばれた途端に、半ば開き直るような態度になり、二度と貴子の目を正面から見ようとしなかった夫——こともあろうに、彼は自分の浮気がばれたときに、『君には関係ないだろう』と言ったものだ。関係ないですって？　じゃあ、私はあなたの何なのよ。

——女房だっていうのか。だったら、少しは女房らしいことをしろよ。

今頃、彼はどこでどうしているのだろう。あの女と一緒になったという話は聞いていない。

ああ、いやになる。考えたくないと思っているのに、どうしても思い出してしまう。貴子は慌《あわ》てて目を開いた。せっかく、ゆっくりと休める日に、そんなことばかりを思い出しては精神衛生上よろしくないに決まっている。いっそのこと、再びベッドにもぐり込んで、今日は夜まで寝ていようかと思い始めた矢先に電話が鳴った。本部からの呼び出しだろうかと考えながら受話器を取り上げた貴子の耳に、「お姉ちゃん？」という声が届いた。

「智子？　どしたの」

「どしたのじゃないわよ。お母さんが留守電にメッセージを入れておいたでしょう？」

しまった。すっかり忘れていた。貴子は、うっすらと埃《ほこり》を被《かぶ》った電話機を見下ろしながら、小さくため息をついた。久しぶりに聞く妹の声なのに、懐《なつ》かしさや嬉《うれ》しさよりも、面倒な苛立ちの方が大きい。この時になって初めて、貴子は自分が人間嫌いになりつつあるのではないかということに思いが至った。

「――忙しかったのよ」

「それは、分かってるけど。今日は？　これから仕事？」

「今日は、休みよ。やっとね」

やっとね、に力を込めて言ったつもりだった。だが五歳年下の妹は、受話器の向こうで「ラッキー」と明るい声を上げた。この、省庁の外郭団体でお茶くみとコピー取りをして日々を過ごしている妹とは、幼い頃には一番気が合っていた。

「じゃあ、会える？　私、そっちまで行くから」

「――いいけど。なに？」

「お母さんの話を聞く前に、私の話を聞いて欲しいの」

智子は仕事が終わり次第、食料を買い込んで貴子のマンションまで来ると言い、そそくさと電話を切った。貴子は、指の腹で電話の埃を払いながら、それならば掃除機の一つもかけなければならないと思った。何せ、今度の本部が設置されてから、家のことは何一つとしてやっていなかったのだ。たとえ妹でも、この部屋を見せるわけにはいかなかった。

——ああ、もう。よいしょ。

年寄り臭いかけ声をかけて起き上がると、貴子はため息をついて部屋中を見回し、まずはCDプレーヤーのスイッチを入れて、久しぶりに音楽を流しながら掃除を始めた。

刑事に求められるのは、タフで身軽なこと。そして、粘り。

昨年の引っ越しの際に、夫との思い出になりそうな品は、たとえ自分で買ったものでも全て置いてきてしまったから、手元にあるCDはほんの数枚しかない。ときどき、急に聴きたくなる曲があると、惜しいことをしたと思わなくもないのだが、聴けば聴いたで気持ちが沈むと分かっている。今、貴子が聴いているのは懐かしいカーペンターズだった。結婚などするずっと前の、一〇代の頃を思い出す曲は、心地良く染《し》み込んでくる。あの頃は、自分が結婚して、離婚も経験するなんて、考えたこともなかった。

まず、部屋中に散らばっている新聞や洋服、菓子の袋や、封を切ってもいないダイレクトメールなどを片づけ、それから手早く掃除機をかける。妹が来るまでに、洗濯機を回してクリーニング屋にも行き、アイロンもかけてしまおう。冷蔵庫を覗《のぞ》かれると困るから、傷《いた》んでいる野菜なども捨ててしまわなければならない。ジーパンにセーターという出《い》で立ちで動き回るうちに、ふと泣きたいような気がした。イエスタデイ・ワンス・モアが流れていた。

8

休み明けにも拘《かかわ》らず、翌日の貴子の体調は最悪だった。昨日、陽が暮れてからやって来た妹は、そのまま貴子のマンションに泊まることになり、結局明け方まで話し込んでいたから、貴子はほんの二時間程の仮眠をとっただけで、出かける支度をすることになったのだ。

——まったく、何のための休みだったんだか。

寝過ごすわけにはいかないから、そのままコタツで仮眠をとった貴子に代わって、姉のベッドで眠っていた智子は、貴子が着替えをしているときに目を覚まして、甘えた声で「お姉ちゃん」と呼んだ。

「もう、行くの？」

「行くわよ」

「ご免ねえ、寝不足にさせて」

「あんたは？　仕事はどうするの」

「もう、今日は休む」

「それで大丈夫なの？」

「どうってこと、ないもん」

気楽で結構な話だ。貴子は、化粧を取ると幼い頃と変わらない童顔の妹を、ため息混じりに眺めて、自分は手早く身支度を整えた。

「合い鍵《かぎ》を置いて行くから、それで戸締まりをして。鍵はあとでもらうわ」

「ねえ、昨日の話、考えてくれるでしょう？」

智子は、家を出て、貴子のマンションに転がり込みたいと言い出しているのだった。最初は、埼玉の家からでは通勤が大変だとか、近頃は徐々に年老いてきた父親が口うるさくてかなわないなどと言っていたのだが、よくよく聞いてみると、どうやら付き合っている男のことが、両親に知れてしまったというのがその理由のようだった。父も母も大騒ぎで、最近では門限までが厳しくなったと智子は口を尖《とが》らせて文句を言った。

「あんた、もう二七でしょう？　彼氏くらいいたって、不思議じゃないじゃない。お父さんたちがそんなことで怒るとも思えないけど？」

貴子が結婚したのは二六のときだった。すぐ下の妹は、もう二九になるが、やはりまだ独身でいる。誰も家を継いで欲しいなどとも言っていないのだから、良い縁があったら早く嫁げと、普段から言い続けているような両親が、どうして怒り狂ったのか、最初は貴子にも分からなかった。さらに突っ込んで聞いてみたところ、最初はやたらと陽気にはしゃいで見せていた妹の表情は瞬《また》く間に曇り、やがて、付き合っている男には家庭があるのだと白状した。その上、彼とのことを母に知られてしまったのは、子どもを堕《お》ろしたときの病院の領収証を見つけられてしまったからだという。

「あんた――」

「ああ、何も言わないで。分かってるから。お父さんにもお母さんにも、行子姉ちゃんにも、さんざん言われたんだから。でも、しょうがなかったのよ。どうしても――好きなんだもの。彼を、信じてるの」

貴子は、呆気《あっけ》に取られてそれらの話を聞いた。子どもだとばかり思っていた妹が、まさかそんなことをしているとは露ほども考えていなかったのだ。明け方までかかって、彼女の話を聞きながら、貴子は感情的になるまいと自分に言い聞かせる一方で、情けないような、やるせない気持ちになっていた。

「ねえ、お願い。そうしたら、家事は私がするから。家賃も少しは出すし――」

目を覚ました智子は子犬のように、身支度をしている貴子のあとをついて歩く。

「駄ぁ目。何度言ったら分かるの？　あんたねえ、家から出れば、自由に彼に会えるなんて考えてるんだろうけど、そんな男と付き合ってたって、ろくなことはないって言ってるでしょう？」

「そんなこと、言わないでよ。お姉ちゃんなら分かってくれると思ったのに。頼りになるのは、お姉ちゃんだけなんだから。彼ね、ちゃんと――」

「ああ、聞いたわ。約束してくれたっていうんでしょう？　今はそんな話を聞いてる暇はないの」

「だったら、分かってくれたでしょう？」

貴子のパジャマを着たまま、智子は素足でぺたぺたと歩き回り、駄々っ子のように「ねえ」とまつわりついてくる。

「お姉ちゃぁん」

「駄目。お母さんにも電話しておくから、帰りなさい。不倫の手伝いなんか、お姉ちゃんにさせないで」

智子は子どものように顔を歪《ゆが》め、地団駄を踏んで「いやあ」などと言っていた。そんな妹を振り切るようにして、貴子は捜査本部に向かった。

――妻子のある男なんかと。子どもまで堕ろして。

あの、健康優良児だった智子に、どんな変化があったのか。末っ子ということもあり、両親にも甘やかされて、三人姉妹の中でも一番伸び伸びと育ったはずの妹が、急に見知らぬ他人になったような、遠い存在に思えてならなかった。第一、夫を寝取られた妻の気持ちを考えてみろと言いたかった。もちろん、悪いのは男だ。家庭がありながら、若い娘に手を出して、子どもまで堕ろさせて。男が悪い。断じて男が悪い。

——全く。どうしようもない。

苛立《いらだ》ちを満員電車の乗客にぶつけ、それでもすっきりしないまま立川中央署に着くと、貴子は真っ先に化粧室に寄って化粧を整え、髪も丁寧にとかした。これから、またあの皇帝ペンギンと一日を過ごすのだ。こちらの心理状態など、絶対に読まれてはならないと思った。少しばかり目が落ちくぼんでいる気がする。

「昨日は、各自ともゆっくり休めたことと思う。今日から気持ちも新たに、厳しい捜査状況ではあるが、一日も早い事件の解決、容疑者の検挙に持っていってもらいたい。さて、一昨日まで問題になっていた天王洲の事件だが、その後の捜査で新たなことが分かった」

会議が始まると、心なしか色つやが良くなって、すっきりした顔に見える脇田課長の声が響いた。ははあ、床屋に行ったんだ。貴子はショルダーバッグから手帳を取り出し、意識の全《すべ》てを事件に集中させようとした。

「天王洲の事件のガイシャである堀川一樹に残されていた動物の歯型は、恐らく大型の犬か——オオカミのものではないかという見方が出ている」

早朝の捜査本部にどよめきが広がった。オオカミ？　貴子は、信じられない思いで脇田課長を見た。真剣そのものの、しかつめらしい表情で立っている一課長は、少しばかり髪を短く刈り上げ過ぎたようだ。まるで、時代錯誤の軍人のような雰囲気になったと思いながら、貴子は自分の発言の内容を確かめるように、一人で頷《うなず》いている課長を見つめていた。

「鑑識からの報告によれば、ガイシャの遺体に付着していた毛は、明らかに野生のものではなく、手入れも行き届いているオスの動物のものであることは間違いないが、どの犬種にも当てはまらないということだった。現在、サンプルを取り寄せて照合を急いではいるが、やはり、オオカミではないかという見方が強い。また、毛には剛毛と柔毛の二種類があったが、その皮脂ののり方、また毛根に皮膚組織が残っていたことから、たとえば毛皮のコートなどから抜け落ちたものではなく、生きている動物から抜けたものであることは確実である」

手入れの行き届いている、飼われているオオカミだって？　だが、誰も笑う者はいなかった。冗談などで、そんな話が出ているはずはないのだ。そういう場面ではない。

「加えて、ガイシャが倒れていた現場周辺を捜査したところ、付近の植え込みから、比較的新しい動物の足跡が発見されている。それは、ガイシャの背部に残っていた爪痕《つめあと》と一致していた。この足跡は、後ろ足のものと思われるが、縦一〇・六センチ、横七・五センチで、かなり大型である上、普通の犬の足跡が比較的円くなるのに比較して、長楕《だ》円《えん》形であるということだった。さらに、ガイシャの頭部、頸部《けいぶ》に与えられた衝撃の強さから考えると、たとえばシェパードやドーベルマンなどといった大型の犬よりも、さらに口が大きく、顎《あご》の力が強力であったことも分かっている。これらの特徴は、全て決定的なものではない。だが、可能性としては、普通の大型犬よりも一層厄介な相手だと考えた方がよさそうだ、ということである」

一昨日まで、よく分かりもしない元素記号や化学式を見させられていた貴子にとって、係長の横のホワイトボードに貼《は》り出されたオオカミの足型は、奇妙に新鮮に見えた。

「また、ガイシャの堀川一樹について調べたところ、現在は普通の会社員であるが、学生時代には六本木界隈《かいわい》に出入りしており、かなりの遊び人であったことが分かった。その時期と出入りしていた店などからみて、堀川と原照夫との間に何らかの接点があった可能性が高い。堀川の襲われた状況からみても、野犬または野生の獣などというよりも、相当に訓練されている動物の仕業と考える方が自然であり、過去に接点のあったかも知れない二人が、似たような時期に襲われているのにも疑問が残る。従って、天王洲のヤマも当捜査本部に取り込み、併せて捜査することに決定した」

嘆息とも深呼吸ともつかない息があちこちから吐き出された。貴子も、手帳を膝《ひざ》の上に広げたまま、何となく割り切れない気持ちになっていた。オオカミを追いかけるなんて、これまでに経験のないことだ。当然のことながら、そのオオカミを操っている人間を挙げるのが目的だが、それと過酸化ベンゾイル、時限発火ベルトとが、どう関わってくるのか、まるでぴんと来ない。

「時限発火ベルトのホシと、オオカミの飼い主が共通しているということも考えられると思います」

「それとも、別々のホシがいて、互いに何かの関係があったということも、考えられるでしょう」

捜査員の間からは、早くも様々な意見が出され始めた。沈滞ムードだった捜査本部に、有り難いこととは言いがたいが、取りあえずは新しい風が吹き込んできたことは確かだ。これで、少しは捜査活動も新しい進展を見せることは確実だった。

再び、綿貫係長の指示により、捜査陣の編成が新しく作りなおされた。これまで通りの原照夫の周辺捜査と、目撃者の発見、過酸化ベンゾイルの流通捜査に加えて、原と堀川との接点を調べる班と、新たな動機の発見、また、オオカミ発見の班とが作られた。貴子は、一昨日に続いて、今日も薬品関係の会社を回ることになると考えていたのに、意外なことにオオカミ班に回ることになった。

「それから、音道巡査、あとで、ちょっと」

会議が終わる直前に、突然名前を呼ばれた。貴子は、反射的に「はいっ」と答えたものの、周囲の視線がいっぺんに集中するのを感じて、思わず俯《うつむ》いた。中でも滝沢は、いつまでもは虫類のような目つきで、じろじろとこちらを見つめている。会議が終わると、貴子は急いで滝沢に走り寄り、「ちょっと、行ってきますから」と頭を下げた。滝沢は、皮肉っぽく唇を歪めると、いかにもつまらなそうに眉毛《まゆげ》だけを動かし、顎をしゃくりながら「ごゆっくり」と答えた。皇帝ペンギンは、一日たっぷり休んだ分、性格の悪さに磨きをかけてきたらしい。

「音道くん、君、トカゲだってね」

別室に連れて行かれると、そこには脇田課長を始めとしたお歴々の面々に、貴子の着隊している機捜隊の分駐所の主任も加わっていた。貴子は素早く主任を見、主任が目で頷くのを確認すると「はい」と返事をした。

トカゲとは、機捜隊員の中でも、特に白バイ経験者もしくはバイク運転技能に優れている者の中から指定されている捜査員で、必要に応じて、二人一組の通常の捜査態勢から、オートバイによる追跡任務を下命される者の呼称である。暗号名というほどではないが、決して大っぴらにもなっていない。普段、共に仕事をしている機捜隊の仲間ならば知っている者も少なくないが、このような本部事件に関わることになれば、ほとんどの者がそんなことは知らないはずである。元々、白バイに乗っていた貴子の、それが刑事部機捜隊に異動になってからの任務だった。

「いつでも、動けるね」

「——はい」

「それだけ確認しておきたかったんだ。ご苦労」

貴子は、深々と頭を下げると、そのまま部屋を出た。どうして、そんな確認をされたのだろうと考えながら歩き出したところで、後ろから主任に声をかけられた。

「オオカミは、よく走るってさ」

主任は貴子の考えを読んでいるらしく、にやりと笑いながら小声で言った。上の方では、そういう事態まで考えているのだろうかと思いながら、貴子は黙って頷いた。

「それより、どうだい。結構、手を焼いてるみたいじゃないか」

本部になっている講堂の前まで戻ってきたところで、主任は立ち止まって顎をしゃくった。中を覗くと、デスク要員を除いた全ての捜査員が出払った後の本部で、滝沢が憮《ぶ》然《ぜん》とした顔でパイプ椅子《いす》にふんぞり返り、煙草《たばこ》を吸っていた。片手で顎のあたりをこすり、髭の剃《そ》り残しでも探しているようだ。貴子は、思わず肩をすくめながら主任を見上げた。主任は、やっぱりなと言わんばかりに目顔で頷いた。

「そのうち、おまえの本領を発揮するときが来る。それまでは、辛抱しろや」

「ずいぶん、打たれ強くはなってるつもりなんですけど。あの人は——」

主任は、貴子の言葉を手で制し、分かっていると言うように再び頷いた。貴子は、本部事件などに関わっていない時には、日頃一緒に仕事をしている仲間が、どれほど貴重で有り難い存在かを改めて感じながら、微《かす》かにため息をついた。

「評判のいい男ではあるんだ。ただ、慣れていないんだろう、あまりにも。典型的な、昔からのデカなんだと思って、な」

「と、いうよりも、基本的に女性が嫌いみたいです」

「じゃあ、おまえといい勝負じゃないか。男嫌いと女嫌い」

「私は――」

「男が好きとは、言えないだろう。むしろ、人間全部が嫌いみたいにも、見えるからな。せいぜい、オオカミを追うことだ」

最後に主任に背中を叩《たた》かれて、貴子は本部に戻った。それまで、ドアの隙間《すきま》から覗《のぞ》いていたときには、明らかに苛立った顔をしていたのに、滝沢は貴子の姿を認めるなり、つんと澄ました顔になって「よろしいですか」と言った。

「大切なご用は、お済みでしょうか」

「お待たせしました」

「では、まいりましょうかね。犬っころを探しに」

わざとらしく、本部から出るときでさえも貴子を先に出させて、滝沢は鼻歌さえ歌い始めた。

「ありがてえよなあ。あんたと組んでると、どうも楽な方、楽な方に回してもらえるみてえだ」

また始まった。貴子は、相手にするつもりにもなれず、ひたすら前を見て歩き続けた。

「それで？　何の用だったい」

「いえ、別に」

貴子は滝沢の方を見もせずに答えた。だが、滝沢が不愉快な顔をしたのは気配で分かる。だから、同じくらいの身長の男と歩くのは嫌なのだ。顔の位置が近くて、表情がいちいち変わるのが目障《めざわ》りでたまらない。ことに、滝沢のようなむさ苦しい顔が常に自分の視界に入ってくるのは、何とも不快なものだった。

「俺たちは、どこに向かって歩いてんだ？」

しばらく歩くと、再び滝沢が口を開いた。一昨日までの日々は、貴子に口を挟ませず、一人で勝手に行き先を決めていたはずなのに、今度はこちらを試すつもりなのだろうかと、貴子は素早く考えを巡らせた。

「——取りあえず、大手のペットショップあたりから、はどうでしょうか」

「へえ、結構ですよ。それで？」

「確か、オオカミってワシントン条約か何かで、輸入は禁止されているはずですよね」

「ほう、そうですか」

「とにかく、その辺りから聞き込みを始めるのが一番だと思うんですが」

「なるほどねえ」

滝沢は、貴子が何を言っても真剣に取り合うつもりがないらしい。一体、何だっていうの。昨日の休みに何かがあったの。でも、それならこっちだって同じこと。プライベートで何があったか知らないが、仕事に持ち込まれては迷惑だ。

「オオカミねえ。どっかの動物園から逃げ出したかねえ」

「そんな報道がされてますか?」

「知らねえよ」

「でも、動物園で飼育されているオオカミは、訓練は受けていないんじゃないでしょうか。あんな襲い方をするなんて——」

滝沢がふいに立ち止まった。貴子は、数歩先まで行って立ち止まり、煙草をくわえている滝沢を振り返った。

「あんた、本当にオオカミだなんて思ってるのか」

「ですから、それを調べるんじゃないですか」

「だったら、あんた一人でやれよ。俺は、降りる。アホらしくって、やってられねえ」

滝沢は心底うんざりした顔で煙草に火をつけた。貴子は、大股《おおまた》で滝沢の前まで戻ると、大きく息を吸い込んで、「どうしてですか」と相手を見据えた。

「俺は、人間を追いかけたいんだよ。犬っころなんか、保健所に任しておきゃあ、いいじゃねえか。そんな、ガキの使いみてえなことが出来るかよ」

「でも、事件の鍵《かぎ》を握っているのは、そのオオカミなんですよ。現に、人を襲って殺してる相手です」

「そっちのヤマは、俺たちの追っかけてるヤマとは何の関係もねえかも知れねえ。そんなことよりも、俺は、もう一度現場の近くの聞き込みをしてえんだ。絶対に、何か聞き漏らしてる、見落としてることが、あるはずなんだ。それを、俺の手で探し出す」

「だったら、そう希望を出せばよかったじゃないですか。キャップに仰《おっしゃ》ればよかったんです」

滝沢は、貴子に煙草の煙を吹きかけながら、心の底から憎々しげに貴子を見た。だが、生憎《あいにく》冬の風が煙を流す。煙は、貴子の顔までは届かなかった。

「あんたと組まされてるからな。粘りの捜査は出来ねえと思われたんだ」

貴子は、ショルダーバッグのベルトをぐっと握りしめながら「そうでしょうか」と、押し殺した声で呟《つぶや》いた。昨日に続いて、今日も肌寒い曇りの一日になりそうだ。歩いているとあまり感じないが、こうして吹きさらしに立っていると足元から冷気が押し寄せてくるのを感じる。もう、うんざり。私だって、あんたなんかと組みたいものか。

「違う捜査員が、違う視点から見つめなおした方がいいと判断されたんじゃないですか」

滝沢は、一瞬驚いた顔になったが、貴子は相手が口を開くのを待たずに、すぐに後の言葉を続けた。

「滝沢さんが、私と組んでいることを、この上なく不愉快に思っていらっしゃることは分かっています。理由も分かっているつもりです。ですが、私にはどうすることもできない問題ですし、私自身は、自分が女だからという理由で、楽な捜査を任されていると いうつもりはありません」

「そりゃあ、そうだろうよ」

「滝沢さんが、現場付近の聞き込みをなさりたいと仰るなら、それはそれで結構だと思います。元々、地理にも明るいんでしょうし、最初に火災が発生したときから、ずっと今回のヤマに関わっていらしたんでしょうから、誰よりも早くホシを挙げたいと思っていらっしゃることくらい、私にも分かります。ですが、私はオオカミを追います。それが与えられた任務ですから。もしも、これ以上、私と組むのは我慢が出来ない、オオカミなんかを追いたくはないと思われるんでしたら、ご自分でキャップにでも、管理官にでも仰って下さい。私は、今日はオオカミを追います」

「お前なあ、よくもそう次から次へと――」

「生意気なことを言って、申し訳ありませんでした！」

言いたいことだけを言うと、貴子はくるりと踵《きびす》を返し、わざと靴の踵《かかと》を鳴らしながら歩き始めた。本当に言いたいことは、言っていない。だが、幾分気持ちがすっきりした。別に、滝沢の言葉に逆らってなどいない。筋の通らないことを言っているのは、滝沢の方なのだ。

――私はオオカミを追う。原照夫の身辺も過酸化ベンゾイルも、手繰るべき糸の端が見えてきていないのなら、オオカミから、糸口を探し出してみせる。

また、腹の底が沸々と泡立ってきた。怒りとも、悲しみともつかない。妹の甘えた顔も、滝沢の仏頂面《ぶっちょうづら》も、何も見たくない。さっき、主任は、貴子を人間嫌いと言った。自分のどこが人間嫌いなのかと思う。だが、内心でどきりとしたことは確かだ。確か、昨日も貴子は自分自身で同じ様なことを思った気がする。第一、こうして考えてみれば、好きになれる要素など、何もないではないか。誰も彼もが自分勝手で、自分のことしか考えなくて――今日は、吐く息が白く見えた。都心からみれば、大分西寄りの立川まで来ると、空気がだいぶ違う。気温も、確実に一度か二度は低いだろう。冷気が寝不足の目にもしみるようだ。

「こんな時間から開いてるペットショップがあるかよ」

背後からばたばたとした足音が近付いてきたかと思うと、滝沢の声が被《かぶ》さってきた。

振り向く間もなく、貴子の視界にむさ苦しい滝沢の姿が入ってきた。腕時計に目を落とせば、確かにまだ午前一〇時にもなっていない。

「――デパートなら、一〇時には開店するはずです」

貴子は、努めて無表情に、肩を並べて歩き始めた相方を振り返った。滝沢は、フィルター近くまで吸ってしまった煙草を、まだ未練たらしくくわえながら、相変わらず口の端を歪《ゆが》めている。

「――俺たちゃあ、コンビだからな」

9

目の前に、ピンクのスニーカーが交互に出される。みぎ、ひだり、みぎ、ひだり。外から見ただけでは、濡《ぬ》れていることなんか分からない。だが、スニーカーの中の足は、ソックスもずぶ濡れで、なま温《ぬる》く感じられた。

何だか、幼稚園の時にお漏らしをしたときみたいだ。上原真世《まよ》は、わずかに口を尖《とが》らせたまま、俯いて歩き続けていた。みぎ、ひだり、みぎ、ひだり。道路が足の下で流れていく。本当は、足の方が動いているのだが、靴だけを見ていると、道路が動いているような気がしてくる。歩きたくないときの、おまじない。ママが教えてくれた魔法だった。

——ママは、いろんな魔法を知ってた。

けれど、ママはもう帰ってこない。「いつでも遊びにいらっしゃい」とは言っていたけれど、真世は一度も行ったことがなかった。パパが悲しそうな顔をするし、何となく、会ってはいけないような気がしたからだ。でも、こんな時は、やはりママに会いたかった。何か、元気になる魔法を教えて欲しかった。髪を撫《な》でて欲しかったし、可愛《かわい》い三つ編みにもしてもらいたかった。真世の話を聞いて、一緒に解決の方法を考えてもらいたかった。パパは、「何かあったら先生に相談しなさい」と言う。でも、横田先生は、真世のことが嫌いなんだ。前から、そうじゃないかと思っていたが、今日、はっきりと分かった。

今日、クラスの女の子たちが、真世のスニーカーを隠した。給食を食べていると、彼女たちはわざと「鉄棒をしようよ」と真世を誘いに来た。普段、誘ってくれたこともないのに、いつも、真世から少し離れたところで、「マヨネーズなんか大嫌い」「マヨネーズって、白いウンチみたい」などと、大きな声で言っていた子たちなのに、真世はつい嬉《うれ》しくなってしまった。ところが、喜んで給食を平らげ、みんなについて下駄箱にいくと、真世のスニーカーがなくなっていた。真世は、どうしたら良いのか分からなくなって、つい涙が出てしまった。すると、彼女たちは大声で笑ったのだ。ばっかみたい。真世ちゃんのスニーカーなんか、汚いから、ゴミだと思われたんじゃないの。最初から、裸足《はだし》で来たんじゃないの。真世は、泣きながらスニーカーを探した。お昼休みが終わっても、一人で探し続けた。そして、校舎のいちばん隅のトイレの、便器の中に片方だけ突っ込んであるのが見つかった。それを手に持ちながら、なおも探すと、今度は二階の男子トイレの方から、もう片方が見つかった。真世は、トイレの水の滴《したた》るスニーカーを両手に片方ずつ持ちながら、教室に帰った。

「何をしていたのっ。チャイムが鳴ったのが、聞こえなかったのっ」

教室に入るなり、横田先生の怒鳴り声が響いた。真世は、唇を震わせながら、何とかしてスニーカーのことを話そうとした。恥ずかしさ。怒り。悲しみ。けれど、二年生の真世には、まだ、そんなことを十分に整理して説明することが出来ない。第一、横田先生は、まるで真世の話を聞こうともしてくれなかった。とにかく、やっとの思いでスニーカーがどこにあったかを話すと、先生も含めて、教室内は嘲笑《ちようしよう》で溢《あふ》れた。

「上原さん、男子便所に入ったの？」

「やだー、おしっこの臭《にお》いがする」

「便器に手を突っ込んだんだ」

誰彼となく、そんなことを言いながら真世をはやしたてた。真世は、先生がみんなを叱《しか》ってくれるとばかり思って、すがりつくような思いで先生を見上げていた。けれど、横田先生の口元にはわずかな笑みが浮かんだのだ。先生は、真世を嫌っている。先生も、真世を汚いと思っているんだ。横田先生は、真世の味方ではない。クラスのみんな、真世をいじめる子たちの味方なんだと、その時はっきりと感じた。だから、真世はそのまま帰ってきてしまった。もう二度と、学校なんか行きたくない。

みぎ、ひだり、みぎ、ひだり。ママの魔法は、まだ効き目があるようだった。トイレに突っ込まれて、ぐしょ濡れになったスニーカーでも、ちゃんと道路の上を滑ってくれる。このまま、どこか遠くまで行かれればいいのに。スニーカーに羽が生えて、ふわふわと、真世をどこかに運んでくれればいいのにと思う。

横田先生は、パパに連絡をするだろうか。パパは、真世を叱るだろうか。また、いつもの口癖で、「やっぱり、宇都宮のおばあちゃんのところに行こうか」と言い出すことだろう。真世は、宇都宮のおばあちゃんが嫌いだった。いつも、ママの悪口ばかり言うからだ。でも、パパの悪口も言う。パパの、本当のお母さんのはずなのに、どうして悪口を言うのか、真世には分からない。とにかくおばあちゃんの話を聞いていると、ママもパパも悪い人で、その二人の子どもの真世なんか、とんでもない悪い子のような気になってくる。生まれてこなきゃ良かったんだと思う。だから、宇都宮には行きたくなかった。

みぎ、ひだり、みぎ、ひだり。家に帰ったら、お絵かきをしよう。真世が行ってみたい世界を絵に描いて、想像するのだ。お庭には、仔馬《こうま》とアヒルと、ペンギンもいる。大きな、ムクムクの毛の生えた犬と一緒に遊びたい。家は、大きな窓があって、綺麗《きれい》なピンク色のカーテンが掛かっている。仔馬やアヒルは、お家に入れられないけれど、犬だけは、お家に入れてあげられる。真世のいちばんの仲良しだから、パパもママも許してくれるのだ。みんなが笑っている。そうだ、赤ちゃんも描こう。可愛い赤ちゃんは、真世の大切な弟だ。お花がたくさん咲いていて、暖かくて、テーブルの上には、お菓子がどっさりのっていて、近くを流れる小川には、お魚が泳いでいる。そんな世界に、真世は、大勢の友達を招待したかった。

――今日は、ワンちゃんの名前も考えるんだ。

大きくて暖かくて、優しい真世の犬。真世の顔をぺろぺろと嘗《な》めてくれる、頭のいい犬。真世をいじめる人がいたら、真世の代わりに、こらしめてくれる犬。真世はちっとも怖くないけれど、真世をいじめる子どもたちは、その犬を怖がる。大きくて、強くて、真世だけの味方だからだ。そんな犬を飼いたかった。

坂道にさしかかった。学校から本を借りてきた日には、真世は、本を読みながら、この道を歩く。そうすると、スニーカーを見下ろしているときと同じような魔法がかかるからだ。けれど、今日は本を持っていない。だから、真世はうんざりするほど長い坂道の手前で、ついため息をついてしまった。学校に行かなければ、この坂道を毎日歩かなくても済むんだと思う。やっぱり、学校なんか行かない。楽しいことなんか、何一つとしてないんだもの。

何かの決まりを作って――道路の端の石だけ踏んで歩くとか、次の電信柱まで、二〇歩で行くとか――歩かなければ、とてもやりきれない。だから、今日は、真世は、道をジグザグに歩くことにした。坂道の左右に並んでいる電柱を目指して、斜めに、斜めに歩こう。歩くことだけ考えていれば、その間は悲しくない。涙も出ないし、ママのことも、誰のことも思い出さないことを真世は知っている。

――よーい、スタート。

この辺りは、車も滅多に通らなかった。時間帯によっては、普通の自家用車がずいぶん通るのだが、日中は、歩いている人の姿も見ないくらいだ。本当は、この坂の途中に真世と同じクラスの子どもが住んでいるのだが、男の子だし、真世は滅多に口をきくこともない。一緒に登下校することもなかったし、その子のお母さんの顔は知っていたけれど、声をかけられたこともなかった。

目指す電柱を決めると、真世は歩き始めた。みぎ、ひだり、みぎ、ひだり。ひょいと顔を上げると、さっきまで遠くに見えた電柱が、すぐ傍まで来ている。真世はびっくりして、ついでに嬉しくなってしまった。だるまさんがころんだをしているみたいだった。

一つの電柱の前まで行くと、また方向を変えて、真世は同じように歩き続けた。そうやって、いくつかの電柱を通り過ぎたとき、ずっと前の方を行く人の姿が見えた。オレンジとピンクの中間のような色のコートを着て、紺色のショッピング・カートを引いている。コートの下からは、黒っぽいスカートが見えていて、黒いタイツの足が、ゆっくり、ゆっくりと動いていた。茶色っぽい髪は、背中まで伸びていて、緩やかに波打っている。真世よりも、もっと歩くのが辛《つら》そうな、その後ろ姿を見て、真世は、あのおばちゃんは魔法を知らないのだろうと思った。

真世は、電信柱を目指して歩くのをやめた。今度は、そのおばちゃんの後ろ姿を見つめながら、おばちゃんの歩調にあわせて歩き始めた。知らない人だと思うし、嫌いなタイプかも知れない。でも、ずっと離れた場所にいるのだから、顔なんか関係なかった。そうして歩くだけで、少しだけ心が温かくなる、安心するような気がしたのだ。ママと歩いていた頃のことを思い出すことが出来る。だから、真世はおばちゃんを見つめて歩いた。おばちゃんの歩き方は、ひどくゆっくりで、真世は、駆け出して追いつきたい気持ちと戦いながら、一生懸命におばちゃんの歩調を真似《まね》た。

右手に雑木林が見えてきて、坂道は一度平坦《へいたん》になる。坂道のてっぺんに着くと、おばちゃんの姿が真世の視界から消えた。真世は、急に心細くなって、歩調を速めた。少しでも、坂道の向こうが見えるところまで行かなければ、おばちゃんの姿を見失わないようにしなければと思った。

やっと、坂道の向こうの景色が見え始めた。おばちゃんのものに違いない、茶色い頭が見えてきた途端、真世は、思ったよりもずっとおばちゃんとの距離が縮まっていたことに慌《あわ》てて、立ち止まってしまった。何故《なぜ》か、それ以上、おばちゃんに近付いてはならないような気がした。坂の上は、冷たい風が吹き抜けていて、ピンクの中綿入りのジャケットを着ていた真世の、額にうっすらとかいていた汗を瞬く間に乾かしてしまう。いつの間にか、スニーカーの中で濡れているソックスや足のことは忘れていた。

坂の上にたどり着き、再び少しずつ距離が広がっていくおばちゃんの後ろ姿を見つめる。ある程度——そう、おばちゃんが、真世のことになど、絶対に気付かないくらいに——離れなければ、安心しておばちゃんの後を付いていかれない気がしたのだ。

おばちゃんの歩調は、少し速くなっているようだった。思ったよりも、早く距離が広がっている。うかうかしていると、見失ってしまうかも知れないと思い、真世が足を踏み出そうとしたときだった。乾いた風の中に、灰色の固まりが飛び出してきた。

それは、一瞬、立ち止まってこちらを見た。真世は息を呑《の》んで、その灰色の生き物を見つめた。犬？　大きくて、ぴんと立った耳、長い鼻。眉間《みけん》から、額を縁取るように黒い毛が生えている。そこから鼻までは、灰色の線を引いたようで、真っ黒い大きな鼻の頭をしている。小さいけれど、光って見える目は、真《ま》っ直《す》ぐに真世を見据えている。首の回りには、襟巻をしたように少しだけ長い毛が生えていて、最初は灰色だと思った全身は、良く見てみると、もっと青っぽい感じもする。長い鼻面の辺りは白いが、そのまわりの毛の色は、灰色と青の中間、鈍く光る、金属のような感じさえ与えた。パパに買ってもらった写真集には、こんな犬は出ていない。首輪は？　見えない。でも、なんて綺麗なの。それに、すごく大きい。足だって、ずいぶん長いと思った。それは、真世をじっと見つめ、やがて、ゆっくりと瞬《まばた》きをした。その瞬間、犬の世界の王様みたいに、立派に見えていたそれは、楽しい夢を見ているような、無邪気で可愛い顔になった。

走り寄って触ってみたいと思った。だが、真世が足を踏み出す間もなく、その生き物は、くるりと顔を背けると、真世とは反対の方向に歩き始めた。後ろから見ると、肩の線よりも顔の方が下がっている。その肩から背中にかけては、一際《ひときわ》濃い、黒に近い毛が生えていた。ふさふさの長い尾は、くるりと巻いたり、ぴんと立ったりもせず、真っ直ぐに伸びていた。真世のことなど見なかったかのように、それは、すっすっと歩いていく。何だか、宙を飛ぶような歩き方だ。普通の犬のように、弾んだような感じがしない。もっとスムーズで、もっと速い。真世は、半分夢でも見ている気分で、その生き物を見守っていた。

やがて、その生き物は、真世がずっと見つめていたおばちゃんの後ろに近付いた。とはいっても、真後ろにいるのではなく、道の隅にいる。ひょっとして、おばちゃんが飼い主なのだろうかと、真世は思った。おばちゃんは、真世にも気付かなかったように、その生き物にも気付かないようだった。そして、相変わらずのペースで歩いていく。おばちゃん、犬みたいな生き物、真世。無言の行列が三人に増えた。でも、真世は動けないままだったし、真世とおばちゃんとの間で、その生き物だけが、徐々におばちゃんとの距離を縮めている。何となく、二人に置いてけぼりにされそうだ。それにしても、なんて立派な綺麗な生き物なんだろうと思った矢先だった。それが、音もなくジャンプをした。まだまだ、おばちゃんとは相当に離れていると思っていたのに、ぴょん、と跳ねたかと思うと、それは、おばちゃんの背中に飛びかかった。後ろ足で立った瞬間、おばちゃんの後ろ姿が見えなくなるくらいに、それは大きかった。そして、かたん、という音が響いた。おばちゃんの引いていたショッピング・カートが倒れたのだ。真世は、呆《あっ》気《け》にとられて、その一部始終をただ見つめていた。おばちゃんは、ただ、されるままになっているだけだった。あんなに大きな生き物に飛びかかられても、声の一つもたてなかった。やがて、真世の見ている前で、それはおばちゃんの顔の傍に屈《かが》み込み、何かをした。おばちゃんの身体《からだ》が、大きく弾むような動き方をして、真世の耳には小さく、こりこり、というような音が聞こえた。次いで、それは鼻と手を使って、おばちゃんの身体をごろりと横に転がした。おばちゃんの手が、人形みたいに宙に躍った。

何だか、じゃれているのとは違うようだった。真世は、膝《ひざ》の後ろが、急にがくがくと震え始めるのを感じた。怖い。何か、怖いことが起きた。とても、長い時間だったかも知れないが、あっという間のことだったかも知れない。気が付くと、それはおばちゃんの身体に片手を乗せたまま、再び真世の方を見ていた。何か、赤っぽいものをくわえていて、ライオンのたてがみを短くしたような、ふわふわの首のまわりにも、赤い色が飛び散っている。さっきは、そんな色はしていなかった。それに、おばちゃんはまるで動かなくなってしまったではないか。長い、真っ直ぐな足は、あまり長くない毛に被われている。ずいぶん、大きな足だ。真世のげんこつよりも、ずっと大きいに違いない。

「——何、したの。おまえ——」

思わず小さな声で呟《つぶや》いたとき、その生き物は、くわえていた何かをぽとりと落とし、ひらりとおばちゃんを飛び越えて走り始めた。さっきよりも、もっと軽快に、もっとスムーズに。ふさふさの尻尾《しっぽ》が揺れる。まるで、雪を降らせる雲が地上に降りてきたみたい。そして、それは音もなく雑木林の中に消えていった。真世は、夢でも見ているような気分で、それらの全《すべ》てを見つめていた。おばちゃんは、まるで動かない。さっきまで、真世の前を、ゆっくり、ゆっくりと動いていた足は、今は人形のように投げ出されている。まるで、テレビの音を消して、画面だけを眺めていたような気分だった。見てはいけない、近付いてはならないと、真世の中で何かが告げていた。心臓がどきどきしている。真世を真っ直ぐに見つめ、ゆっくりと瞬きしたときの、あの魅力的な生き物の顔が頭に焼き付いていた。そう、あの顔は、真世をいじめる顔ではなかった。もっと強そうで、優しそうで、可愛かった。あれは、真世に言っていたのだ。内緒にしてね、約束してね、と。そうに違いない。

――何も、見てない。私は、知らない。

自分自身に向かって呟き、真世は、雑木林に向かってそっと頷《うなず》いた。木々の間から、あれが、まだ見ているかも知れないと思ったのだ。約束は、成立した。だから、真世は回れ右をした。まだ、ハイソックスを履いた足はがたがたと震えている。だが、それはスニーカーが濡《ぬ》れているせいに違いない。だって、何も見ていないもの。何も、知らない。パパは、いつも真世が夢を見ているようだと言う。

――だから、他の子に馬鹿《ばか》にされるんだぞ。先生や友達の話を、ちゃんと聞いていないんだろう。

だとしたら、これも夢だったのかも知れない。第一、うなり声も、吠《ほ》え声も聞かなかったじゃない。他の音だって、何も聞かなかった。ただ、おばちゃんのショッピング・カートが倒れたときの、かたん、という音が残っているだけだ。でも、あれだって、空耳だったかも知れない。

やっと上ってきた坂道を少し下りたところに、右に曲がる道がある。細い道だが、それは、他の坂道につながっていて、大分遠回りになるけれど、とにかく家の方につながっている。真世は、今日は遠回りをして帰ろうと思った。とにかく、早く家に帰って、お絵かきをしよう。楽しくて、綺麗な絵を描くんだ。庭には、仔馬とアヒルとペンギンと——大きな犬。むくむくの毛が生えた犬じゃなくて、銀色の、耳の大きな、顔の長い犬。あの犬ならば、むくむくの白い犬よりも、もっと強いに違いない。そして、真世を守ってくれる。誰かに聞かれたら、夢に見たのだと答えよう。でも、誰も聞かないに決まっている。パパは、真世の絵なんか、見たこともないのだから。そう考えながら、真世は、下り坂を夢中になって走っていた。今度は、家の玄関だけを目指していた。

10

まったく、皆、頭がどうかしちまってるんじゃないのか。

——お父さんは、いつもそうなんだから！

ふいに、目に一杯の涙をためて、滝沢を睨《にら》み付けていた長女の顔が思い浮かんだ。昨夜、これまで一度として親に反抗などしたことのなかった、母親に代わって、ずっと弟と妹の面倒を見てきた長女が、それは初めて見せた激情だった。

何が、いつもそうなんだ。俺がどうしたっていうんだ。家族と正義のために、毎日身を粉にして働いてる、靴底ばかりを減らして、はいずり回ってるじゃないか。

エレベーターが最上階についた。ドアが開いた途端に、小鳥のさえずりと仔犬のけたたましい哭《な》き声が、獣特有の匂《にお》いと共に滝沢を包んだ。大股《おおまた》に歩み始めた音道に数歩遅れて売場に足を踏み出した滝沢は、もう何年も前に、子どもたちの手を引いて、こんな場所へ来たときのことを思い出した。犬が飼いたい、猫が飼いたいと、子どもたちは駄々をこね、結局、金魚を買ってやった記憶がある。あのときは、子どもの向こうに女房の笑顔があった。滝沢は、まだ閑散としている売場に、靴音を響かせて歩いていく音道の後を追うことをせず、そこいら辺に並んでいる小鳥のカゴや、透明のビニールで覆《おお》われた大きめのケージの中で、ちょろちょろと動き回っている仔猫などを眺めて歩くことにした。

——勝手にしろっ！

そのひと言を、滝沢は昨日から幾度となく、喉元《のどもと》まで出かかっては必死で呑み込んでいる。本当なら怒鳴り散らしたいところだった。だが、長女に対しても、長女を庇《かば》って滝沢に刃向かってきた息子と次女にも、小生意気で鼻っ柱ばかりの強そうな音道にも、結局は何も言っていない。ことに今、手帳を片手に真剣な表情でペットショップの店員に何かを聞いている音道を相手に大声を上げたところで、百ほどの口答えが返ってきそうなことは、さっきの剣幕で察しがついている。だが、あまり我慢を続けていると、そのうち一発お見舞いしたくなるかも知れない。短気な方ではないけれど、相手があまりにも言うことを聞かないとなると、言葉よりも手の方が先に出る。最後に誰かを叩《たた》いたのは——女房だったかも知れない。

「お待たせしました、行きましょう」

ケージの中で毛糸玉のように転げまわり、差し出した滝沢の手にじゃれつこうとする茶色い仔猫をからかっていると、威圧的な靴音と共に音道が近付いてきた。わずかに頬を紅潮させて、心なしか表情も生き生きとして見えた。

「オオカミを売ってる店は、あるってか」

歩きながら聞くと、音道は「いえ」と小さく首を振り、「でも」とこちらを見た。

「ウルフドッグ、という種類の犬がいるそうです。オオカミ犬ともいうそうですが、オオカミと犬とをかけ合わせたもので」

「オオカミと犬とをか」

「オオカミの血が濃いほど、純粋なオオカミに近いそうです。最高では九九パーセントオオカミというのも、いるそうです」

滝沢は、嫌な気分になって早口に喋《しゃべ》る音道を見ていた。小犬ならともかく、大きな犬は苦手なのだ。聞き込みに回っていても、何が嫌といって、庭先で犬に吠えつかれるほど嫌なものはない。オオカミなんてと思っていたが、そんな物騒な犬がいるのでは、天王洲の現場を見た鑑識も、なかなかのものかも知れない。

「そんな合の子を、誰が作ったんだ」

再び下りのエレベーターを待ちながら、滝沢は口を尖《とが》らせて呟いた。待てよ、こうして音道一人に聞き込みをさせていたのでは、その後で余計なことを喋らなければならなくなる。そのうち、相手は図に乗って馴《な》れ馴れしくもなってくるだろう。

――それも、いいか。油断させて、それから相手の鼻っ柱をへし折ってやるってのも。これまでにも、手こずる被疑者と幾度も渡り合ってきた滝沢だ。

「それで、これからどうするね」

「ウルフドッグは、いつでもショップに出回っているというわけではないそうなんです。大型の犬を専門に扱っているショップに行って聞いてみるか、または愛犬家向けの雑誌か何かを見るのがいいだろうと言われました」

「なるほど、大型のね」

滝沢は機嫌良く頷いて見せた。音道は、ほっとした顔で、ようやくやってきたエレベーターに乗り込んだ。

「滝沢さん、犬にはお詳しいですか」

「生憎《あいにく》と、犬は苦手でね」

穏やかな口調で答えると、女刑事はなるほどと言うように頷き、「私は好きなんですが」と言った。そりゃあ、そうだろう。大して刑事生活を送ってもいない娘っ子には、番犬に吠えられる気分なんか、分かりっこない。大体、今だって彼女は機捜隊にいる。つまり、普段ならばどこを移動するにも捜査用の車両を使ってるってことだ。

「でも、ウルフドッグなんて、知りませんでした。シベリアン・ハスキーなんかとも、違うんでしょうか」

「どうかな。ハスキーって、あのオオカミみたいな顔のヤツだろう。似たようなもんじゃないのかね」

　滝沢の言葉に、音道は小首を傾《かし》げて見せたが、その表情は満足そうなものだった。こっちが丁寧に、お喋りのお相手をつとめていればご機嫌になるらしい。

「大型犬専門のショップを探す前に、やはり、本屋に寄ってみたいんですが」

「ああ、いいねえ。その方が無駄がないだろう」

　その日、午前中一杯をかけて、音道は数軒の書店を歩いて回り、やたらと時間をかけて立ち読みをした後、都内でも有数のペットショップを訪ねて、ようやくウルフドッグの輸入元が銀座に事務所を構えていることを突き止めた。昼までの間、一度として休もうともせずに動き回る女刑事について歩いているうちに、滝沢の方が腰が痛くなってきてしまった。自分の意志で行き先を決め、自分のペースで歩いているのならばともかく、人の後をついて歩くのは妙に疲れる。

「午後からは担当者が会社に戻ってくるそうです。一時に行くからと、伝えておきました。ただ、ウルフドッグについて教わりたいとだけ、言ってあります」

　ようやくランチのとれる喫茶店に腰を落ち着けると、注文を済ませてすぐに電話をかけに立った音道は、まるで疲れた顔も見せずに戻ってきて、そう報告した。滝沢は、腰も足も疲れ果てていて、ただ頷いて見せるのが精一杯だった。これは、本気で減量を考える必要がありそうだ。女子どもに劣るようでは、たまらないと思いながら、ひたすら何か考えている表情の音道を眺める。ただ眺めている分には、決して悪い景色ではないのだ。

「ウルフドッグと申しますのは、名前の通り、オオカミに犬をかけ合わせて出来た種類の犬ですが、日本やアメリカでは、ケンネルクラブの認可を受けておりません」

午後一時に輸入元を訪ねると、音道が電話をかけておいたお陰で、輸入担当の男は既にパンフレットなどの資料を用意して滝沢たちを待っていた。音道は、滝沢が初めて見る愛想の良い笑顔で「お世話になります」と頭を下げた。いよいよ、お手並み拝見だ。

「ケンネルクラブの認可を受けていないということは、どういうことですか」

「つまり、ケンネルクラブが発行する、血統書などが出ないと、そういうことです。ケンネルクラブが行っているコンテストなどにも、出られません。ですが、これは、別に珍しいことではありませんでね、そういう犬は、案外多いものです。フランスのケンネルクラブでは認可を受けておりますが」

お嬢さんは、手帳に何かを書き込みながら「なるほど」と頷く。血統書やら、ケンネルクラブやらは、今回のヤマとは無関係だ。

「それで、ウルフドッグとは、どんな種類のオオカミと、どんな犬とをかけ合わせているんでしょうか。オオカミにも、タイリクオオカミとか、シベリアオオカミとか、色々な種類がいるはずですね」

心持ち緊張した面もちの男は、そこでわずかに頷き、膝の上の手を組み合わせた。年齢は滝沢と似たり寄ったりというところだろうか。犬などを扱っているというよりは、もっと他の――そう、住宅展示場にでもいそうなタイプの男だと思った。面長色白、几《き》帳面《ちょうめん》で人当たりがよく、全体に穏やかな人柄を窺わせる一方で、一皮むけば、短気、頑固さも持ち合わせているといったところだろうか。

「仰《おつしや》るとおり、オオカミにも色々な種類がおります。私どものところはアラスカに犬舎がありまして、そこで生まれたウルフドッグを、お客様のご注文に応じて輸入しているのですが、オオカミの種類はホッキョクオオカミ、ツンドラオオカミ、ティンバーウルフ、ブリティッシュコロンビア、と、まあこの辺りのオオカミが多く使われます。中でも、もっとも多いのがティンバーウルフで、これは寒さにも強く、大型であることが特徴です」

「それと――」

「それと、地犬をかけ合わせるわけです。ヨーロッパですと、ジャーマン・シェパードなどになりますが、私どものところのアラスカ犬舎では、ハスキーをかけ合わせておりますね」

　ケンネル男は、そこまでの説明を、まさしく立て板に水のごとく、一気に済ませ、思い出したように女子社員が置いていった茶をすすめた。音道は、軽く頭を下げただけで、すぐに質問を続ける。喉が渇かない体質なのか、彼女は本当に水分を欲しがらなかった。

「現在、日本国内にどのくらいの数のウルフドッグがいるか、お分かりですか」

　男は、「そうですねえ」と言い、少し考える顔をした。滝沢は、応接間の壁にかけられている大きな写真を眺めていた。紛《まご》うかたなき、オオカミの写真だと思う。吹雪の中だ。背景には黒々とした木立が見えている。全身に雪を受け、膝《ひざ》まで雪に埋もれながら、顔の周囲と首、腹にかけては白く、他の部分は濃淡の灰色の毛に被《おお》われている動物が、雪原にすっくと立ち、天を仰いで遠吠えをしている。ふさふさとした尻尾《しっぽ》を垂らし、耳を伏せ、目を閉じている姿は、まるっきりのオオカミではないか。これが、犬といえるのだろうか。

「私どものところを通していただいた場合の、正規の輸入量ということになりますが、およそ二〇〇頭前後、と考えてよろしいかと思います。その他にも、個人的に輸入されている方もおいででしょうから、確実に正確な数字とはいえませんが。また、私どものところからお買い求めいただいたウルフドッグで、こちらで繁殖に成功しておいでの方も、いらっしゃいます」

「輸入されているのは、お宅だけですか」

　そこで、ケンネル男は自信に満ちた表情になり、ゆったりと頷いた。何年前からこんな商売を始めたのか知らないが、二〇〇頭程度のオオカミの合の子を輸入して、どれくらいのうまみのある商売なのか、滝沢には分からなかった。

「私どもは、これが専門ではないんです。本業は食品関係でして、アラスカから鮭《さけ》などを輸入しております。決して片手間というのではないんですが、副業といいますか、そういうことで」

　滝沢の考えを読んだのか、ケンネル男は穏やかな口調のままで、そんな説明をした。滝沢は、眉《まゆ》を大きく動かし、口を「お」の格好にしただけで、小さく頷いて見せた。音道に向かって話し続けていた男は、そんな滝沢の反応をただ確認しただけだというように一瞥《いちべつ》しただけで、音道に視線を戻した。相手が女だと思うと、こうも馬鹿丁寧に、不必要に親切になるものだろうか。

　白けた気分で茶をすすっている間に、音道は次の質問をぶつけた。オオカミ犬の特徴について。男は、それまで自分の脇《わき》に置いてあったパンフレットを差し出し、自分も一口茶をすすって、「では、オオカミ犬の特徴はといいますと」と話し始めた。

「まずは、その外見からということになりますが、体長は一〇〇から一五〇センチ、尾の長さは三〇から五〇センチ、といったところかと思います。肩の高さが、平均しますと七、八〇センチですから、顔の位置が大体、これくらいになる、というところでしょうか」

男は、自分の頭の上に手を置き、その手を横にずらして、背比べをするような格好をした。そして、あたかもそこにオオカミ犬がいるかのように宙を見つめている。そんなに高い位置に、このパンフレットの顔が来るのかと、滝沢は余計に嫌な気分になった。ケンネル男は、それから滔々《とうとう》と説明を始めた。まさしく、全《すべ》てのデータを頭にたたき込み、数え切れないくらいに同じことを説明し続けてきた住宅展示場の口調。

「体重は、これまた個体差がありますが、二〇キロくらいから、大きいものですと、七、八〇キロにもなるかと思います。平均で四五キロ程度、というところでしょうか」

さらに、オオカミ犬は犬に比べて四肢が長く、筋肉も発達していることから、非常な跳躍力を持ち、ゆうに五メートルも跳ぶことが出来る。また、二〇分間は全力疾走でき、時速四、五〇キロ程度でならば、相当に長時間でも走り続けることが可能である。一日に二〇〇キロメートルも移動したという記録があるほど、彼らはタフでよく動く。横顔は、犬のように鼻面《はなづら》の上で大きくくぼんでおらず、比較的真《ま》っ直《す》ぐで、鼻面が長く、鼻の頭も大きいことから嗅覚《きゅうかく》も発達しており、二・四キロ離れている獲物の匂いをかぎつけるともいわれている。また、顎《あご》は大きく発達しており、その力は、トラやヒョウ、ライオンなどの大型ネコ類よりは弱いとはいえ、シェパードのおよそ二倍の六五〇キログラム前後はあるという。

——そんな力で咬《か》まれたんじゃあ、そりゃあ頭蓋骨《ずがいこつ》でも砕けるだろうな。

滝沢は、思わず背筋が寒くなる思いで、改めてパンフレットを眺めた。全体に灰色の毛に被われ、肉厚の耳をぴんと立てて、犬に比較すると小さく感じられる瞳《ひとみ》のオオカミ犬が、じっとこちらを見つめている。いったい誰が、こんな獣と犬とをかけ合わせようなんて考えついたんだ。そんなペットが、そこいら辺をうろうろしていたら、物騒でたまらないではないか。

「嗅覚、跳躍力などが大きな特徴ではあるんですが、やはり、一番はその記憶力の良さ、賢さであると言えましょう。最近では、警察犬の訓練を受けているオオカミ犬もおりますが、いずれも優秀な成績をおさめていると聞いております」

男は、さらに言葉を続けた。隣の音道は、身を乗り出して男の話を聞いている。オオカミ犬が優秀だということは、もう分かった。こうなったら滝沢は、早く顧客リストが欲しかった。

「警察犬の訓練を受けられるということは、かなり従順な性格なんでしょうか」

音道が口を開いた。すると、男は待ってましたとばかりに大きく頷《うなず》いた。これでまた話が長くなる。

「オオカミは、あくまでも野生の生き物です。オオカミ犬は、確かに犬とかけ合わせてはありますが、オオカミの血が濃いほど、その野生の性格は強く出ますから、犬と同じだというふうには、お考えにならない方がいいと思います。むしろ、まったく違う生き物です。警察犬としての訓練などを受けやすいのは、むしろオオカミの血が比較的薄い、八〇パーセント程度のウルフドッグと言われております」

「それ以上にオオカミの血が濃くなりますと、どうなりますか」

そうですねえ、と言って、男は嬉《うれ》しそうに笑った。とにかく、オオカミ犬の話さえしていれば、機嫌が良いタイプなのかも知れない。滝沢は、いささかうんざりしながら、黙って冷え切った茶をすすっていた。

「オオカミは、大変に賢い動物で、また、性格もバラエティーに富んでいます。童話でも昔話でも、オオカミは悪者にされることが多く、一般に、凶暴で恐ろしいというイメージがありますが、これは間違いです。もともと、野生の生き物は非常に用心深く、また、臆病《おくびょう》なものです。オオカミも同様でして、私たちは『シャイ』といっていますが、人見知りが激しく、大変にデリケートな動物ですね。それに、自分に愛情を注いでくれる人間に対しては、大変にフレンドリーな一面も見せます」

オオカミ犬も、オオカミの血が濃くなるほど、その性格を受け継いでいる。中には人間嫌いで臆病で、飼い主以外にはまったく心を開かないタイプも少なくなく、決して飼い主の思い通りにはならない。もちろん、人なつこく、愛想を振りまくやんちゃものもいないではないが、全体に言えることは、彼らには彼らのポリシーのようなものがあり、人間が自分勝手に愛玩《あいがん》用として飼えるような生やさしい相手ではないということらしい。また、本来が群で生活してきた生き物なのだから、常に誰かが傍にいて十分な愛情を注がれることを必要としているということのようだった。

「十分な、愛情ですか」

「本当の家族として、十分な愛情を注いで、信頼も勝ち得ていれば、もともと優れた能力のある犬ですから、素晴らしい力を発揮するでしょう。ですが、何度も申しますように、犬のように最初から人間の役に立つことが自分の幸せだなどとは思っていないんですね。とにかくプライドの高い、また警戒心の強い生き物ですから、絶対的な信頼関係を結べた相手に対してしか、心を開こうとはしないんです」

「そんな厄介なものを、誰が飼おうと思うのかね」

思わず口を挟んでしまった。ケンネル男は、如才ない笑みを浮かべて「そうですねえ」と頷いた。

「一度、ご覧になられると、すぐにお分かりいただけるかと思うんですが。その存在感と言いますか、崇高とも思える素晴らしさが、ございますねえ」

犬っころに、そんなものを感じたいとは思わない。滝沢は、嬉しそうに笑っているケンネル男を一瞥して、思わず鼻を鳴らした。それを何かの合図のように感じたのか、音道の背筋が伸びた。

「それだけ素晴らしい犬でも、悪用すると大変なことになりますね」

代理店の男の顔から笑みが消えた。

「あの、警察の方が、ウルフドッグのことをお調べになりたいというのは――」

男の顔に初めて不安気な表情が浮かんだ。音道がちらりとこちらを見る。滝沢は、

「ああ、いや」と意味のない前置きをした後で、天王洲の事件について、簡単に説明をした。ケンネル男は途端に憂鬱《ゆううつ》そうな表情になり、深々とため息をついた。

「私も、あのニュースには注意は払っていたんですが」

「と、いいますと？」

間髪を入れずに音道が質問する。男は慌《あわ》てたように滝沢とお嬢さんを見比べ、言い訳をする前に首を振った。

「こんな仕事をしておりますから、犬の関係している事件には、敏感になっているというだけのことなんです。このところ、何か、そういう物騒な事件が多いようですし」

男は眉を曇らせ、心底憂鬱そうに声の調子までも落としてしまった。

「私どものところから、オオカミ犬をお求めいただいているお客様には、くれぐれも、攻撃用に訓練しないようにと、お願いはしているんです。とにかく、その能力は、両刃《もろは》の剣ともいえるものです。下手をすれば、人間の手には負えない怪物になってしまう危

険性は、あると思います。ああ、もちろん、わざわざアラスカから取り寄せてまで、オオカミ犬を飼いたいと仰るお客様方の中には、そんな――」

「お宅でオオカミ犬をお世話された方のリストは、ありますか」

「――」

　やっと言った。滝沢は、座り心地の良すぎるソファーに沈み込んでいた尻《しり》をずらし、尻の下で皺《しわ》くちゃになっているに違いないコートの裾《すそ》を引っ張った。上質の革が、滝沢の尻の下でぎゅうっと悲鳴を上げた。男は、何とも情けない顔で、ため息を一つつき、「コピーをして来ます」と言うと、応接間から出ていった。やれやれ、だ。

「何とも物騒な相手じゃねえか。どういう連中が、そんな獣を飼いたいと思うのかね」

　滝沢が呟《つぶや》くと、熱心にパンフレットを覗《のぞ》き込んでいた音道は、声を出さずに、ただ領いただけだった。まるで、いかにも馬鹿《ばか》げた質問をした小僧を軽くあしらうような態度だ。またもや文句を言いたくなる。だが、戦術を変えることにしたのだから、ここが我慢のしどころだった。

「本当に、あの、新聞に載っていた事件が、オオカミ犬の仕業だと、おっしゃるんですか」

　やがて、顧客リストのコピーを持って戻ってきた男は、なおも信じられないといった表情で音道を見た。

「断定は出来ません。ただ、現場から発見された動物の毛が、他の種類の犬には当てはまらないということと、被害に遭われた方は、相当に力の強い動物に襲われたことは確かで、現場付近に残されていた動物の足跡も、犬よりもオオカミに近かったということなんです。こう、犬の足跡よりも、もっと楕円《だえん》形だったということなんですが」

音道は、手帳のページを繰りながら、今朝の会議で教えられた足跡の寸法を伝えた。ケンネル男は、自分の手で丸を作り、細かく頷いた。

「確かに、オオカミの血が濃くなるほど、ウルフドッグは性格も、見た目もオオカミに近くなります。足型一つをとっても、犬よりもオオカミの特徴を備えていて不思議はありません。それだけの大きさの足跡とすると、相当に大型の犬でしょうし――本当に楕円形だったとすると――大型のウルフドッグと考えて、いいかも知れませんね。オオカミがいるはずが、ないんですから」

ケンネル男は、心の底から悲しそうに見えた。

「実際に、九八パーセントくらいのウルフドッグというと、純粋なオオカミと、どこが違うんでしょうか」

「それだけオオカミの血が濃くなりますと、そうですねえ、足の裏に、肉趾《にくし》がありますね、あれが、オオカミは黒いんですが、そのひとつが違う色をしているくらいでしょうか」

「そんな程度しか、違わないんですか」

　ケンネル男は「犬がお好きなんですね」などと言いながら、親しみのこもった表情で音道を見ている。音道も「ええ」と、嬉しそうに頷いた。こいつが犬が好きだというのなら、俺は猫、いや、猿でも好きになってやる。

「さて、お次は、どうしましょうかね。飼い主を端から当たるかね」

　代理店を出ると、滝沢は大きく伸びをしながら音道を見た。顧客リストのコピーとオオカミ犬のパンフレットを詰め込んだ大きな封筒を小脇に抱え、手帳を覗き込んでいた女刑事は、無表情に「そのことですが」と言った。

「それも、一つの手だとは思いますが――」

「待て」

　ポケットの中でポケベルが震え出した。滝沢は、音道の顔を見ながらポケベルを取り出し、捜査本部からの呼び出しであることを確認すると、素早く辺りを見回した。銀座の裏通りに、公衆電話はいくらでも見つかるはずだ。

「今、どこですか」

　程なく見つけた公衆電話から本部へ電話を入れると、受話器からはデスク要員の声が聞こえてきた。

「銀座だ。オオカミそのものじゃなくてな、オオカミ犬っていうのが――」

「もしもし、滝沢くんか。宮川だ」

突然、管理官の声が聞こえてきた。滝沢は緊張して「はい」を連発した。

「川崎市で主婦が殺された。至急現場に行ってくれ」

「川崎市ですか？」

「天王洲と同じ手口だ。今、連絡が入ったばかりで、他の連中も向かったところだ。住所は川崎市多摩区――」

現場の住所を控えて受話器を戻すと、滝沢は小走りに音道に近付いた。何か言おうとして口を開きかけた彼女の腕を摑《つか》むと、「駅だ、駅！」とだけ言って、歩き始めた。ここからなら、新宿に出るのが一番近道だろうか。ちくしょう、どうして電車なんだ。

「滝沢さん？」

音道が、訳が分からないという声を出す。腹が邪魔をするが、とにかく出来る限り急いで地下鉄の階段を駆け下りていると「どこへ行くんですか」という声が追いかけてきた。

「多摩区だ。川崎の」

滝沢は、振り返りもせずに答えた。

「新宿まわりで、小田急線だな」

「小田急線なら、表参道《おもてさんどう》で千代田線に乗り換えた方が早いと思います。相互乗り入れしています」

改札をすり抜け、丸ノ内線の乗り場に向かおうとしていた滝沢は、考える間もなく腕を引っ張られた。一瞬、意外な程にどきりとなった。

「銀座線です。こっち」

音道の声はあくまでも落ち着いていた。行き交う人でごった返している改札付近を、魚のようにすいすいと通り抜けていく音道の後ろ姿を頼りに、滝沢は慌てて方向転換をした。

「多摩区で、何があったんですか」

ホームに降りて電車を待つ間、音道の顔がすっと近付いてきて囁《ささや》いた。こんな話を一般市民に聞かれるのはまずいし、騒音の大きな地下鉄のホームでは当たり前のことだ。だが、滝沢の中にはさっきの動揺がまだ残っている。

「まただ。今度は主婦が咬み殺された」

滝沢の目の前で、音道の表情が硬く強《こわ》ばった。滝沢は反射的に目を逸《そ》らした。何故《なぜ》だか音道の顔と、さっきの応接間で見たオオカミのイメージが重なった。凶暴な野獣に戻ったオオカミが、肉厚の耳をぴんと立て、銀色の毛に囲まれた小さな丸い瞳で、じっとこちらの様子をうかがっている様が思い浮かぶ。馬鹿野郎、俺を睨《にら》むんじゃない。

「――焼き殺されるのも嫌だが、喰い殺されるのも、たまらんな」

どちらにせよ、うかうかしていられない状況になってきた。何かが加速し始めている。

11

現場は、山を切り崩して開けた新興住宅地の路上だった。付近は比較的ゆったりとした区画で、古い家に入り混ざって新しい建て売り住宅が並び、その隙間《すきま》には低層のマンションや銀行の寮なども建っている。坂道だらけの住宅地では、所々で近所の主婦らしい人影が立ち話をしていた。

貴子たちが現場に駆けつけたときには、ガイシャの遺体は既に運び去られた後で、現場には鑑識が置いた証拠を示す標識が点々と置かれ、ガイシャが倒れていた位置を示すチョークの線が引かれていた。だが、そんな印も無用な程に、周囲にはおびただしい血が流れ、一見して肉片と分かるものが落ちていた。すぐ脇《わき》には、買い物用のカートが投げ出されており、フラップの隙間から長葱《ながねぎ》が顔をのぞかせている。ガイシャは買い物帰りだったらしい。

「後ろから襲いかかったようですね。掌《てのひら》と膝《ひざ》、それに顎《あご》に倒されたときに出来たと思われる擦過傷が出来ていましたが、やはり、頭からも出血してましたし、首の骨も折れてました。喉笛《のどぶえ》が喰いちぎられているのも、同様です」

神奈川県警の捜査員に混ざって現場を見ていた同僚が、滝沢を見つけて「デカチョウ」と言いながら駆け寄ると、簡単な説明をした。貴子は、心臓が締め付けられるような緊張を味わいながら、それでもホトケが運ばれた後であることを密《ひそ》かに感謝した。やはり、出来ることなら遺体は見たくない。怖いし、気持ちも悪いのだが、明らかにオオカミ犬の犯行だと、見せつけられるのが嫌だった。

「天王洲と、同じか」

「歯型の大きさも、手口からいっても」

滝沢と同僚が話しているのを、一歩下がって聞きながら、貴子は情けない思いで現場を丁寧に観察し始めた。

「それが、こんな時間なのに目撃者がいないんです。もともと、住宅地ですからね。普段から人通りも少ないし、静かな町らしいんですが、付近を聞いて回っても、現在のところは悲鳴も、犬の哭《な》き声も、聞いたという者はいません」

憎むべきは犯人だ。こんな形で一人の人生を終わらせ、その周囲の、一体何人の人生を狂わせることになるか、分かっているのかと言いたい。なのに、貴子の中では奇妙な淋《さび》しさが押し寄せてきていた。貴子は、ホシを追いたくなかったのだ。まだ見ていないウルフドッグを、追い詰めたくなかった。

「それから、天王洲のガイシャですが、原照夫との接点が見つかったそうです。やはり、六本木時代の遊び仲間だったということです。当時、原が喰わせてもらっていた女が覚えていたそうで、今、他の連中が行ってます」

貴子は、振り返って滝沢と捜査員との会話に加わった。そうとなれば、やはり一連の事件は偶然に、無関係に起きたとは考えにくいということだ。

「このホトケの身元は、分かってるんだよな？」

滝沢が聞いたとき、キャップの綿貫係長がせかせかとした足どりでやってきた。苦り切った表情で、見覚えのない――恐らく神奈川県警のお偉いさんと並んでいる。貴子と滝沢に気がつくと、キャップは軽く手を挙げた。

「どうだい、ここですぐに役に立ちそうなことが、何かあるか」

キャップは、いつもの濁声《だみごえ》で貴子たちを見比べる。滝沢が「はあ」と言っている間に、貴子が「あの」と口を開いた。一度縮こまった心臓が、激しく動き始めた。

「警察犬の臨場を要請できないでしょうか」

「警察犬、か」

自分でも、顔が青ざめているのが分かる。滝沢を始めとする他の捜査員たちが、一斉に貴子を見ているのが感じられた。だが、貴子はキャップだけを見つめていた。

「ウルフドッグという種類の、オオカミと犬の混血種の犬がいるんだそうです。オオカミの血が濃くなるほど、外見も特性も、ほとんどオオカミそのもののようです。もしも、本当にウルフドッグが襲ったのだとすると、匂《にお》いが残っているはずです。調べたところでは、縄張り意識の強い生き物なので、かなり短い区間にマーキングをしてもいるはずです。それに、最高では一日に二〇〇キロ程度も移動出来るとも聞きました」

キャップは小さく頷《うなず》くと、すぐに捜査用車両に向かった。まだ心臓が痛い。貴子は、鑑識係員が熱心に現場資料を採取しているのを眺めながら、幾度となく深呼吸を繰り返した。

「さっきの男が、マーキングのことなんか、言ってたか」

滝沢が近付いてきて、わずかに口を尖《とが》らせるような表情で言った。貴子は、気取られないように生唾《なまつば》を飲み下し、滝沢を見た。

「午前中に立ち読みした本に、書いてありました」

朝、本部からの出がけに言いたいことを言った後には、急に手のひらを返したように神妙な態度になっていた滝沢は、何か言おうとして言葉を呑み込み、「ふうん」と頷いた。どんなに親切そうに見えていても、その目が決して笑っていないこと、貴子に心を許していないことくらいは分かっている。

「道理で、さっきの事務所でも詳しく質問できたはずだ。ちゃんと、予習をなさったってわけか」

「オオカミのことなんか、何も知りませんでしたから」

どうしても呼吸が乱れそうになる。キャップが戻ってきた。神奈川県警の応援で、間もなく警察犬が到着するとのことだ。

「願わくは、そのホシが一人でどこまでも走っていてもらいたいもんだ」

キャップはそれだけを言うと、現場に数人の捜査員を残し、後の連中は周辺の聞き込みに回るように指示をした。

貴子は見たかった。警察犬が、オオカミの匂いを嗅《か》いで、どんな反応を示すか。明らかに、自分よりも大型で強力と思われる、野生の匂いに触れたときに、彼らがどうするか、それを見て確かめたかった。

辺りに夕闇《ゆうやみ》が迫ってきた頃、警察犬が到着した。利発そうな数頭のシェパードが、鑑識課員にリードを持たれて、白い息を吐きながら現場を嗅ぎ回る。貴子は、この人間の役に立つために十分に訓練を施された賢い犬たちを、熱心に見つめていた。さあ、どう？　あんたたちよりも、ずっと強い生き物の匂いがする？　怖い獣の匂いがする？　それは、どっちから来て、どっちに消えたの。その頃には、これもまた鋭い嗅覚《きゅうかく》を備えているマスコミが、現場を取り囲んでいた。そこかしこから、マイクに向かって喋《しゃべ》る声が聞こえてくる。警察の機材など必要ないくらいに明るく照らされた中を、警察犬は二つの方向に分かれて歩き始めた。

「どちらかから来て、どちらかへ逃げたっていうことでしょうか」

厳しい訓練の結果、滅多なことでは吠《ほ》えないようにしつけられている警察犬たちは、時折リードを握りしめている鑑識課員を見上げる他は、とにかく忙《せわ》しげに付近を嗅ぎ回り、ひたすら歩いていった。貴子は、予想していたことではありながら、半ば落胆して、その様子を眺めていた。どんなに賢くとも、彼らは言葉を持たない。ただ者じゃないぞ、この匂いは、自分たちよりもさらに強い野生の相手だなどと、喋れるはずもなかった。それに、勝手に吠えたり興奮もしない。普通の飼い犬ではないのだ。

「警察犬による追跡の結果、ホシの匂いは、現場付近に相当残っていたようです。ガイシャの倒れていた位置から二方向に分かれていた匂いをたどらせると、一方は、三〇〇メートル程離れている、ガイシャの自宅マンション前で途切れておりまして、もう一方は、現場から人気のない雑木林の方に向かっておりました」

その夜の捜査会議は、午後一〇時から始まった。貴子は疲れ果て、睡眠不足も手伝って、体温の調節すら上手に出来ていないような気分になっていた。まったく、なんて長い一日。会議は、先《ま》ず堀川一樹と原照夫との、過去の接点の報告から始まった。川崎の現場で耳にしたとおり、二人はかつて六本木で遊び仲間だったという。一〇年以上も前のことだけに、証言をする者の発見は困難らしいが、それでも少しずつ、捜査は進んでいる様子だった。

次いで、原照夫担当の捜査員からは、相変わらずめぼしい収穫がないという報告があった。

原は、日によっては自宅マンションに帰らず、デートクラブに寝泊まりしていたことも多かった様子で、それだけに火災のあったビルの近所で姿を見られていることも、決して少なくはなかったらしいのだが、これまでに分かっている女性関係以外には、特定の人物と関わっているところなどは見られていない。これからも、年賀状などの郵便物や住所録などからの聞き込みを続けるより他に方法はなさそうだった。

薬品、時限装置班からも同様の報告が続いた。都内および近県の試薬屋で、大学や研究所以外に過酸化ベンゾイルを購入しようとした者は発見されておらず、また、大学などに出入りしている人間を装って薬品を購入していた者も発見されていない。現在は、過酸化ベンゾイルを使用している各企業および、精製工場などの聞き込みを続けている。

時限装置は、構造そのものは単純なもので、市販の万歩計を改造してつくられていることが分かっている。万歩計は、全国のデパートやディスカウントショップなどにも出回っている商品で、切り替えによりデジタル時計としても使用できるようになっており、そのスイッチが時限装置を作動させる役割を負っていた。電源はボタン電池を使用しており、それが回路部を通して着火用のニクロム線につながっている。発火温度の高い薬品ならば、ボタン電池程度では着火は不可能だが、過酸化ベンゾイルの分解温度の低さが分かっていれば、十分といえた。これらの装置をベルトのバックルに見せかけるようにつくってある金属製のケースについては、現在のところ、商品として出回っていることは確認されておらず、もしかすると、そのケースから、何かの糸口が摑めるのではないかというのが、捜査員の感想だった。

次いで、滝沢がウルフドッグについての報告を行った。今朝の段階では、オオカミなどという言葉にすら、真剣に反応しようとしていなかった皇帝ペンギンが、貴子の作成した報告書を片手に熱心に語る様子は、なかなかの見物ではあった。さすがに、もう貴子を相手に嫌味を言ったり悪態をつく余裕も失《う》せたらしい。彼は、貴子とコンビを組んで以来初めて、貴子の書いた報告書を見て「ごくろうさん」と言った。余裕がなくなっているのは、貴子も同様ではあったが。

時刻は既に午前零時を回ろうとしている。ようやく、新しいガイシャについての報告が始まったところだった。昨日一日だけ培《つちか》った休養なんて、誰の顔からも消し飛んでいた。

「付近には雑木林、山林などが残っておりまして、人が足を踏み入れないような場所も多くありますが、そのような茂みの中、また、高さ一・五メーター程のフェンスを越えても、まだ匂いが続いていた場所があります。また、茂みの中に一カ所、付近の雑草が押しつぶされたように倒れている箇所がありまして、そこからも動物の毛が発見されております。その毛と、ガイシャの遺体に付着していた動物の毛については、現在鑑識で鑑定を急いでおります」

「恐らく、同じ相手だろうな。一・五メーターのフェンスを飛び越えるような」

脇田課長が険しい表情で呟《つぶや》いた。オオカミ犬の跳躍力についても、すでに滝沢が説明してある。

「だとすれば、逆に捜査は楽なんじゃないですか。全国で二〇〇頭程度しかいなくて、しかも、飼育者のリストがあるのならば、虱潰《しらみつぶ》しに当たればいい話じゃないですか」

誰かが言った。しごく当然のことだ。貴子は、だが、もっと別の近道があるのではないかと考えていた。捜査員の全《すべ》てを、オオカミ犬にあてることは出来ない。今日のガイシャである吉井知永子《よしいちえこ》——二八歳、主婦。新婚一年目で旧姓は稲田《いなだ》——のことも、堀川一樹についても、より一層の捜査は必要だし、原照夫との接点を早急に調べあげ、明確にさせる必要がある。そうでなければ、新しい犠牲者が増える可能性があるからだ。もちろん、過酸化ベンゾイルと時限発火装置、原の身辺の目撃者探しも、怠るわけにはいかない。

——人を襲う訓練を受けている。それも、特定の人間だけを襲うように。

思考力が極端に落ちていた。本当は、もう結論が出ている気がする。だが、貴子は疲労のせいにして、その考えを振り払いたかった。いずれにせよ、捕まえなければならないのだ。憎むべきは、オオカミ犬ではない。その飼い主に他ならない。本ボシに行き当たるためには、どうしても、オオカミ犬を見つけ出さなければならない。

——走っているところを見たい。思い切り、大平原を。

ぼんやりとしていると、ついそんなことを考えそうになる。貴子は慌《あわ》てて意識を集中させ、まだ続いている今日のガイシャについての報告に注意を向けようとした。新婚の夫は、どうやら妻の過去については、詳しいことを知らない様子だという。明日一番で、捜査員は吉井知永子の実家も訪ね、早急に彼女の過去を洗い出す必要があった。

——これ以上、罪を重ねさせないために。

オオカミ犬には、ことの善悪など分かろうはずがない。憎むべきは、その飼い主。オオカミ犬に、そんな残忍な訓練を施した相手だ。時限発火ベルトも、相当に周到な計画のもとで行われた犯罪に違いないが、オオカミ犬の方だって、もっと長い年月がかかっていることは、間違いがない。どうやって、襲う相手を覚えさせたのか、その為《ため》に、わざわざアラスカからオオカミ犬を取り寄せたのだろうか。

——同一人物？　まさか、そこまでの余裕はないはずだわ。

「他に、何か気がついたことがあったら言ってくれ」

ぼんやりしていると、脇田課長の声が響いた。反射的に、貴子は手を挙げていた。もう、くたくた。早く帰って眠りたい。ちゃんとベッドで、手足を伸ばして眠りたい。何も考えずに。それなのに、男の捜査員たちの視線を浴びて、貴子はパイプ椅子《いす》から腰を上げていた。

「オオカミ犬は、非常に賢い動物だそうです。飼い主の中には、警察犬の訓練を受けさせて、大会に出している人もいるという話でした。二〇〇頭のオオカミ犬を、一匹ずつ当たることも必要だとは思いますが、今回の犯行は、相当に訓練を受けている犬でなければ、出来ないことだという気がします。警察犬の訓練所なども、当たってみる必要はないでしょうか」

言ってしまった。課長が満足そうに頷くのを確認して、貴子は再び着席した。結局、明朝の捜査会議で、改めて捜査の方向を展開することに決まり、解散したのは午前一時に近かった。貴子は、冷や汗とも脂汗《あぶらあせ》ともつかないものが勝手に滲《にじ》んでくるのを感じながら、必死で平静を装い、捜査本部を後にした。

ふらふらになりながら、やっとの思いでマンションに帰り着くと、「お帰りぃ」という声が貴子を迎えた。すっかり忘れていた、とうに実家に帰ったと思っていた智子が、笑顔で立っている。貴子は、全身の力が抜けるような気持ちで妹の顔を見、何を言う気力もなくて、とにかく部屋に上がった。

「疲れたでしょう。お腹、すいてない？　お風呂《ふろ》も、お湯を入れてあるよ。さ、早く着替えて」

小脇《こわき》に抱えたままの捜査資料とショルダーバッグを貴子からむしり取り、智子はいやにいそいそとした様子で、我が物顔で貴子の部屋を歩き回っている。貴子は、されるままに奥の和室に入り、きちんと整えられたベッドの上に倒れ込んだ。脈拍が異常なほどに速くなっているのが分かる。頭の芯《しん》がずきずきと痛み、爪先《つまさき》から頭の天辺《てっぺん》まで、鉛でも詰まっているように重かった。

「大丈夫？　お姉ちゃん」

「――」

「ねえ、お風呂だけでも入ったら？　疲れがとれるから」

頭の中で、まだ見たこともないオオカミ犬が、じっと気配をうかがっている様子が浮かんだ。哀れな殺人犬と化した、孤高の存在。どこにいるの、今、何をしてるの。まだ、この闇の中で誰かを付け狙《ねら》ってるんだろうか。

「お姉ちゃん、ねえ。いつも、こんななの？」

誰かの指示で、特定の相手を狙っているだけなら、まだましだ。だが、野生の血が、そこで止まるものなのだろうか。人を襲い、生肉を喰らうことに、味を占めてしまう可能性はないのか。

「大丈夫？　具合が悪いの？」

「――あんた、どうしてここにいるのよ」

やっとの思いで口を開いた。返事がない。貴子はベッドの上で寝返りを打ち、ゆっくりと目を開けた。わずかに口を尖らせた妹が、困惑した表情で立っていた。

「帰れって、言ったでしょう」

「お姉ちゃん、あのね――」

「今日も、人が殺されたの。あんたの下らない不倫騒動の相手をしてる暇は、私にはないのよ」

妹の顔が大きく歪《ゆが》んだ。貴子は、全身の力を振り絞って身体《からだ》を起こそうとした。やはり、熱が出てきている。何がなんでも、今夜中に下げなければ。

「――今日は、仕方がないにしても、明日は、帰ってもらうから」

呼吸が乱れていた。ベッドに手をつき、立ち上がろうとしたら、視界が歪んだ。咄嗟《とっさ》に智子が腕を摑《つか》んでくれた。

「いやだ、熱があるじゃない！」

言うが早いか、妹は貴子をベッドに押し戻した。それから、貴子が言われるままにパジャマに着替え、ベッドに入って、ほんの少しうとうとする間に、彼女は驚くべき早さでアイスノンを用意し、バファリンを持ってきて貴子に飲ませてくれた。

「アイスノンなんか、うちにあった？」

熱に浮かされそうになりながら、やっとの思いで言うと、智子は「買ってきたのよ」と答えた。

「だって、この家には何もないんだもの。あんな立派な冷蔵庫なんか、必要ないくらいじゃない」

心なしか、母の声と似ている気がした。時折、柔らかい感触が額の汗を拭《ぬぐ》ってくれるのを感じながら、貴子は眠りに落ちていった。

翌朝、目覚めた時には、熱はほとんど下がっていた。妹は、コタツに入ったまま毛布を被《かぶ》ってうたた寝をしている。たっぷり汗をかいたおかげで、ずいぶん楽になった。貴子はそっとベッドを抜け出し、台所へ行った。ひどく空腹だった。鍋《なべ》を覗《のぞ》くと、カレーがたっぷり作ってある。炊飯ジャーのスイッチも入っていて、すぐに食べられる状態だ。ごそごそと食事の支度をしていると、智子が寝ぼけた顔で起きてきた。

「一人で病気になんかなったら、心細いでしょう」

妹は、まだ半分は心配そうな顔をしている。貴子は、パジャマの上からカーディガンを羽織ったままでカレーライスを頬張りながら、目だけで微笑《ほほえ》んで見せた。

「だからって、あんたと一緒には暮らさないわ。いい？　今日こそは、帰ってもらうからね。私と一緒に出かけるの。そして、会社に行きなさい」

「お姉ちゃんてば」

「何度も言ってるでしょう？　私に不倫の手伝いなんか、させないでって。あんた、私がどうして離婚したか、知らないわけじゃないんでしょう？」

「でも、お姉ちゃんのところと、私の場合とは——」
「同じよ。不倫は不倫。浮気は浮気。あんた、今は夢中になってるから分からないのよ。でも、あんたが勝手に盛り上がってるとき、その向こうで、泣かなきゃならない人がいるんだからね、いい？　あんたを恨んでる人がいるのよ。あんたが、その人と幸せになったとしても、それは誰かの恨みの上に立ってるんだからね。それだけ、忘れないでおきなさい」

膨《ふく》れ面《つら》になっている智子を一瞥《いちべつ》しただけで、貴子はさっさとカレーを食べ終え、それから慌ただしくシャワーを浴びた。熱が出たおかげで、資料は読めなかったけれど、余計なことも考えずに済んだ。こんな時に妹がいてくれたのは、やはり心強かった。だが、彼女をあてにしてはならない。姉妹でも、まるで異なる人生を歩んでいるのだ。智子は智子で、自力でこの問題を乗り越えなければならない。

——どこへ向かって走ろうとね。

一晩忘れていたオオカミ犬が、再び頭の中に戻ってきた。勢い良く迸《ほとばし》る熱いシャワーに打たれながら、貴子は果たして今日はどこへ行き、何を見ることになるのだろうかと考えていた。取りあえず、どうやら貴子に対する作戦を変更したらしい皇帝ペンギンと一緒に動くことに変わりはない。発熱したことなど、決して気取られずに過ごさなければならない。それを自分に言い聞かせていれば、熱は絶対に上がらないはずだった。

第三章

1

翌日から、捜査本部はさらに人員を増やし、二〇〇名態勢で捜査活動を展開することになった。三人目の被害者の遺体に残っていた獣の歯型および爪痕《つめあと》、そして付着していた体毛から、襲ったのは堀川一樹を襲撃した犬と一致することが確認された。貴子は、その報告を聞いた途端に、暗澹《あんたん》たる気分にさせられた。

――これ以上、罪を重ねてはまずいわ。どこにいるの、まだ誰かを狙《ねら》ってるの。

まだ一度も会ったこともないというのに、パンフレットや本屋で見かけたオオカミそのものの姿が、脳裏に焼き付いて離れないのだ。本来ならば、広大な土地を自由に走り回って暮らせるはずの動物が、こんなに人間の多い、土の匂《にお》いさえしないような土地に連れてこられて、一体どこで息をひそませているのかと考えると、切ない気持ちにさえなった。それは、自分でも不思議な感覚だった。ただの、犬の血の混ざったオオカミだと思うのに、気になってならないのだ。凶暴性は、訓練によって特定の相手にのみ向けられているはずである。それ以外の人間には、実におとなしい、野生の生物らしい臆《おく》病《びょう》さで接しているに違いないと思う。憎むべきは、オオカミ犬ではない。

「吉井知永子、旧姓稲田知永子は、一〇カ月前に結婚するまでは、千葉県市川市で両親と共に暮らしておりまして、父親は現在も塗装会社を経営しています。比較的裕福な家庭の娘だった様子です」

貴子が頭の中で疾走するオオカミ犬を思い描いている間にも、報告は続いた。

「知永子は二人姉妹の妹で、高校卒業後、化粧品会社の派遣美容部員を経て化粧品店の店員になりました。二年半ほど前に知り合った吉井勉《つとむ》は、知永子が勤めていた化粧品店の息子で、既に小田急沿線に幾つかある支店のうちの二つを任されているほどで、周囲の評判も良いようです。結婚が決まった当初、知永子は職場の仲間に玉の輿《こし》に乗ったと言われていたということです」

表面上は、ごく普通の娘のように思われた。だが、さらに詳しく調べてみると、知永子は高校に入った直後から、一時非行に走り、高校を退学処分になっていることが分かった。卒業したのは、一年遅れた形で入り直した高校である。非行に走った直接の原因については、知永子の両親は「分からない」としか答えなかったが、知永子の姉によれば、当時、父親の浮気が原因で家庭内にごたごたが続いており、それまで知永子姉妹を可《か》愛《わい》がっていた祖母が死亡したことも手伝って、夜遊びをするようになったとのことだった。家の金を持ち出して、無断外泊、家出なども繰り返していたらしいが、家族は当時の知永子がどんな仲間と付き合っていたのかまでは把握していなかった。また、ある日突然「高校に入り直したい」と言い出したときも、娘の更生を喜んだだけで、きっかけなどは聞いていないという。

「当然、原照夫、堀川一樹との関係が疑われるわけだな」

脇田課長が、相変わらず難しい顔で呟《つぶや》いた。被害者の数が増える度に、捜査員たちの表情も険しく、また深刻になっている。あんたの飼い主は、何を望んでいるのかしら。どういう目的? 時限装置を作ったのは、あんたの飼い主じゃないの?

「既に一〇年以上が経過していることでもあり、当時を知る人物を洗い出すのは、かなり困難とも思われますが、とにかく探し出すより他にありませんね」

「現時点では、最近になって、その三人のいずれかが連絡を取り合っていたり、または付き合っていたという話は出てきていません。過去の遊び仲間というだけで、線は切れている模様です」

「だとすると、だ。本当に、その当時の人間関係が、今回の事件につながっているとすれば、今回のホシの動機は復讐《ふくしゅう》、だろうな」

復讐、というひと言に、貴子は思わず息を呑《の》んだ。これだけ毎日のように様々な事件に遭遇していても、動機、犯行の目的が復讐というのは、そうあるものではない。だが、そう考えると、オオカミ犬の姿が一層生々しく、現実味を帯びて思い描かれる。復讐を遂げるために、闇《やみ》を走るオオカミの息づかいさえが、聞こえてきそうな気がしてならない。

「とにかく、三人の関係の裏付けと、他に関わっていた人間の洗い出しを急ぐことだ」

「まだ狙われている人物がいるとすれば、その人間を洗い出し、マークすることで、一挙に逮捕にもっていかれる」

捜査本部には異様に興奮した空気が満ちていた。解散すると、捜査員たちは、誰もが足早に捜査本部から出ていった。

その日、貴子と滝沢は、警察犬協会を訪ねることにした。全国の警察犬訓練所を束ねるような位置にいる協会を訪ねるのが、もっとも近道と思われたからだ。他のオオカミ犬担当の班は、とにかくリストを片手に、オオカミ犬の飼い主を一件ずつ当たり続けている。

「お話を聞いた限りでは、確かに訓練を受けている可能性は、高いでしょうな」

日本橋のビルの一角に居を構えている警察犬協会を訪ねると、応対に出てきた男は、貴子たちの警察手帳を見ても、さして緊張した表情も見せずに、古びた応接セットの向こうで煙草《たばこ》に火をつけた。年齢は六〇代の前半というところか、差し出された名刺の肩書きでは、専務ということになっているが、もしかしたら警察からの天下り組かも知れないと貴子は思った。何となく、そんな匂いがした。

「そこで、こちらにうかがえば、全国の警察犬訓練所の情報が集まっているのではないかと思ったのですが」

いつものように手帳を広げて、貴子は固いソファーに座りながら背筋を伸ばして相手を見た。滝沢は、取りあえずは黙って貴子の好きなように動かせてくれるつもりらしかった。

「刑事さんに、こんなことを質問するのは失礼かも知れないが、警察犬のことについては、どの程度ご存知ですか」

畑山という専務は、しごく落ち着いた表情で貴子を見据えた。貴子は、自分が知っている限りのことを言った。つまり、警察犬は捜査員の要請により出動する、特別な訓練を受けた犬で、鑑識課が管理しているということである。

「まあ、そんなもんでしょうな」

貴子の父に近い年齢の専務は、そこでわずかに眉《まゆ》を動かした。貴子は、心の中にざらつくような感触を覚えた。自分がいかにも鼻先であしらわれているのを感じる。

「現場の方は、そんなもので十分なんでしょう。特に、警視庁の方ならね」

どうも、言葉に刺《とげ》がある気がする。貴子は、つい挑戦的な気持ちになって、「ですから、うかがいに来たんです」と言った。すると、畑山は口の端を小馬鹿《こばか》にしたようにわずかに歪《ゆが》めて、「警察犬といいますのはね」と話し始めた。

警察犬とは、犬の従順さ、賢さ、敏捷性《びんしょう》、特に、人間の三〇〇〇倍ないし四〇〇〇倍といわれる、その嗅覚力《きゅうかく》を生かし、警察目的のために特に訓練し、捜査や警戒に使用される犬のことをいう。各都道府県警察本部で飼育している直轄犬《ちょっかつ》と、民間人が飼育している嘱託犬とがあり、現在、全国に一五〇頭ほどいる直轄犬は、その所属は鑑識課、扱いは、備品、ということになっている。つまり、鉛筆やノートと同じ消耗品ということだ。

たとえば警視庁の場合は嘱託犬は持っておらず、三五頭の直轄犬がいるのみだが、彼らは平均八、九年ほども働いた後は、現役を退くことになる。民間にもらい受けられて、番犬になる場合もあれば、警察の犬舎の片隅で余生を過ごす場合もある。それでも、備品としての用が済んでしまっていれば、新しい犬が補充され、引退した警察犬の分の予算は出ないのだから、老犬のために、訓練を受け持っている職員たちは、餌代《えさ》を捻出《ねんしゅつ》したり、様々なやりくりをすることになる。

一方の嘱託犬は、警察犬として登録してある、およそ五〇万頭の犬の中でも特に有能と認められ、一定の審査基準をクリアしている犬のことで、警察の要請に応じて出動することを委嘱されている。現在、全国に約一三〇〇頭の嘱託犬がいるが、この方法ならば、警察は犬の飼育にかかる費用が不要になり、予算を削減することが出来るというわけだ。また、いかに民間との協力態勢が出来上がっているか、市民に愛される警察を目指しているか、という大きなアピールにもなる。たとえば埼玉県などは直轄犬がいないため、警察犬が必要な際には、全《すべ》て嘱託犬が出動することになる。これらの犬は、まれに個人が訓練している場合もあるが、大抵は全国に二、三〇〇カ所はあると思われる、日本警察犬協会の定めた一等から三等までの公認訓練士を指導手として擁している警察犬訓練所で指導したものが多い。

正式には、その直轄犬と嘱託犬こそが、本来の警察犬ということになるのだが、一般には、警察犬として登録し、訓練を受けている犬の全てを、警察犬と呼んでいる。社団法人・日本警察犬協会は、これらの嘱託犬及び、警察犬のために、警察庁の後援を受けて各支部が主催する地方大会の他に、「日本チャンピオン決定審査会」および「日本訓練チャンピオン決定競技会」といった、警察犬の水準・技能の向上を目指した全国大会を開催している。審査会の方は、いわばビューティーコンテストのようなもので、警察犬として登録を許されている、ドイツ・シェパード、エアデール・テリア、ボクサー、コリー、ドーベルマン、ラブラドール・リトリバー、ゴールデン・リトリバーの七種の犬を、成犬、未成犬、若犬、幼犬などに分けて、その姿形の美しさを競うものである。出品される犬たちは、警察犬として一定以上の基準はクリアしているものの、その知能程度や訓練の成果よりも、全体の容姿、鍛え上げられた筋肉、歯並びなどを誇示する。

どの犬も、血統は正しく、姿は見目麗《うるわ》しく、飼い主たちは、彼らを宝石のように磨き上げている。この審査会で入賞すれば、愛犬家は大きな栄誉を受けると共に、犬たちは繁殖用として多くの富を生み出すことになる。出品している愛犬家たちは、中には一〇〇〇万に近い金を出して、これはと思う犬を海外から買って来る者もいるという。いわば、見栄の張り合い、目立ちたがり屋の世界だ。

一方の、訓練チャンピオン決定競技会はというと、こちらは大会の名前からも分かるとおり、犬の能力を競うものである。競技科目としては、警戒、足跡追及、物品選別があり、警戒競技では服従作業、警戒作業の二つの科目がある。これらの競技に参加する犬は、血筋の良さもさることながら、見た目の美しさよりも、その能力で勝負しているだけに、趣はがらりと異なる。飼い主、訓練士ともに、まさしくなりふり構わず真剣そのものといった感がある。厳しい訓練を乗り越えて、従順そのものの表情で、定められたルートを定められた通りに歩いたり走ったり、障害物を乗り越えたり、犯人と想定された人間に吠《ほ》えつき、咬捕《こうほ》したり、いくつかある布片の中から犯人のものを探し出したり、遺留品の匂いを嗅《か》いで、その足跡をたどったりする犬の姿は、まさしく警察犬そのものといえる。彼ら——犬たち——は、ひとしく賢そうな顔をしていて、自分の能力を十分に発揮し、人間に褒められることを無上の喜びと感じている。この大会で、上位に入賞する犬の七割が、嘱託犬である。

もちろん、どちらの大会にも、直轄犬は出場はしていない。警察で飼われている警察犬は、いわばプロとして、いつでも現場に出動できる態勢でいなければならないから、そんな大会に出ている暇はないのだ。第一、直轄犬には失敗は許されない。実際の捜査現場で、うろうろと迷ったりしていては警察犬とは認められないのだから、大会に出て、上位を占めるのは、いわば当たり前の話だ。もちろん、彼らは磨き上げられるための犬ではないから、ビューティーコンテストとも無縁である。

それだけの説明をすると、畑山は自信たっぷりの表情で貴子を見た。

「我々は民間ではありますが、警察とは切っても切れない縁があって活動しているわけです。刑事さんもお若いようですが、それくらいのことは、知っておいていただきたいものですな」

貴子は、言葉に出しては何も言わずに、代わりに精一杯に目を細め、愛想の良い笑顔で会釈《えしやく》して見せた。だが、畑山は何の反応も示さずに、吸っていた煙草をペットフード・メーカーの名前が金色で入っている馬鹿でかい灰皿に押し付け、大きく深呼吸をした。

「ですがね、我々は、そんな人を襲うような訓練は、していませんのでね」

言葉そのものよりも、その口調がいかにも底意地が悪い。畑山は貴子のことなど無視するかのように言葉を続けた。確かに、警戒作業の一環として、犯人を襲撃し、咬捕する訓練は施すものの、その際には腕などの生命に危険のない箇所を狙うのだし、相手が倒れたり、逃げないと分かったら、警察犬はすぐに咬《か》むのをやめるというのだ。のど首や頭部に咬みつき、しかも殺すなどということを、するはずがない。

「ですが、訓練も受けずに、そんなことを出来るはずがないと思うんです。いくら知能程度の高い犬とはいえ、きちんとした訓練を受けさせるためには、専門の訓練士の力が必要ではないかと思うんですが」

「そりゃあね、確かに、オオカミ犬で訓練を受けている犬がいることは、知っていますよ。他にも、ロットワイラーという種類の犬で、優秀な成績をおさめている犬も、いますからね。我々は七犬種以外の犬だって、その能力さえ認められれば、警察犬として認めるつもりです。たとえば柴《しば》犬や秋田犬だって、訓練を受ける犬は、いますからね。ただ、結局のところ、審査会などで上位に残れないということなんですよ。知力があっても体力がないとかね。なかなか、バランスがとれない」

「ですから、オオカミ犬で――」

「だから、訓練の内容そのものが違っていると、言ってるんだ。襲うような訓練は施さないでしょうが。それに、訓練士は、何も我々の協会が認めている訓練士だけではない。ケンネルクラブだって、他にだって、それぞれに訓練士の資格を与えている機関はありますしね」

畑山は、あからさまに貴子を馬鹿にした、憮然《ぶぜん》とした表情で言った。社会の役に立つ犬を育成しようというのが警察犬協会の目的なのに、反社会的な行動をとった犬が、警察犬として登録されていたなどといわれたのではたまらない、噂《うわさ》だけでも、とんでもない話だといわんばかりの表情だった。

「警察犬については、よく分かりました。私は、お心当たりがないかどうかと、伺《うかが》っているつもりなんですが。そういう犬を訓練している人がいるとか、訓練されているところを見たとか」

貴子は、食い下がって質問した。畑山は、いよいよ不愉快そうな顔になる。何故《なぜ》？別に、警察犬を悪用している人がいるなんて、言っているつもりではない。ただ、全国の警察犬の訓練所などを束ねる位置にいる協会ならば、何かの情報を持っているのではないかと思ったのに、この専務の不愉快そうな反応は、まるで違うことが原因のように思われる。

「訓練所には入っていないかも知れません。ですが、訓練士の方で、ご存知の方がいらっしゃる可能性も、あると思うんですが」

「まあねえ」

「オオカミ犬は目立つ犬です。野生の血が濃いこともありますから、一日に何時間も散歩をさせる必要があるとも聞きました。そうなれば、それなりの噂くらい、お耳に届いているのではないかと――」

「私のところまで、そんな細かい話がくるはずがないでしょう」

畑山は、ぴしゃりと押さえ込むような答え方をした。貴子は、自分の読みが甘かっただろうかと思いながら、何とか他の方向から質問できないものかと素早く考えを巡らせた。背後から、滝沢の視線を感じる。彼は、昨日に続いて気味が悪いほど神妙に、黙って貴子の話を聞いている。だが、背中に感じるその視線は、決して温かみのあるものではない。そら見たことかと、そう言っているのが分かる。

「つまり、個人で訓練している可能性の方が高いと、いうわけでしょうか」

「でしょうな」

「では――」

次の言葉を探していると、背後から滝沢の咳払《せきばら》いがした。

「どんなもんですかね、畑山さん。元々、訓練士だった人で、オオカミ犬を買ったとか、そんな噂程度でもいいんですがねえ」

「そういう、噂程度ならば、聞いてみれば分からないこともないかも知れないですがね」

貴子は、何となく嫌な気分になりながら、二人のやりとりを聞いていた。

「ハンドラーっていうんですか？　そういう、犬の訓練をするような人は、本当に犬が好きなんだと思うんですねえ」

「そりゃあ、そうです。中には、家族以上に大切にする人だって、大勢いますから」

畑山は、急に表情を和らげて、「実際に、よく言うことを聞く犬は、可愛《かわい》いものです」などと言っている。

「そうなんでしょうねえ。へたな人間よりも、よっぽど可愛いんでしょうな。いえ、私はね、犬が苦手なもんで、よく分からないんですが」

「刑事さんも、一度飼われてみればいいですよ。可愛いもんです」

「とんでもない。しがない官舎暮らしですから、亀《かめ》や金魚がせいぜいですわ」

滝沢の言葉に、畑山は、ははは、と、いかにも愉快そうな声を上げて笑った。やはりそうだ。この男は、貴子の質問には通り一遍の答え方しかしてくれないのに、滝沢の質問には、ある程度の誠意を見せながら答えている。彼は、質問の内容にではなく、貴子そのものに反発を抱いているのだ。つまり、畑山も滝沢と同類ということだ。

「そういう人っていうのは、逆の言い方をすれば、つぶしがきかないですよねえ。途中で辞めるなんて、なかなか出来ない仕事じゃないですかね」

「それは、あんた方と同じでしょうな。つぶしがきかないっていう点では」

滝沢は、「ごもっとも」などと言いながら愛想の良い笑みを浮かべている。相方が何を聞き出そうとしているのか、貴子にも察しがついていた。滝沢が言い出さなければ、貴子が聞こうとしていたことだ。

「私もまだ写真でしか見てないんですがね、オオカミ犬っていうのは、もう、まるっきりのオオカミ。ありゃあ、犬じゃないですよ、オオカミですな。しかも、オオカミの血が濃いほど、訓練には適さないそうでね」

滝沢の言葉に、畑山は「ほうほう」と相槌《あいづち》を打ち、身体《からだ》さえ乗り出してきそうな気配を見せた。貴子は、すっかり嫌な気分になりながら、ひたすら黙って二人のやりとりを聞いていた。

「それほどの生き物ですからねえ、相当に腕のいい訓練士がついていなきゃ、特定の人間を襲うなんていう芸当は、まず無理だと思うんですわ。二人のホトケさんは、まるで同じ手口で殺《や》られてたんですがね、特に二人目の――女なんですがね、普通の主婦で――昼の日中に襲われたっていうのに、目撃者どころか、悲鳴を聞いた人も、犬の吠え声を聞いた人でさえいないくらいなんです。それ、相当な訓練ですよねえ」

滝沢の横顔が貴子の視界に入ってきた。畑山の方に身を乗り出したのだ。横目で見ると、いつか、病院で若い医者に対していたときと共通する、いかにも如才ない笑みを浮かべながら、滝沢は、これまで黙っていたのが不思議な程に調子よく話し始めた。

「どうでしょう。ピカイチの腕を持ちながら、この数年の間に訓練所を辞めた人とか、分かりませんかね」

「そりゃあ、聞いてみれば、それくらいなら分からなくもないでしょうが——腕のいい訓練士なら、それこそ警察の人間が、一番だと思いますがね。鑑識の、警察犬担当の」

貴子は、虚を衝《つ》かれた思いで滝沢を見た。滝沢の顔も一瞬だが強《こわ》ばったと思う。確かに、あまたある訓練校の、大勢の訓練士もさることながら、プロの警察犬を育てている人間の方が、絞り込みも容易だ。滝沢の口から、さも感心したように「なるほどねえ」という呟《つぶや》きが聞こえた。

——警察の人間が、復讐《ふくしゅう》の為《ため》に犬を育てる。

考えられないことではない。可能性のあることならば、どんなことでも調べなければならない。さっき、畑山は埼玉には直轄犬がいないと言っていた。すると、東京、千葉、神奈川あたりの、途中退官した鑑識課員を調べれば良いということだろうか。

「とにかく、こちらでも何か分かったら、連絡しますから」

貴子に対するときとは打って変わった愛想の良い顔で滝沢と話している男を横目で見ながら、貴子は奇妙に胸が締め付けられる思いになっていた。こんな男と、もう二度と会うわけではない。下らないことで、いちいち腹を立てている場合ではなかった。

2

過去数年の間に、理由がはっきりしないままに警察を途中で辞めた鑑識課員を調べてくれるようにと、本部に連絡を入れた後、滝沢は自分たちの足で警察犬の訓練所を訪ねることにした。さっき、警察犬協会の男に、すげなく扱われた音道は、多少は憮然とした表情をしているが、何も言わずに滝沢と肩を並べて歩いている。

――そうら、見ろ。女だっていうだけで、ああいう態度を見せるヤツは、何も俺だけじゃないだろう。

本当は、そう言ってやりたかった。だが、音道が黙っている以上、滝沢から、そんなことを言うわけにもいかない。第一、音道は目の付け所自体は、間違えてはいなかった。まさか警察内部の、またはかつて警察にいた人間が、そんな復讐劇を巻き起こすとは考えたくないが、過酸化ベンゾイルの件にしても、犬の訓練にしても、これだけ特殊な知識や技術を身につけられる、もっとも近い位置にいるのが、警察官であることは確かだ。

警察犬協会でもらってきた資料によれば、ある程度のレベルに到達している警察犬訓練所は、東京に九カ所、千葉に一二カ所、埼玉に二二カ所、神奈川に一五カ所ある。まずは、その辺りから調べるのが妥当な線だと思われた。

「とりあえず、都内から行くか」

音道を振り返りながら言うと、彼女は相変わらずの硬い表情で「はい」と頷《うなず》く。なかなか用心深い性格らしい。油断させて増長させ、その後どすんと落としてやろうという滝沢の目論見《もくろみ》に気付いてでもいるかのように、彼女は滝沢が態度を軟化させてからも、あまり態度を変えようとしていなかった。女は単純な方が可愛いのに。滝沢は、ズボンのベルトをたくし上げながら、微《かす》かにため息をついた。

特定の人間を襲わせる為には、まず、その人間の匂《にお》いを犬に覚えさせる必要があるだろう。条件反射的に、その匂いを感知したら襲いかかるように訓練していたと考えられる。つまり、ホシは犯行以前に、ガイシャの匂いの付着しているものを入手していなければならない。とすると、そう遠くに住んでいるとは考えにくかった。幾度となく標的を付け狙《ねら》い、持ち物を盗むか、投げ捨てた吸殻、ティッシュなどを、こまめに拾い集める必要があったはずだ。まさか、接触を試みることはないだろうと思う。

——素人《しろうと》で、そこまで出来るか。

いくら、犬の特性を熟知している訓練士とはいえ、標的の匂いを覚えさせるために、どんな手だてが必要かとなると、これは厄介な問題だったに違いない。

「ガイシャは、泥棒に入られたり、してたかな」

電車に揺られながら、小声で呟くと、それまで黙って滝沢の隣に座っていた音道が、小首を傾《かし》げた。

「そういう報告は、聞いてないですね。匂いを覚えさせる為のものを盗むとか、そういうことですか」

賢いお嬢さんは、滝沢の考えを読んだらしい。痒《かゆ》いところに手が届くと言えば聞こえは良いが、そういうところが癇《かん》に触るのだ。

「相手の持ち物や、身につけていた物を手に入れるのは、ガイシャに接触する機会が増えるということですから、危険も伴うと思うんです。家に盗みに入るとなったら、よけいですよね。大きな目標を持っている人間が、そんな方法を採るでしょうか」

「じゃあ、あんたならどうする」

「――標的にする相手に、何かの匂いをつけるっていう手もあるんじゃないでしょうか」

なるほど。香水でも、何でも良いから、その匂いに反応するようにさえ仕込めば良いということか。滝沢は、髭《ひげ》の剃《そ》り残しをこすりながら、確かにその方が簡単だと思っていた。それくらいならば、素人にだって出来るだろう。

「とにかく、オオカミ犬を当たってる連中には、飼い主の職業と、職歴を聞いてもらう必要があるな」

音道は、相変わらず何か考えている顔で、小さく頷いた。何か、また生意気なことを言うかと思ったのだが、彼女はそれきり黙って前を向いていた。膝《ひざ》の上に置いたショルダーバッグの上で両手を重ねている。指輪の一つもしておらず、マニキュアも塗っていない手は、やはり白くて華奢《きゃしゃ》だったが、指が長くて女性にしては大きいと思う。

それにしても、この女には、生活感というものが、まるでない。他の連中と飲んだときに、さり気なく聞いてみたのだが、独身で、マンションに一人暮らしをしているらしいということ以外に、彼女のことを詳しく知る者はいなかった。二七、八かと思っていたのだが、三十路《みそじ》は越えているということだ。そんな年齢まで、結婚もせずにいるから無愛想になったのか、それとも性格が悪いから結婚も出来ないのか、実は滝沢は、少し前から、わずかながら興味があった。

「ああ――」

「あの」

口を開いたのが同時だった。音道は一瞬慌《あわ》てた顔になり、「何でしょう」と言った。

「いや、いい。何だ」

あんた、結婚はしないのかと、何も改まって言うようなことでもないかも知れない。そんな質問をすれば、自分に興味を持ったとか、または何かの下心があるとか、そんな風にも勘繰られかねない。それにしても、おかしなものだ。女房に逃げられ、煮え湯を飲まされた気分で結婚生活に破綻《はたん》している滝沢自身は、とうに幻想など抱かなくなっているというのに、若い娘が独身だと聞くと、どうも社会の落ちこぼれのような気がしてしまう。

「何だよ」

「――うちのカイシャの人間だっていう可能性が、あるでしょうか」

滝沢たちは、普段自分たちの組織のことをカイシャと呼ぶ。ことに、外で会話するときには、誰に聞かれても怪しまれないために、そういう呼び方をする癖がついている。音道が、そういう言い方をするとき、滝沢は、やはり彼女は仲間なのだと思わないわけにいかなかった。

「考えられなくは、ないだろう。または、うちにいたことがあるか」

「完璧《かんぺき》な訓練を施せる人間といったら、やはり、直轄《ちよつかつ》犬を育てている人たち、ということですか」

「まあなあ。他に手がかりを残していないことを考えても、な。捜査のイロハを知ってる人間とも、考えられる」

音道は、わずかに口元を引き締めて、小さくため息をついた。滝沢は、自分だって、出来ることならば、そうであって欲しくはないのだと言おうとして、結局はため息をついただけだった。

ＪＲ中央線の阿佐《あさ》ヶ谷《や》駅を降りると、滝沢はまず駅前の交番に立ち寄り、電話を借りた。オオカミ犬の飼い主に当たる際には、本人と家族の職歴なども聞き込んで欲しい旨《むね》を伝える間に、音道が、若い制服警官に、目指す訓練所の場所を聞いていた。

「――うちと関係ない人だと、いいですね」

交番を出て、確か一〇年ほど前に強盗に入られて捜査に関わった記憶のある銀行の前を通り、広い歩道のある道を青梅《おうめ》街道に向かって進むうちに、音道がぽつりと呟いた。乾いた風が吹き抜ける。音道の、短い前髪が風になびいて、表情に様々な変化をもたらしていた。

「サツカンだって、色んなヤツがいる」

普段通り、歩調を緩めずに歩きながら、滝沢は答えた。実際、同じ警察官だからといったって、気に食わない奴《やつ》も、ろくでなしも、意地汚い下衆《げす》野郎も、お調子者も同性愛者も、こんな野郎が、どうして法の番人なのだろうと思いたくなる輩《やから》だって、珍しくはない。無論、まともな人間の方がずっと多いから、体面は保っていられるのだが、実のところはそう簡単にまとまりなどつかないからこそ、上層部は何かというと「一丸となって」という言葉を使うに違いないのだ。もちろん、キャリア組とノンキャリアとの関係も含めて。

――この娘っこにしたって、俺たちの感覚からすりゃあ、変な奴だ。

それでも、彼女なりに警察官としての誇りと仲間意識があるからこそ、今のような言葉が聞かれるのだろう。冷静に判断して、それだけは分かってやらなければならないということだ。あまり、認めたいことではないが。

やがて、青梅街道を横断し、さらに一五分程も歩いた閑静な住宅街のど真ん中に、目指す警察犬の訓練所があった。外から見たところは、あまり手入れが行き届いているとは思えない、古い作りの一軒家だった。一・二メートル程の高さに巡らされたブロック塀の向こうには、背の高い常緑樹が茂り、ところどころに赤い椿《つばき》の花がぽつぽつと咲いているのが見える。ブロック塀が途切れたところにあるカーポートには大きめのワゴン車が二台停まっていて、その前の鉄製の門扉《もんぴ》は、所々黒い塗装が剝《は》げて錆《さび》が浮いていた。まるで普通の家と変わらないように見えるが、覗《のぞ》き込むと、ワゴン車の脇腹《わきばら》には明朝体の文字で「警察犬訓練所」という文字が見えたし、カーポートの突き当たりの柵《さく》には、ホースや洗車ブラシが引っかかっている他に、犬用の首輪や太い革製のリードが何本も下がっているのが見えた。

「こんなところで、訓練が出来るものかな」

独り言を洩《も》らしながら、滝沢は、門扉の脇にあったチャイムを押した。その途端、火がついたように数頭の犬の声が聞こえてきた。声だけで、かなりの大型犬と分かる、太くて大きな声だ。滝沢は、嫌な気分になって女刑事を振り返った。

「まさか、飛び出してきたりしねえだろうな」

音道は、意外そうな顔で目をしばたたくと、くすりと笑いながら「まさか」と答えた。意外なほどに子どもっぽい笑顔。笑いたければ笑え。とにかく滝沢は、早いところ必要なことだけを聞いてしまって、ここから逃げ出したかった。全く、何だって犬っころのいるところばかりを嗅《か》ぎ回らなければならないのかと思うと、今更ながらに恨めしい気持ちになる。

やがて、スウェットパンツにトレーナーというでたちの男が、サンダルを突っかけて現れた。所々に白髪の混ざった短い髪にはパーマをかけて、その下の顔は、よく陽に焼けている。一見すると、何かの職人のような雰囲気だ。滝沢は、コートの内ポケットから、警察手帳を取り出して見せた。その途端、男は愛想の良い笑顔になった。デカを見て笑顔になる男も珍しい。

「やあ、ご苦労さんです」

男はいかにも親しげに、半分嬉《うれ》しそうな顔で門を開けた。相変わらず、犬は激しく吠《ほ》え続けている。二頭や三頭という数ではないはずだ。

「協会の方から、連絡が入ってたんですよ。警察の人が、話を聞きに来るかも知れないからってね。さ、どうぞ」

男は、錆びかかった門扉を押し開けた。雑草が入り交じり、はげかかった芝生の地面が見えた。男に手招きされて、それでも滝沢は足を踏み出す気になれなかった。その様子を見て、男はまたもや笑顔になった。

「大丈夫ですよ。みんな、ちゃんと檻《おり》に入れてありますから」

そう言われてしまえば、入らないわけにいかない。滝沢は、曖昧《あいまい》な笑みを浮かべながら、渋々と歩き始めた。男は先に立って敷石を踏みながら庭に回り込もうとする。滝沢は慌てて「いや、ここで」と言った。振り返った男は、少しばかり怪訝《けげん》そうな、残念そうな表情を見せた。親ばかと一緒だ、犬好きには、犬嫌いの人間の気持ちは分からないらしい。

「例の、人を襲った犬の話ですよね」

けたたましい吠え声の中で、男は言った。こんなに吠えられては、近所迷惑ではないかと思いながら、滝沢は頷いた。

「何だか、よっぽど訓練された犬じゃないかっていう話を聞きましたが」

犬が、檻にぶつかっているらしい音が、がちゃがちゃと聞こえてくる。ひょっとすると、檻を乗り越えてくるのではないか。飛びかかられでもしたら、とても逃げられるものではない。滝沢は、その音にばかり気を取られてしまって、とても聞き込みに集中できる気分ではなくなっていた。ちらりと隣を見ると、音道は、まるで涼しい顔で立っている。滝沢の目配せに気付いて、目の端でわずかに微笑《ほほえ》みながら、彼女は「それで、伺《うかが》いたいんですが」と訓練所の男を見た。

「警察犬協会の方でも聞いたんですが、訓練によっては、特定の人間を襲うようなことも、出来るはずですね？」

「そんな訓練をする人間がいるとは、思いたくはないですがね」

男は、ため息混じりに頷くと、能力の高い犬ならば、可能な訓練であることを認めた。

「犬の種類は、何だったのかな。たとえば、ドーベルマンなんかですとね、最初から闘争心の強い犬ですから、そういう訓練は、しやすいかも知れませんよね」

「我々は、オオカミ犬ではないかと思っています」

「ウルフドッグですか？」

訓練所の男は、目を丸くして貴子を見、それから滝沢の方にも視線を移した。滝沢は、耳を塞《ふさ》ぎたいのを堪《こら》えながら、男が感心したように、「ウルフドッグねえ」と言うのを見ていた。何で、この声が気にならないんだ。黙らせることは出来ないのかと言いたかった。

「そこで、お聞きしたいんですが」

「ああ、はい」

「噂《うわさ》程度でも構わないんですが、ウルフドッグを訓練している人に、お心当たりはないでしょうか」

「あれは、訓練は難しいんじゃないですか。何しろ、野生の血が濃いんだから。逃げ出したっていう話ならね、聞いたことはありますけど」

「逃げ出した？」

思わず聞き返した途端、その時まで知らん顔をしていた男は、すたすたと庭の方に行くと、「こらっ」と言いながら、犬たちに何かのかけ声をかけた。それまで唸《うな》り声まで上げていた犬たちの声が、急に甘えたものに変わり、鼻を鳴らす声に変わった。大したもんだ、だが、ちゃんとしつけてあるのなら、最初から吠えさせるな。

「いや、すみません。もうすぐ、外へ連れ出す時間だったもので。今、うちにいるのは、みんなまだ半分子どもでね」

「逃げ出したって、どういうことです」

今度は滝沢が聞いた。男は、少し考える顔をした後、一人で納得したようにうんうんと頷き、「あれ、去年だったかな、一昨年かな」と話し始めた。

「噂ですからね、僕も、はっきりとは知らないですよ」

「だから、どんな噂なんです」

「埼玉の方で、ウルフドッグが逃げ出したってね。女の人が飼ってたらしいんだけど、二頭」

「二頭？」

「それで、逃げたウルフドッグは？」

音道が、身を乗り出すようにして言った。訓練所の男は、どこか勿体《もったい》を付けるような、言いにくそうな表情で「ですから、噂ですよ」としつこいくらいに繰り返した。

「山の中に逃げ込んだらしくて――」

「捕まってないんですか」

「大体、女子どもの手に負える相手じゃないんですよ。それまでにも何度か逃げられて て、近所からも苦情が出てたっていうんだから。あいつら、臆病《おくびょう》でおとなしいっていう話だけど、ぱっと見て、そんなことの分かる人間は、そういませんからね。見た目は、まるっきりオオカミなんだから」

男は、自分がオオカミ犬の被害にでも遭ったかのような、苛立《いらだ》った表情になった。滝沢は、確かにあんな獣が、その辺りの路地から飛び出してきたら、もうそれだけでパニックに陥るだろうと思った。

「聞けばね、軒先の、こんな狭いところに、ついたて程度の柵を作って、そこで飼ってたっていうんだから、呆《あき》れてものが言えないですよ。どこが愛犬家なんだか知らないけど、鍵《かぎ》だって、ちゃちなのを一つつけてあるだけだったって」

「それで、逃げたウルフドッグの方は、どうなったんだか、聞いてますかね」

滝沢は、背筋が寒くなる思いで、男を見ていた。

「山の中に逃げ込んで、野犬化したっていう話ですよ。馬鹿《ばか》な犬ならね、生け捕りにするとか、おびき寄せるとか出来るけど、何せ、頭がいいわけでしょう？　秩父《ちちぶ》の奥の方に逃げ込んで、他の野良犬まで子分みたいになって集まってきちゃって、群になってるって」

タフなオオカミ犬ならば、秩父の山奥から都心に来ることくらい、距離を考えれば困難なことではないのだろう。だが、野犬と化したオオカミ犬が、特定の相手を襲うとは、到底考えられない。と、すると、この話は、かなり興味深いものではあるが、今回の事件とは無関係ということだ。その可能性の方が高い。

「その噂は、どこで聞かれたものです」

「どこだったかなあ。我々の、訓練所の仲間で集まったときに、誰かが話してたんだと思いますけどね」

「他には、何かオオカミ犬にまつわる噂は聞かれてないですか。飼っている人がいるとか、訓練しているところを見かけたとか」

肝心の質問に対しては、男は首を傾《かし》げるばかりだった。何かの拍子に、庭先で再び犬が吠え始めた。一頭が吠えると、それに呼応するかのように、残りの犬も吠え始める。

「何ですか、種類は」

滝沢は、顔をしかめながら顎《あご》で庭の方を指した。「六頭がね、シェパードです。あと、リトリバーが三頭。あいつらは吠えないんですけどねえ」という答えを聞いて、怒る気も失《う》せる。既に訓練されて、現場で動いている警察犬ならともかく、あんな大きな犬に近付くつもりは、毛頭ない。音道を見ると、彼女は犬の声に気をひかれている様子で、いかにも覗いてみたいという雰囲気がありありと見て取れた。だが、聞くだけのことを聞いてしまうと、滝沢は「や、どうも」と片手を上げた。冗談じゃない、いくら檻の中にいたって、馬鹿でかい犬を見るなんて、真っ平ご免だ。それに、最初は気が付かなかったが、風向きによっては何だか獣臭い空気が漂っているではないか。

「参考になりました。また、何か思い出されたことがあったら、警察までご連絡いただけませんかね」

この格好で町を歩いていたら、チンピラかヤクザにしか見えないだろうと思われる男に軽く礼を言うと、滝沢はそそくさと訓練所を後にした。音道の靴音もおとなしく付いてくる。それでも、犬の声だけはかなり遠くなるまで聞こえ続けていた。

3

踊り場の窓の外には、淡い緑色に塗られた鉄製のフェンス越しに、冬空に向かって立ち昇る蒸気が見えた。厨房《ちゅうぼう》の屋根から伸びている煙突から出ている蒸気は、午前の陽射《ひざ》しを浴びて、輝きながら空の青に溶け込んでいく。

あの湯気が見えなくなったら、春が訪れたことになるのに、と思いながら、船津《ふなつ》は白衣の下のズボンのポケットから、鍵の束を取り出した。束は紐《ひも》でズボンのベルト通しに結わえつけられている。自分の身長が足りないからか、またはその紐が短いせいで、鍵の一つを選び出すと、船津はわずかに身体《からだ》を捻《ひね》って右の腰をドアに近付ける格好をしながら、鍵穴に右手を近付けた。各病棟の各階を通過する度に、忘れずに扉の施錠《せじよう》を確認することが、船津の仕事の、一つのアクセントのようなものだ。

「あ、せんせー」

鉄製の扉を開けた途端、すぐ傍にいたらしい患者の声が、外の踊り場にはきいていない暖房と共に被《かぶ》さってきた。

「やあ、お早う、あきちゃん」

ドアのすぐ前に立っていたのは、淡いピンク色のジャージの上下を着た、今年で四六歳になる患者だった。手早く、入ってきた扉に施錠をすると、船津は患者に微笑みかけた。

「せんせー、私、考えたんだけど」

「何、考えたの」

「『くらばやぶにくりあ』のこと」

「何、それは」

船津が聞くと、「ちゃん」を付けて呼ばないと不機嫌になる、元は普通の主婦だった女性は、しまりのない顔に、それでもわずかに得意そうな色彩を見て取れる、曖昧な笑みを浮かべた。

「前に、せつめいしたよー」

「そうだったっけ？　何だったかな」

「『ここにでら』に会ったときに『めいらほーん』と一緒に教えてくれたんだったら」

彼女に呼び止められている間に、数人の患者が船津に気付いて、少しずつ近付いてきた。それでも、まるで何も見えないかのように、わずかに前屈《まえかが》みの姿勢のまま、廊下をそろそろと歩き回っている人の姿がある。

「そんなことも知らないの、せんせー。『ゆんましゅいん』のことも、説明してあげたのに」

あきちゃんが、なおも話し続けようとしていると、傍にやってきた同年代の患者が、急にけたたましい声で笑った。

「先生、駄目だよ。この人、頭がおかしいんだから。あんた、ほら、訳の分からないことばっかり言って」

言われた本人は、何の反応も示さずに、その場でぼうっと立っている。言った方の患者は、この病棟でも古株だった。彼女には、造語の症状はない。彼女を支配しているのは、一〇年以上の時を費やしても、絶対に消え去ることのない妄想だ。自分の本当の母親はアメリカ人で、彼女自身も大統領夫人だった。元をただせばオーストリアの王家の血を引いているのだが――以前はロシア貴族と言っていた――ある、特別な使命を帯びて、この日本へやってきた。使命とは、世界平和のために、この宇宙の法則を説き、日本へやってくる各国の人々の中から、特別な人を選び抜き、「直談判《じかだんぱん》」をすることだ。

「ねえ、せんせー、足が痛いの。膝《ひざ》の下に、声が詰まってて、『出せ、出せ』って言ってる」

「あんた、煙草、持ってない？」

歩き始めると、様々な訴えが船津に向かって降り懸かってくる。廊下を進みながら、それらに簡単に相槌《あいづち》を打ち、とにかく船津は医局に寄った。この扉もまた、腰に結わえ付けてある鍵の束を使わなければ開かないのだが、扉の内側にいた看護婦が、船津に気付いて内側から開けてくれた。

「いつまでも、暖かくなりませんね」

笑顔で挨拶《あいさつ》をすると、数人の看護婦と看護士が、「本当に」と頷《うなず》く。この狭い空間では、当たり前の会話が当たり前に通用する。船津は、受け持ちの患者に大きな変化はないか、収容されてから間もない患者たちの様子はどうか、などということを聞き出し、さらに、前日に発作を起こして、現在は保護室に入れている一六歳の少女の様子を聞いた。

「昨日の今日ですから。目が覚めてしばらくすると、また興奮するんじゃないでしょうか」

看護士の一人が、ため息をつきながら答えた。たとえ女の子でも、興奮して暴れたときの力は、相当なものがある。大の男が二人、三人がかりで、やっと押さえられるくらいだから、こちらとしても必死にならざるを得ない。船津は、一週間ほどは様子を見た方が良いだろうと考えながら看護士の説明を聞いた。

「それから、えみちゃんね、明日から外泊ということになってるけど、問題はないかね」

看護婦の一人が、にっこりと微笑みながら頷いた。

「すごく楽しみにしてます」

「本当は、開放病棟に移してあげたいとは思うんだがねえ」

「外泊できるようになってから、ずいぶん落ち着いてきてますしね。やっぱり、あの犬の存在が大きいんじゃないかって、皆で話しているんです」

船津は、患者の父親が彼女を迎えに来る度に、必ず連れてくる犬を思い出した。実は船津も、病棟のスタッフたちも、あの犬に会うのを楽しみにしている。確か、二年ほど前から、やってくるようになったと記憶しているが、今や、あの犬は病院中の人気者だった。その姿形、躾《しつけ》の良さ、おとなしさ、どれをとっても、理想的なペットだ。船津自身、あんなに見事な犬を、他では見たことがない。看護婦の台詞《せりふ》ではないが、「疾風《はやて》」と名付けられているあの犬が、患者にも良い影響を及ぼしていることは、間違いないように思われる。その証拠に、この二年近くというもの、笑子《えみこ》は、いわゆるシュープ——病勢増悪、または病勢推進——も、見られなくなった。

「明日は、何時頃お迎えが来るんだろうって、昨日からそればかり、言ってますよ」

「ちょっと、覗《のぞ》いてみるよ」

看護婦に軽く手を振ると、船津は医局から出た。外で待ちかまえていた患者の数人が、何を話しかけてくるわけでもなく、ゆらゆらと海草のように揺らめきながら、後を付いてくる。

船津の勤務するこの病院では、主に精神分裂病とアルコール依存症の患者を数多く扱っている。この閉鎖病棟には、まだ症状の落ち着かない者や、見当識の定まらない者、さらに、自由に行動できる開放病棟に移すと、脱走したり、勝手な行動に出るおそれのある患者が収容されている。症状自体が重いだけに投薬の量も多く、その結果、一日中、意識の朦朧《もうろう》としている者が多いから、本人たちは世間から隔絶されている、または、不自由な生活を強いられていることすら、自覚していない者が多い。それでも、船津の後を付いて歩く患者は、まだ良い方だった。多くの患者は、一日中、寝床から出なかったり、一人で壁に向き合ったりして、死んだように動かないのだ。彼らの中で、いったい何が起きているのか、どんな声を聞き、何を見ているのか、それは、何人の患者から話を聞き、何年にもわたって様子を観察してきたとしても、船津には計り知れないものだった。

「えみちゃん」

一二人が収容できる、畳敷きの病室の一つを覗くと、笑子は、隣で布団《ふとん》を被っている患者に何か言いながら、幾度となく小突いているところだった。彼女は、船津の姿を認めると、慌《あわ》てたように患者から離れて居住まいをただし、ぺこりと頭を下げた。視線は落ち着かず、急におどおどとし始める。

「明日、お父さんが迎えに来るの、知ってるね」

船津は、サンダルを脱いで病室に上がり込むと、笑子の前まで行って畳に片膝を突いた。彼女は、手を身体《からだ》の後ろに回して、指先でもじもじと畳をいじりながら身体をくねらせている。

「うん、知ってる」

「今度は、一週間の外泊になるのも、分かってる?」

「知ってますってばあ」

軟体動物と言っては悪いかも知れないが、まるで背骨が通っていないかのように、彼女は身体をしまりなくくねらせ続け、頭をふらふらと揺らしている。発音は曖昧《あいまい》で不明瞭、そして、意味もなく「えへへへ」と笑う。

「嬉《うれ》しいかい」

「そりゃあ、嬉しいよお。だってねえ、はやてと遊びに行くでしょう？　それでねえ、川に行って、お散歩してねえ」

「風邪《かぜ》、ひかないようにしないとな」

「はやてはねえ、大丈夫なんだよ。ふっかふかなんだから」

笑子は、表面が毛玉だらけになっている、トレーナーの上下を着ていた。ずいぶん長い間、洗っていないのではないかと思われるくらいに、全体にくたびれて、襟元のリブもすっかり伸びきってしまっている。肩にかかる程度まで伸びた髪だけは、看護婦の誰かがやってやったのか、二つに結わえてあったが、それもわずかに脂染《あぶらじ》みて、雲脂《ふけ》が浮いていた。

「じゃあ、今日は風呂《ふろ》に入ろう、な。汚いまんまで、お父さんに会いたくないだろう？」

船津の言葉に、彼女はけらけらと笑いながら頷いた。そして、次の瞬間には急に船津に向かって、ぺこぺこと頭を下げ始める。

「お風呂に入れば、帰れますかねえ」

卑屈そうな目で、こちらの顔色を窺《うかが》うように話すとき、笑子は途端に小ずるい大人の表情になる。

「ああ、綺麗《きれい》にしたら、帰れるよ」

笑子は、相変わらず身体をくねらせたまま、再び子どもに戻って「よかったあ」と笑った。船津は、彼女の頭を軽く撫《な》でてやり、腰を浮かせた。病室から出ようとするときに、笑子が「やーい」と言うのが聞こえた。振り返ると、また隣の患者を小突いている。

「いいだろう、明日、はやてが来るんだからね。お父さんと、お家に帰るんだから」

医師が傍にいれば、おとなしいのだが、ちょっと目を離すと、すぐに他の患者にちょっかいを出したり、軽い乱暴を働いたりする。動きは緩慢でも落ち着きがなく、全《すべ》ての動作がぎこちない。ひとつのことを続けていることが出来ず、時折、驚くほど粗暴になる。それでも、九年前、入院した当初から比べれば、病的状態は、劇的なほど軽くなったのだ。とはいえ、通常ならば全体の七五パーセント程度は、五カ月から半年ほどで退院できるはずの覚醒剤《かくせいざい》中毒患者の中では、笑子の入院期間は、異例とも言えるほど、長期にわたっていた。

——確か、もう二六だ。

腰から提げた鍵《かぎ》を使って出入り口の鉄製の扉を開き、踊り場に出て再び施錠しながら、船津はふと考えていた。彼女は、船津がこの病院に来てから間もなく扱うことになった、当時では最年少の覚醒剤中毒患者だった。当時、一七歳だった少女は、紙のように白い顔をして瘦《や》せ枯れており、激しい妄想と幻聴、幻視などの症状を呈していた。その上、彼女は淋病《りんびょう》に罹《かか》っており、さらに妊娠中だったのだ。強い力で押さえれば、簡単に折れてしまいそうに見えた衰弱した身体で、彼女はそれでも、「シャブをくれよ！」と叫んでいた。あの頃から比べれば、別人のようだ。

——退院も、考えてやりたいんだがな。

症状が軽快方向へ著しく変化する恢復《かいふく》期から、軽快への歩みが緩慢となり、また、症状に動きが見られなくなる固定期にかけて、笑子は覚醒剤中毒特有の、実に様々な症状を見せた。覚醒剤中毒では、原則的に、意識の混濁も、健忘症状群も認められない。無欲・疲労・脱力症状、無為、積極性減退から始まって、落ち着きのなさ、寡動《かどう》、強硬症、拒絶症、緊張性多動など。さらに、仮性痴呆《ちほう》や当意即答などの症状もあった。

それでも、当初は船津のみならず、他の医師たちも、彼女は半年以内には退院して、世間へ戻っていくだろうと考えていた。再び舞い戻ってくる可能性が高いとしても、そうして生きていくのが、その少女の人生なのだと。だが結局、彼女は今もこの病院にいる。普通なら人生の内でもっとも輝いていて良い季節、覚醒剤など覚えなければ、恋愛をして、結婚をして、母親になっていても良い時期を、彼女はひたすら、この鉄格子《てつごうし》の中で過ごしたのだ。そして、彼女の時は、世間一般とは、確実に異なる流れ方をしている。子どもっぽさは、確かに症状の一つだ。だが、笑子は、子どもに戻ったというよりも、子どものままで、時の流れとは異なる次元の上を漂っているようなものだった。

翌日の午後、笑子の父親が、いつもの通りに犬を連れて、ワゴン車で彼女を迎えにきた。患者を見送る為《ため》というよりも、犬に会いたいばかりに、船津だけでなく、手の空いている看護婦たちが、建物の外に出た。

「はやて！　はやて、はやて、はやてっ！」

玄関から出るなり、普段は緩慢にしか動かない笑子が走り出した。そして、ワゴン車の横に、きちんと座っていた灰色の固まりにしがみついていく。笑子よりも、よほど大きくて長い顔をして、子どもの背丈程もあろうかという犬は、その全身をもみくちゃにされながら、うっとりと目を細めた。

「はやて、会いたかったあ」

普段は、感情の表現も平板で、全てに対する反応が鈍化しているはずの笑子が、こういうときだけは、実に生き生きとした声を出した。そして、言われている意味が分かるかのように、疾風と名付けられた犬は、ゆっくりと、慈《いつく》しむように笑子の顔を嘗《な》めている。

「このところ、安定していますから、心配はないと思うんですがね」

自分も疾風に触れてみたいと思いながら、船津は、よく日に焼けた顔をほころばせている男に近付いた。

「それにしても、犬の力っていうのは、すごいもんですね。僕らが何をしたって、笑子さんは、あんな笑い方はしないのに」

笑子の父親は、言葉の少ない、腰の低い男だった。彼は、大きな飼い犬にしがみついている娘を眺めて、ひたすら穏やかに微笑《ほほえ》んでいる。だが、その横顔には、確実に年月が刻み込まれていた。皆の上に等しく流れる月日だが、それにしても、今回はまた、ずいぶん疲れた顔をしていると、船津は思った。

「えみちゃん、よかったわねえ。これから一週間も、疾風と一緒にいられるんだって」

担当の看護婦に声をかけられて、笑子はますますはしゃいだ声で「うん」と頷いている。だが、一週間という感覚は、笑子の中にはないはずだった。会話としては成立していても、実際にその内容を理解していることにはならない。

「ねえ、えみちゃん。私にも、疾風に触らせてくれる?」

もう一人の看護婦が、哀願するような口調で言った。分裂病の患者とは異なり、どことなく愛嬌《あいきよう》があって明るい笑子は、普段から、スタッフの間ではなかなか人気がある。しかも、これだけ立派な大きな犬を従えているところなどは、一見すると健康な人間と変わりがなく見えた。

「はやてが、いいって言ったらね」

「あら。じゃあ、えみちゃんから頼んで、ね?」

仕事を忘れているかのような、犬好きの看護婦に言われると、笑子は嬉《うれ》しそうに父親の方を見上げた。細やかさや柔らかさには欠ける代わりに、半ば芝居がかっているかのような、単純な笑顔を向けられて、船津と向き合っていた彼女の父親は、ゆっくりと頷いた。

「はやて、看護婦さんと遊ぼっか」

その犬の耳は、普通の犬のものよりもずっと大きくて肉厚だった。体毛は密生しており、いかにも賢そうに、常に少しずつ角度を変えて、周囲の情報を集め続けている。笑子が囁《ささや》きかけると、疾風はその耳と一緒に小首をも傾《かし》げて、それから長いふさふさの尾を振った。

「大丈夫です、おとなしいですから」

笑子の父親に言われると、看護婦たちは嬉しそうに疾風の周りに集まった。そして、恐る恐る犬に触れる。疾風とは、うまく名付けたものだと思いながら、船津も、出来るだけさり気なく犬に近付き、その鼻面《はなづら》をそっと撫でてみた。初めて見た頃は、咬《か》まれるのではないかと怖かったのだが、この犬は、猛々《たけだけ》しい外見とは裏腹に、実に辛抱強く、おとなしかった。

「お前がいてくれて、助かるよ。笑子さんを、よろしくな」

船津を覚えているのかどうかは分からない。だが、いかにも賢そうな、考え深げな目で見つめられて、船津は思わず、人間に向かうような挨拶をした。その間も、笑子は看護婦たちと一緒になって、疾風の背や胸を撫で続けている。これだけ大勢の人間に弄《いじ》くられながらも、疾風は実に泰然と、悠然とその場に座り続けていた。犬の方が、はるかに分別のある大人に見える。

「いつも感心するんですが、これだけしつけるのは、大変でしょう」

「――人間より、よほど楽かも、知れません」

さり気なく言った台詞には、そんな答えが返ってきた。普段から感情の起伏の少ない男だが、その横顔は、やはりいつもより疲れているようだ。他に面倒を見る人間がいるわけではない。たとえ、どれほど役に立つとはいえ、犬には家事は任せられない。父親の体調が優れないのならば、無理に笑子を連れ帰るのは、やめておいた方が良いのではないかと、船津は考えた。だが、ここで、そんなことを言ったところで、この父親がおとなしく引き下がるとも思えない。笑子だって、何日も前から、今日を楽しみにしていたのだ。

「先生とお父さん、まだ、お話する？」

ふいに笑子が顔を上げた。せっかく現れた患者の父親に対して、少しは話をするべきかと考えた船津は、「ちょっとな」と答えた。視界の片隅で、笑子の父がほっとした顔になったのが見えた。

「じゃあ、じゃあ、あっちで遊んでても、いい？」

笑子は嬉しそうに立ち上がり、病院の庭に設けられているグラウンドの方を指さす。笑子自身は、聞き分けのないところもあるのだが、この犬が一緒の時には、船津も特に心配はしなかった。なぜなら、笑子の父親が、少しでも呼べば、疾風は、それこそ風のように、空を切って舞い戻ってくるのだ。自然に、笑子も駄々をこねなくなる。

「お父さん、お父さん、はやての、あれ、出して」

笑子にせがまれて、父親はワゴン車の中に積んであった、赤いボールを取り出してきた。笑子は嬉しそうに笑いながらボールを受け取ると、覚つかない足どりで、グラウンドに向かって走り出した。

「疾風、いけ」

父親が、半ば厳かに聞こえる声で言った。すると、それまで一カ所に座ったまま、微動だにしなかった疾風は、素早く立ち上がって、飛ぶように笑子を追い始めた。何度見ても、実に大したものだ。それに続いて、看護婦たちまでがグラウンドに向かっていった。

「声帯を、取ってあるんですか」

瞬《また》く間に笑子に追い付き、長い尾を振りながら並んで行く犬を眺めながら、船津は何気なく聞いてみた。笑子の父親は、一瞬怪訝《けげん》そうな表情になり、それから「とんでもない」と言うように首を振った。

「疾風の、というよりも、オオカミ犬の特徴なのかも知れないんですが、とにかく、無駄吠《ぼ》えをしないんです」

「弱い犬ほどよく吠えるっていうのは、ありゃあ、本当なのかな」

「確かに、大型犬でうるさく吠える犬は、多くはないですね。シェパードなどは、よく吠える方だと思いますが」

「でも、まったく吠えないんだったら、番犬にはならないんじゃないですか」

「ならないですね。人間の役に立てようなんて思ったら、いけない奴《やつ》なんじゃないでしょうか。あれは、自分の意志で動く生き物なんです」

この男は、犬の話をしているときだけは饒舌《じょうぜつ》になる。表情すらも生き生きとしてくるのだ。現在は、これだけ懸命になって娘の元へやってくるのだから、非難することも出来ないし、その立場にもないと思うが、犬に注いでやれる、その半分の愛情でも娘に注いでやってくれていれば、笑子の人生は、まったく違うものになっていたのではないかと、船津は、これまでにも幾度となく考えたことを、再び思い出していた。遺伝的負因があるわけではない、何もしていないのに発病してしまったわけでもない。薬物にさえ手を出さなければ、笑子は、ごく普通に生きていかれた娘なのだ。

「笑子と、同様ですわ。役に立つとか、立たないとかじゃあ、ないんです。家族ですから」

グラウンドで、ボールを追いかけながら走るオオカミ犬は、遠目に見ても、やはり大きかった。第一、その躍動的な走り方が、普通の犬とまるで違うと思う。船津自身、疾風を見てからというもの、もしも条件が整ったなら、自分も是非ともオオカミ犬のオーナーになってみたいと思うようになっていた。第一、この親子以外には、まったく関心を示さず、なつこうともしない、その姿勢が良いのだ。よくしつけられているし、飼い主に命じられているから、他の誰に触られても怒りもしないが、あの犬が、この男以外の言うことなど、聞く耳すら持っていないことを、船津はよく承知していた。

「そろそろ、一度、退院してみませんか」

船津が切り出すと、彼は驚いたようにこちらを見た。

「——大丈夫、なんでしょうか」

嬉しさよりも当惑。無理からぬことだ。

「疾風と一緒にいるときの方が、元気だということを考えると、その方がいいんだろうかとも、思うんです。勿論《もちろん》、症状の点では、この何年も、それほどの変化があるわけでもありませんし、とにかく、一つのことを続けるという作業が、まだ無理ですからね、お父さんがお一人で暮らしておいでのことを考えれば、難しい選択かなとは、思いますが」

船津の言葉に、男は深々とため息をつき、何かを考える顔になった。

「勿論、すぐに、というわけではありません。ご家庭の事情もおありでしょうし、こちらとしては、何も追い出そうというわけでは、ないんですから。ただ、彼女が望むなら、そして、今以上に、誰かに迷惑をかけたり、問題を起こしたりする心配がないのならば、少しでも、外の空気を吸わせてあげたい気も、するんですよね」

「ですが、笑子はまだ、開放病棟にも移れないんですよね」

「それは、疾風に会いたくて、脱走するからです」

「――」

「疾風と一緒にいれば、脱走する理由もないじゃないですか。まさか、今さら昔の生活に戻ろうなんて、彼女だって露ほども考えてなんか、いませんよ」

それでも、父親の表情は曇ったままだった。笑子の、必要以上にはしゃいだ笑い声が聞こえてくる。グラウンドの方を見ると、ちょうど彼女がボールを投げようとしているところだった。全体に締まりがなく、遠目に見ても、ふわふわと頼りなく見える笑子と向かい合って、しきりに尾を振っている灰色の生き物は、まさしく笑子のボディガードに見えた。彼女が、どれほど見当違いな方向にボールを投げようとも、疾風は見事な跳躍を見せて、瞬く間にボールに追い付き、くわえて戻ってくる。たとえ、途中で看護婦の誰かが名前を呼んだり、または背中に触れようとしても、疾風には笑子以外は見えていないかのようだった。そして、その一方では、絶えず飼い主である父親の方に注意を向けていることも、船津には見て取れた。

「それにしても、滅多に会わないのに、あの二人は本当に仲がいいんですね」

「疾風の方が、大人なんじゃないでしょうか。自分が笑子を守らなければいけないと、心に決めているみたいなところが、ありますね。私と二人の時は、気軽な男所帯なのに、たまにあれが戻ってくると、疾風なりにサービスしているつもりにも、見えますしね」

彼の日に焼けた横顔は、言葉とは裏腹に、どこか切なそうに、淋《さび》しそうに聞こえた。船津は、「なるほど」と頷《うなず》いて見せながら、何故《なぜ》だか急に、切ない気分にさせられた。

「あっ、えみちゃん、やめなさい！」

「えみちゃん、疾風が可哀想《かわいそう》！」

ふいに、看護婦の声がした。反射的に視線を動かすと、小脇《こわき》にボールを抱えて、仁王立ちになっている笑子が、疾風の耳の辺りに手を伸ばしている。

「そんなことしたら、疾風が痛いって」

「えみちゃん、放してあげて！」

大方、疾風の耳の辺りを捻《ひね》っているのかも知れなかった。ちらりと隣を見ると、だが、父親の方は落ち着いた表情のままで、黙って様子を眺めているだけだった。疾風からは、何の声も発せられない。やがて、船津が眺めているうちに、彼女は再び疾風に抱きついた。そのまま、グラウンドに倒れ込んでいる。横倒しにされ、首に抱きつかれたまま、疾風はそれでも黒から灰色までの、微妙な色合いの長い毛に包まれた尾をゆっくりと振り続けている。船津は、心の底から感心した声を上げた。

――信じあってる。お互いに。

それが、よく分かった。一見すると、笑子が一方的に我儘《わがまま》をぶつけているように見える。だが、ああいう扱いを受けることを、疾風自身も喜んでいるように見える。彼女の全《すべ》てを、自分の全身で受け止めることが、疾風にとって、まるで至上の幸福であるかのように見えてくるのだ。

「あの犬がいてくれる限り、退院しても、大丈夫なんじゃないかと、思うんですがね」

船津は、再び話題を戻した。だが、父親の表情は相変わらず不安そうなままだった。

「ただ、日中は私にも仕事がありますんで、そうなると――」

「まあ、すぐに結論を出さなければならないわけでもないですから、少し、考えてみていただけませんか」

彼は、わずかに硬い表情で「分かりました」と頷いた。そして、疾風の方に向かって「こーい!」と呼ぶ。その途端、それまでは笑子のことしか眼中になかったような疾風が、弾《はじ》かれたように振り返り、一目散にこちらに向かって走り始めた。正面から見ていると、そのまま襲いかかられるのではないかと思うほどの迫力だ。だが、疾風は飼い主の前まで来ると、ぴたりと止まってすぐに「お座り」の姿勢をとり、ひたすら尾を振っている。

「お父さーん、もう帰る？」

「ああ、帰るよ！」

「えみこも帰るっ！」

　二六歳になっている笑子は、昨日、船津に言われた通りに入浴したらしい。髪も綺麗《きれい》にとかされ、ピンク色のゴムで結わえてもらって、彼女はよたよたと、それでも嬉《うれ》しそうに走って戻ってきた。黄色いカーディガンと、グリーン系のチェックのスカート。何もかも、この父親が買い揃《そろ》えてきたものだ。

「先生に、ご挨拶《あいさつ》しよう。来週、ちゃんと帰ってきますからって」

　父親に言われて、笑子はにこにこと笑いながら、船津に向かってしつこいくらいに何度も頭を下げた。その間、疾風は「ふせ」の姿勢のまま、黙ってこちらを見ている。そして、彼がワゴン車の後ろを開けると、命じられるまでもなく、自分から静かに車に乗り込んでいった。

「何かあったら、電話して下さい」

　車に乗り込んだ父娘《おやこ》に向かって、最後に船津はそう声をかけた。父親は微笑《ほほえ》みながら頷き、笑子は「はーい」と、まるで現実感のない返事をした。

「疾風、ばいばい！」

「またね、疾風！」

看護婦たちは、シートの間から顔を出している灰色の犬に向かってばかり、しきりに声をかけている。それでも笑子は、まるで気にも留めていない様子で、しきりに笑っていた。そして、車は走り出した。

「うう、寒い。さあ、入ろう！」

春が近付いているはずなのに、陽はすぐに翳《かげ》って、いつの間にか船津たちは建物の影の中に入っていた。病院の門を出た車は、既に見えなくなっている。思わず冷たくなった手に息を吹きかけようと顔に近付けると、枯れ草と獣の匂《にお》いがした。あの、冬の雲のような毛に包まれた、大きくて心優しいオオカミ犬の匂いだ。

――飼いたいよなあ、俺も。

そんなことを考えながら、疾風の匂いのついている両手をズボンのポケットに入れ、いつもの癖で、そこにある鍵《かぎ》の束を握りしめながら、船津は建物に入っていった。

4

警察犬の訓練所回りを始めて三日目の夜、その日も神奈川県内の警察犬の訓練所を訪ね歩いて一日を過ごし、貴子と滝沢は、大した収穫もないままに捜査本部に戻った。訪ねる場所が遠くなればなるほど、移動の時間ばかりがかかるから、仕方のないことではありながら、捜査の効率は悪くなっている気がする。白っぽい蛍光灯の光に照らされた本部は、煙草《たばこ》の煙と捜査員たちの疲れたため息がない交ぜになって漂い、ただでさえ殺風景な上に、何とも不健康な雰囲気に満ちていた。

——退屈な緊張感。

正直な話、捜査が長引くに連れて、貴子の中ではそんなものが育ちつつあった。確かに、緊張はしているのだ。事態は一刻の猶予《ゆうよ》もならない状況になっている。警察は、堀川一樹と吉井知永子を襲った相手が同一の大型犬であることは発表してあるが、二人の関係についても、襲ったのがオオカミ犬だとも言っていない。だが、マスコミはマスコミで連日のように独自の取材をして、様々な憶測を飛ばしては騒ぎ立てている。彼らの間では、「立川時限発火ベルト殺人事件」というカイミョウはなりをひそめてしまっていて、独自に命名した「殺人犬事件」という言葉の方が一人歩きを始める有り様だった。それに触発されて、市民からは様々な通報が殺到し、ひっきりなしに本部の電話が鳴るようになった。

いわく、うちの近所に最近野良犬《のらいぬ》が出るっていう話です。隣の犬が、これまでに何度も逃げ出しています。知り合いが、近所に回覧板を持っていって、そこの飼い犬に咬まれました。血の滴《したた》る肉片らしいものをくわえて歩いている犬を見かけました。いつも、大きな犬を飼っていた近くの家から、急に犬の姿が消えました。こっそり捨ててきたんじゃないかと思うんです。などなど。

その度に、本部ではそれらの情報の一つ一つについて、確認を取ることにはしている。だが、いとも簡単に、それらの糸は断ち切れた。犬の種類は？　と聞きさえすれば、事足りたのだ。コリーです。だめ。ブルドッグです。だめ。雑種だと思います。問題外。

一体、いつまでこんな緊張感に身をさらさなければならないのだろうかと思う。味方ではあっても、仲間にはなり得ないパートナーと、見知らぬ土地を訪ね歩き、最後にはどこにたどり着くのだろうか。今も、貴子の頭の中では、闇《やみ》の中を疾走するオオカミ犬のイメージばかりが繰り返して思い描かれている。より早く、より静かに、そして、最後には激しく――。

オオカミ犬の飼い主を当たっている捜査員たちは、口々に自分たちが見てきたオオカミ犬の話をしてくれた。迫力。存在感。美しさ。同時に感じられる、その繊細さ、臆《おく》病《びょう》さ、人見知り、神経質などの他に、憂鬱《ゆううつ》、頑固、包容力、柔和などといったバラエティーに富む性格。結局、オオカミ犬とは、人間と同じくらいに、その性格に個別の相違があり、個性が強いらしいということだ。人なつこい犬もいれば、がたがたと震えて小屋から出ない犬も、思慮深げな顔で、ただじっと捜査員を見つめていた犬もいたという。飼い主の命令通りに二人の人間を殺害した哀れなオオカミ犬は、一体どんな性格の持ち主なのか。犬というよりも、むしろ、一個の人格を備えた存在として、その性格を考える必要はないのか――。

いつだったか、貴子は上司から自分がトカゲであることを確認された。

オートバイを使って、秘密裡《り》に相手を追跡する任務。闇に紛れ、本性を隠して、ひたすら影のようにつきまとう任務。でも今、それが何の役に立つっていうの。まるっきり、イモリみたいに、毎日ぺたぺたと這《は》いずり回ってるだけだわ。

無駄足を恐れないこと、黙々と同じことを続けられるだけの持続力があること、それが、刑事の条件だということは分かっている。それでも、焦燥感も緊張感も、全てが上滑りしている気がしてならない。集中力にしたところで、それほど持続できるはずもない。一点を見つめて、そこに向かって歩き続ければ良いとは言われるが、その点自体がぼやけているではないか。

思わずため息をつきそうになりながら、のろのろと捜査報告書を書く準備をしていると、勢い良く本部に入ってきた男が、他の連中が振り返る程に大きな声で滝沢を呼んだ。梅本という、やはりオオカミ犬担当の捜査員が、幾分興奮した表情で、大股《おおまた》に近付いてきた。

「すごいヒントになりましたよ」

「何が」

滝沢は、心底犬が嫌いらしい。訓練所まわりを始めてから、彼は極端に疲れた顔をするようになった。貴子に嫌味を言うどころか、貴子の方から何か話しかけたとしても、力のない相槌《あいづち》を打つ程度で、「うんざり」というよりは、むしろやっとの思いで貴子の後をついて歩いているという感じだ。本部に戻ってきても、とても以前のように肩肘《かたひじ》を張って自分で報告書を書く気分にもならないと見える。今も、火を点《つ》けたままの煙草を指先で長い灰にしながら、惚《ほう》けたように口をぽかんと開け、天井を見上げていたのに、梅本に呼ばれて、半ばぼんやりと、生気のない顔を梅本の方に向けた。

「いたんですよ、滝さんが言っていた通り。以前、山梨県警の鑑識課にいた男が、オオカミ犬の飼い主の中に。警察犬の訓練を担当していたそうです」

それまで、何を考えようにも霞《かすみ》がかかったようにぼんやりとして、報告書の書き出しすら考えつかなかった貴子の頭は、そのひと言を聞いた瞬間に澄み渡った。思わず身体《からだ》を捻って梅本の方を見ると、彼は近所の八百屋の親父《おやじ》のような、取りあえずは商売用だが気さくに見える笑顔を浮かべて、貴子に向かっても頷いて見せた。既に本部に戻っていた、他のオオカミ犬担当の捜査員たちも集まってくる。

「いやあ、苦労したんです。というのも、例の、輸入元から入手したリストには載ってない名前でした。日本で繁殖させたオオカミ犬を買ってたんですね。それも、元々の飼い主から直接ではなくて、仲買人みたいな存在がいて、そこから買ってるんですから、なかなか分からなかったはずです。ほとんど偶然でしたよ、その仲買人が見つかったのは」

梅本は四〇前後というところだろうか。人の好《よ》さそうな丸顔の小柄な男で、そこまで言うと、荒れてひびが入っている唇をわずかに嘗《な》めながら、小さく深呼吸をした。梅本と組んでいる、貴子と同年代の刑事が、後からついてきて、「仲買人っていうか、本職はブリーダーらしいんです。他の犬のね」と口を挟んだ。梅本は、そうそう、と言わんばかりに細かく頷いた。

「あの、犬な」

「ハスキーです」

「そうそう、シベリアン・ハスキー」

その呼吸が、よく合っている。二人とも陽に焼けて、目尻《めじり》に深い皺《しわ》が寄っており、何となく雰囲気も似ていた。理想的なコンビの姿。滝沢に先を促されて、梅本は今度は下唇の皮を前歯で器用に噛《か》んで引っ張りながら「ええ」と一人で頷いた。片方の頬にえくぼが出来た。

「くさいですね。と、いうのも、高木勝弘《かつひろ》という男なんですが、一二年前に山梨県警を巡査部長で退官して、その後の居所がはっきりしないんですな。退官の理由は一身上の都合ということなんですが、山梨県警の方に問い合わせてみたところ、家族に病人が出たとか、そんなことだったらしいんです」

「——家族に病人、ねえ」

それならば、別に不自然な理由ではないと思う。一二年前というのも、またずいぶん昔の話だ。それでも、退官した警察官がオオカミ犬の飼い主の中にいたというのは、やはり貴子にとってはショックだった。もしかしたら、という気持ち、「やった」と喜びたい気分を、他の感情が押し留めている。

「ああ、それに——」

思わず声に出して呟《つぶや》いていた。男たちが一斉に貴子を見た。

「一二年前っていうと——原照夫たちが、つるんで遊んでた頃っていうことです」

数人の仲間が「なるほど」と言うように頷いた。貴子は、わずかに緊張が高まってくるのを感じながら、目まぐるしく頭を働かせた。六本木の夜。遊び回る子どもたち。元警察官。復讐《ふくしゅう》。復讐——。

「訓練士としての技術は、確かなものだったという話です。まだ、的が絞り切れているわけではないですから、それ以上に詳しいことは聞いていませんが。とにかく、その仲買人が、高木にオオカミ犬を売ったのが、かれこれ三年半ほど前のことらしいんですね、オスの仔犬《こいぬ》を売ったということでした。奴《やつ》は、自分の職業については、あまり詳しい話をせず、警察官だったことも言わなかったようですが、犬の訓練ならば自分で出来ると言っていたそうです」

梅本は、半ば興奮気味に、半ば得意げにそれらの話をして聞かせた。だが、高木勝弘の名前が浮かび上がってきたのが、ついさっきだという話で、現在の居所や職業については、これから調べなければならないらしい。

「何で、居所がはっきりしないんだ」

「県警に勤めていた頃は、甲府市内に女房と三人の子どもと暮らしていたらしいんですがね、小さい一軒家に。その家は、警察を辞めた直後に引き払っています。移転先を知る者は、今のところ分かっていないんですが、とにかく三年半前にオオカミ犬を買った当時は、仲買人に神奈川県の藤野町に住んでいると言っていたそうです。ただ、その後すぐに連絡が取れなくなったと言うんですな」

「藤野町って、相模湖《さがみこ》の方か」

滝沢の言葉に梅本はまだ興奮したままの表情で頷いた。

「いくつだい、その高木勝弘ってえのは」

「山梨県警を辞めたときが、ちょうど四〇だったっていう話ですから――」

「五二、か」

「というところでしょう」

四〇で警察官を辞めた男が、その後、どんな人生を歩んでいるのかと思うと、貴子はあまり明るい気分にはなれなかった。普通のサラリーマンだって、その年齢で職業を変えるというのは相当に苦労のいることだと思う。それが、つぶしのきかない警察官ではなおさらだ。もちろん、中には警官時代に培《つちか》った技能を生かして、見事な転身をはかる者もいないわけではない。たとえば、暴力団担当のデカが、そっちの用心棒的な職につくとか、知能犯担当の帳簿のプロが、ブローカーになるなどという話は、別段珍しくもない。

「ひょっとすると、ひょっとするかもな。やったじゃないか」

滝沢の顔に、わずかに生気が戻ってきた。貴子は、初めて捜査線上に具体的な氏名が上ってきたことよりも、滝沢が、滝沢らしく見えてきたことに、内心でほっとしていた。いやだ。冗談じゃない。どうして、こんなペンギン親父が元気になることを喜ぶのよ。

「いや、滝沢さんたちが、警察犬協会やら輸入元やらを回って下さったお陰ですよ。結局は、あのリストからたどって、やっと見つけたんですからね」

「だとしたら、音道の手柄だな。とにかく、熱心だからなあ、オオカミ犬のことには」

滝沢が、そう皮肉っぽくも見えない笑みを浮かべながら言った。意外な褒め言葉を与えられて、貴子は、どういう反応をすれば良いか分からなくなり、ただ曖昧《あいまい》に笑った。その時、背後から聞こえよがしに「あーあ」という声が上がった。

「いいよなあ、オオカミ班は」

貴子と滝沢を取り囲むような形で集まっていた捜査員たちは、一斉にそちらを見た。薬品と時限装置を捜査している担当が、やはりオオカミ班と同じようにひと固まりになって、何となく陰鬱な表情でこちらを見ている。

「そっちは、収穫なしかい」

梅本が、気さくな口調で声をかけた。頭の後ろで両手を組み、パイプ椅子《いす》の背もたれに身体を預けて、大きく伸びをしていた男が、ふうっと息を吐き出した。

「くる日もくる日も、だ。なあ、音道さん」

「あ、はい」

これまで、一度も口をきいたことのない、滝沢と同年代の、妙に色白の捜査員が、柿《かき》の種のような目でこちらを見た。

「オオカミ犬ていうのは、普通の犬よりも優秀なんですよねえ。うちらの警察犬よりもさ」

「訓練次第では、そうなる可能性があるらしい、ということみたいですが」

名前は知らない。だが、その柿の種は、一目見て貴子の嫌いなタイプだった。見るからに神経質で計算高そうな印象。ねちねちと、しつこそうな雰囲気。第一、毎日太陽の下を歩いているとも思えない程の、その白い肌が気に入らない。貴子の答えに、彼は「なるほどねえ」と頷《うなず》いた。大きく、ゆっくり、ロッキングチェアーで身体を揺するみたいに、わざとらしく。

「せめて、オオカミさんが、こっちの薬品まで嗅《か》ぎ出してくれてりゃあ、ありがたいんだがなあ」

捜査が長引けば、愚痴も増える。個人の手柄よりも、とにかく全員の力で事件を解決することが目的だとはいえ、自分たちの気持ちが沈滞しているときに、すぐ脇《わき》で明るい話題を聞かされるのは、あまり愉快でもないことだろう。それくらいは、貴子にも分かった。

「なあ、滝さんさ」

柿の種は、指先でボールペンを弄《もてあそ》びながら、今度は滝沢を呼んだ。貴子の隣で、滝沢のいつもの「なんだい」という野太い声が響いた。

「ちょっとはさあ、あんたの運を分けてもらいてえな」

「俺の運?」

「だって、そうだろう? ツキ過ぎなんじゃないの? 一日じゅうさあ、綺麗《きれい》なお姉さんと一緒に過ごして、手柄も立てて、もう、言うことなしだろう」

貴子の心臓が反射的に鼓動を速めた。額の辺りから、すっと血の気の退《ひ》くのが自分でも分かった。

「これで、ワンちゃんが捕まったら、もう言うことなしじゃん、なあ? だけどさあ、時限ベルトの方は、どうなっちゃうんだろうねえ。本部の名前、変えるべきなんじゃ、ないのかね」

「おい、金井――」

滝沢は、柿の種の名前を知っているらしい。金井と呼ばれて、彼は「冗談だよ、冗談」と卑屈な笑みを浮かべたが、不快そうな表情は変わらなかった。怒るんじゃないと、貴子は自分に言い聞かせて捜査報告書に向かおうとした。彼らの言いたいことも、よく分かるのだから。貴子だって、手応《てごた》えのある日々を過ごしているとは言いがたいのだから。ちらりと梅本を見ると、彼は下唇の皮を引っ張りすぎたのだろう、唇にわずかに血を滲《にじ》ませて、少しばかり気まずい顔になっていた。

「いいよなあ。むさ苦しい野郎と一緒に、白い粉を探し回るより、いちんちじゅう、若い女とどこに行ってるんだか知らねえけどさ――」

「金井っ」

「いいって、いいって。ちゃんと、やることはやってんだ。誰も文句は言いはしねえよ、なあ」

「やることは、ね」

金井の傍にいた他の捜査員が、そう言うとくっくっと笑った。貴子は、報告書に向かって俯《うつむ》きながら、顔が真っ赤になっているのが分かった。駄目。ここで怒ったりしたら、相手の思う壺《つぼ》なんだから。こんなことくらいで、いちいち動揺する私じゃない。必死で自分に言い聞かせているときに、「あんたさあ」という滝沢の声がした。また、何かの文句を、今度は人前で言われるのかと思ったら、滝沢は「金井さんよ」と続けた。

「俺の相方を動揺させるようなこと、言うなよ、な？　俺はいいけど、こっちは女なんだから」

「よう、いいねえ。大事な大事な相方を庇《かば》うってか。滝さんも、いいとこあるじゃない」

「八つ当たりしたい気持ちも分かるけどな、下衆《げす》の勘繰りは、それくらいにしとけよ。あんたの品性ってのを疑われるぜ」

本部には、続々と他の捜査員も集まり始めていた。広い本部の片隅での、比較的大きな声でのやりとりに、何事かと足を止める者もいる。にやにやと笑いながら、冷やかし半分に「やくな、やくな」などと声をかける者もいた。

「品性なんか、最初から持ち合わせてねえなあ、俺ぁ」

「そいつあ残念な話だな。だったら、せめて人を見る目くらいは、持ち合わせてるんじゃないかい」

「ああ。あんたらが、品行方正な紳士と、お上品な淑女に見えるよ。秘密の匂《にお》いをぷんぷんさせてるな」

金井が、口の端を歪《ゆが》めながら吐き捨てるように言い、滝沢が席から立ち上がろうとしたとき、脇田課長が本部に入ってきて「始めるぞ」と声をかけた。あちこちで咳払《せきばら》いが聞こえ、男たちは自分の席に戻って、やがて静寂が満ちた。貴子は、隣の滝沢が今にも爆発しそうな程に怒っているのを肌で感じていた。

「――すみませんでした」

小声で囁《ささや》くと、だが、「しっ」という鋭い声が返ってきた。滝沢は、怒りのために赤黒く見える顔を真《ま》っ直《す》ぐに前に向けたまま、「俺に話しかけるな」と囁いた。

「そういう仕草の一つ一つが、見られてんだよ」

滝沢は、荒々しく何度も息を吐き出し、必死で冷静になろうとしているようだった。貴子は、今に始まったことではないにしても、なんと面倒な連中に囲まれていることかと、改めて痛感していた。誰と組むことになっても、似たようなものだったろう。あの柿の種と組んでいたら、隣の滝沢が今のような嫌味を言っていたかも知れないのだ。それが、この社会だった。女で良かったと思うことなど、ほとんど全くといって良いほど無い。悔しさを通り越して、情けなさ腹立たしさも通り越し、ただただ呆《あき》れるばかりというところだ。

「――例のマンションの、他のテナントですが、大方は移転先が決まった模様です。ただ、未《いま》だに立ち退《の》きに関してもめているところがあると聞きました。どうも、立ち退き料を請求しているという話でして――」

捜査会議は、まず時限発火ベルト事件関連の報告から始まった。とにかく、手がかりの欲しい捜査員たちは、考えつく限りのあらゆる方向から、原の周囲を探り続けている。貴子が地元の聞き込みから薬品の捜査に移り、オオカミ犬に移った今も、代わりに地道な捜査を続けている者がいる。

「オオカミ犬の一件は、堀川一樹、吉井知永子のことも含めて、復讐目的の犯行であるとしても、原が焼死した件については、やはり同一犯による犯行ではなく、別のホシが存在すると考える方が妥当かと思われます」

「そりゃあ、堀川や吉井の襲撃が、オオカミ犬で成功していることを考えれば、どうして原だけ失敗したのか、そっちの方が不思議なくらいだもんな」

「他に動機を持っている人物も浮かび上がってこない現在、原が死んだことで、直接的にであれ、間接的にであれ、利益を被《こうむ》る存在、得をすると思われる存在の洗い出しに、焦点を当ててみる必要があるのではないでしょうか」

――原照夫。全《すべ》ての発端だった、哀れな焼死体は、もう故郷に引き取られていったのだろうか。ニヒルな笑顔を売り物にしていたに違いない男が、過酸化ベンゾイルとオオカミ犬とを結ぶ、唯一《ゆいいつ》のパイプだ。だが、今の貴子には、彼が燃え、のたうち回りながら死んだことさえ、ひどく昔のことのように思われた。退屈な緊張感。もう、いや、そんなこと、どうでもいいじゃないと、言いたくなりそうな衝動。あーあ、いやになっちゃったと、放り投げたくなる誘惑。そんなものを抱えながら、貴子はとにかくメモをとり続けていた。バイクでひとっぱしり、海でも見に行きたかった。

5

意識の彼方《かなた》で、けたたましいベルの音が聞こえている。布団《ふとん》から手を出し、無意識のうちに闇《やみ》を探って、やっとひんやりと冷たい固まりに触れる。だが、どこを触っても、叩《たた》いても、ベルの音は止《や》まない。

「——なんで?」

貴子は、目をつぶったまま眉《まゆ》をひそめ、呻き声を洩《も》らしながら、その固まりを握りしめた。その感触は、夢ではない。そう思った瞬間、貴子は目覚まし時計を手放し、ベッドから半身を起こして電話に手を伸ばした。

「お疲れのところ、すみません。脇田課長からの連絡です」

声に聞き覚えはなかった。通常、機捜隊員には、緊急の呼び出しがかかるということは、まずないのだが、脇田課長の名を聞けば、捜査本部に関わる件であることが分かる。貴子は、半分以上覚醒《かくせい》していない頭を、必死で働かせようとした。

「音道巡査ですよね」

　ご苦労様とでも言わなければならないのだが、声がかすれていて上手に出ない間に、向こうの声が言った。

「三時間ほど前に火災がありました。現場に臨場して欲しいということです」

「——火災、ですか」

　幾度か咳払いをして、ようやく声が出ると、貴子は完璧《かんぺき》にベッドの上に起き上がり、闇の中で目を凝らした。時計を見るまでもなく、夜明けには、まだ間があるらしい。改めて質問する必要はなかった。一連の事件に関係しているからこそ、連絡が入ったのだ。だが、まだぼんやりしている頭では、それ以上に何を考えることもできなかった。

「同じ班を組んでいるのは、滝沢巡査部長ですね」

「はい」

「これから、まだ連絡しなければならない人がいますので、お手数ですが、滝沢さんには音道さんから電話を入れてもらえませんか。番号はご存知でしょうか」

「はい——ああ、いいえ」

　答えながら、慌《あわ》ててスタンドのスイッチを入れ、ベッドから抜け出してペンを用意する。その時になって、やっと目覚まし時計の文字盤が目に入った。午前四時二〇分。確か、ベッドに入ったのが一時過ぎだから、三時間は眠れたことになる。大丈夫だ。貴子は、恐らくデスク要員の誰かと思われる声が読み上げる電話番号を控え、復唱をして確かめると、改めて現場の位置を聞いた。

「昭島市《あきしま》拝島町《はいじま》――はい。中央高速で、八王子のインターで下りるんですね。一六号線を北――というと、横田基地の方ですか」

「そこまで行きません。新奥多摩街道とぶつかるところを左折して、すぐです」

おおよその位置は頭の中で描くことが出来た。多摩川を渡ってすぐの辺りだ。貴子は、現場の住所を再び復唱し、電話を切った。火事だという。何が、どんな風に燃えたのだろうか。また人間から出火したのか――。ベッドに腰を下ろし、ほんの少しだけぼんやりとした。もう一度、枕《まくら》に頭を戻したい誘惑を振り切るのには、多少の勇気が必要だ。頭を後ろに反らして背筋を伸ばし、一つ深呼吸をすると、貴子はやっと、戻したばかりの受話器に手を伸ばした。たった今控えた電話番号をダイヤルする。三回半ほどのコールの後で、「もしもし」という声が聞こえてきた。か細い、少女の声。

「あの――」

一瞬、言葉を失ってしまった。だが、一〇代と思われる少女の声は「滝沢ですが」と言った。貴子は慌てて名前を告げた。

「いつも、お世話になっております。少々お待ち下さい」

いかにも慣れた口調で言う声を聞きながら、貴子は自分が奇妙に緊張しているのを感じていた。受話器の向こうに広がる滝沢の家庭。母親のいない家。訓練された子ども——。肩で受話器を挟み込み、寒さの中でパジャマのボタンを外しながら、貴子は保留の時に流れるオルゴールを聞いていた。あの皇帝ペンギンも人の子の親なのか、しかも女の子の。そう思うと、何となく不思議な気分になる。オルゴールは同じ曲を繰り返している。埴生《はにゅう》の宿。その曲名を思い出すくらい、ずいぶん何度も同じ曲を聴いた後で、ようやく「もしもし」という声が聞こえてきた。

「夜分、すみません。音道です」

「——ああ」

初めて受話器を通して聞く相方の声は、実際よりもさらに低く、呻《うめ》くように聞こえる。まるで、未知の男と話しているような感じだった。電話だからか、寝起きだからだろうかと考えながら、貴子は手短に用件を伝えた。

「あんた、どうやって行くつもりだ」

「この時間ですから、自分の車で行きます」

「——だったら、途中で拾ってってもらえねえかな。俺ぁ、ちょっと——運転できそうにないんでね」

滝沢の声は、ひどく嗄《しわが》れていた。貴子はようやく合点がいった。今夜も、飲んだのだ。喉《のど》がつぶれる程に飲んで、その酔いが、まださめていないのに違いない。

「近くの駅まで来てもらえれば、いい」

　金井とのやりとりに腹が立ったからか、それとも貴子と組まされたことが、今更ながらに気に入らないからか、とにかく相方の声は、普段のように力がこもっていない分だけ、ゆっくりと穏やかに聞こえた。受話器を置いて、大急ぎで着替えに取りかかりながら、貴子は、奇妙な気分になっていた。こともあろうに、どうして皇帝ペンギンを迎えに行かなければならないのだと思う。決まってるでしょ、相方だから。

――ひょっとして、それだけ私を認めたっていうこと？

　つい数時間前、あの、柿の種のような目をした金井に向かって、もう少しで摑《つか》み掛かりそうな顔をしていた滝沢の顔が思い浮かんだ。あの怒りは、自分自身の為《ため》だったのか、それとも貴子を庇ってのことか――。

　駄目だめ。油断は禁物。骨の髄まで、どっぷり男社会に浸《つ》かって生きてきたような人間が、おいそれと考えを変えるはずがない。滝沢は、痛くもない腹を探られたことに、女と組んだばっかりに、不必要に目立たなければならなくなったことに腹を立てただけだ。そう思っていた方が安全だ。

　電話を受けてから一〇分後、午前四時三〇分に、貴子は着替えと簡単な化粧を終え、靴を履いた。外へ出ると、意外なことに雪がちらついていた。夜明け前特有の静寂だとばかり思っていたものは、雪の朝ならではのものだったらしい。舗装されているところは濡《ぬ》れて黒く光っているだけだったが、小さな植え込みの周囲や一戸建ての家の屋根が白く見え始めている。これでは、眠気もさめるというものだ。貴子は、急いで閉めたばかりの玄関のドアに鍵《かぎ》を差し込み、傘をとってから、改めてドアを閉めた。しんと静まり返ったマンションの通路に、鉄の扉の大袈裟《おおげさ》な音、それに続いてひそやかな施錠《せじょう》の音が響いた。

マンションのすぐ脇《わき》の月極《つきぎめ》駐車場にたどり着く頃には、眠気もすっかりさめていた。このところ、忙しさも手伝ってしばらく動かしていなかった貴子の愛車は、広い敷地のいちばん奥で、ひっそりと主人の到来を待っていた。その屋根にも、わずかに雪が積もっている。洗車の手間が省ければ良いと思いながら、素早く乗り込み、冷え切った空気の中でイグニッション・キーを回すと、待ってましたとばかりに機嫌良くエンジンがかかる。貴子は、数分間だけエンジンが暖まるのを待ち、その間にルーム・ミラーを覗《のぞ》いて口紅を塗った。大丈夫、目が少し充血しているけれど、目の下の隈《くま》は隠れているし、それほど眠そうな顔もしていない。

CDのスイッチを入れ、ゆっくりとアクセルを踏むとき、ふと思い出したことがあった。確か、ずっと以前にも、こうして夜明け前に車で出かけたことがある。何かに急《せ》かされるように、慌てて出かけたのは同じだけど、あれは、仕事じゃなかった。

「ああ——そうだった」

夫を迎えに行ったのだ。確か、彼の方に緊急の呼び出しがかかって、何かの用事で実家に戻っていた夫を、急いで迎えに行ったのだった。自分だって疲れていたのに、そんなことにはお構いなしで、パジャマの上にカーディガンを羽織って——そんなこともあった。結婚して間もない頃の、愚かしいほど一生懸命で、そんなことさえ嬉《うれ》しくてしょうがなかった時代。

水気を含んだ重い雪らしかった。軽い雪のように、ふわりとフロントグラスを撫《な》でるように避けていくこともできず、べたりとはりついてくる。ワイパーが、それを雫《しずく》に変えて振り払う。流れているのは、雪には似合わないような気がするシャーデーの最初のアルバム。見かけないと思ったら、ここに入れっ放しになっていたのだ。何をしても、何を聴いても、どこかの記憶につながっていく。それが、年を重ねていくということなのだろうか。思い出したくもない風景ばかりを、自分のうちにため込むのが人生だというのか——。

道路は空《す》いていた。貴子は、過去の風景を振り切るように、思いきりアクセルを踏み続けた。雪は、アスファルトの上に降ると、すぐに解ける程度のものだった。お陰で三〇分はかかるだろうと思っていたのに、滝沢の指定した場所に着いたのは、五時一〇分前だった。電車も動いておらず、人気もない小さな駅前のロータリーには、客待ちのタクシーの姿さえ見あたらない。CDを切り、スピードを落としてロータリーを徐行で回ると、ヘッドライトが丸っこい人の姿を浮かび上がらせた。待ち合わせの時刻よりも早く着いていたらしい滝沢は、貴子が軽くクラクションを鳴らしたのを合図のように、それまでくわえていた煙草《たばこ》を投げ捨てた。

「あれから電話で確認をとった。ホトケが一人出てるらしい」

お早うでも、ご苦労さんでもなく、助手席に乗り込んでくるなり、滝沢は言った。その途端に、酒の匂いが車内に満ちた。やっぱり。貴子は、後ろの席の窓を細く開けながら車をスタートさせた。

「人が燃えて、オオカミが出て、ついに、あか猫だ」

「あか猫、ですか」

ハンドルを握りながら、ちらりと隣を見て、貴子はおや、と思った。乗り込んできたときには、よく見なかったのだが、今朝の滝沢は、声ばかりでなく、顔つきも違っている。流れ込んでくる街灯の明かりだけが頼りだから、確かなことは分からないが、視線を前に戻しながら、貴子は、さては誰かに殴られたな、と思った。

「あか猫——知らねえか」

「あ、はい」

「よく、言ったんだがな。あか、とか、あか猫とかなあ」

「あの、どういう——」

「放火魔のことだ。最近は、そういう符丁も、使わなくなったな」

　貴子は、はあと相槌《あいづち》を打ちながら、どうしてあか猫なのだろうかと思った。甲州街道を西に下り、調布のインターで中央高速に乗る。貴子は再びアクセルを深く踏み込み、一気にセンターラインに寄って、追い越し車線に入った。雪が、勢いを増してきた。ワイパーを避けて、生き物のように踊り狂っている。

「放火なんですか」

「聞いたところじゃな」

　相変わらず酒臭い。だが、声は嗄れているものの、滝沢の口調は普段よりも柔らかい。

「当然、何らかの関係があるんだろうから、また、例の薬品かもな。だが、それで俺らを呼ぶかね」

「検証は、明るくなってからですよね」

「それに、俺らは今、オオカミ担当だ」

　貴子は、にわかに緊張が高まってくるのを感じた。東京をわずかに西に移動しているだけなのに、雪の降り方は本格化してきている。もう少し降ったら、チェーン規制が行われることだろう。それにしても、仕事でこの道を通ったことが、これまでにあっただろうか。

「あんた、結構荒っぽい運転するんだな」

わずかな沈黙のあと、滝沢が呟《つぶや》いた。

「あんまり荒っぽいと、振動で酔いが戻ってきそうだ」

滝沢にしては珍しく、それは弱音に聞こえた。貴子は、さほど小さな車でもないのに、奇妙に窮屈そうに助手席におさまっている相方を横目でちらりと見た。やはり、顔が腫《は》れている。口の横と、頬骨のあたり。もしかしたら、口の中も切れているかも知れない。だから、口調が穏やかに聞こえるのか。

国立府中を通り過ぎると、瞬《また》く間に八王子の出口の標識が見えてくる。そこで高速を下り、一六号線を北に向かって、恐らく一〇分程度のところに、目指す家はあるはずだった。

「あか猫って、どうして言うんでしょうか」

「猫ってえのは、縁の下を出入りするだろう。昔は外から火をつけるとき、縁の下に火種を投げ込んだからかな。ぱっと、真っ赤な猫が飛び出すみてえに、炎が出たからじゃねえか。あか犬とか、あか馬とかなあ、色々言ったらしいが」

なるほど。嘘《うそ》か本当かは知らないが、なかなか説得力のある話だ。昔は、デカの世界にも色々な符丁があったらしい。そのうちのいくつか——デカも、そうだ。昔の刑事が和服の角袖《かくそで》を着ていたことから〈かくそで〉の反転省略語と言われている。貴子も最初は態度がデカいからだと思っていた——は、現在でも使われているが、貴子と同年代の捜査員たちは、それ程多くの符丁は使わない。まさか、滝沢からそんな話を聞かされることがあるとは思わなかった。

「滝沢さん」

「ああ」

「その——お顔は」

貴子の視界の片隅で、滝沢の、むっくりとした手が自分の顔に伸びている。「ああ」という、呻きとも返事ともつかない声がした。

「飲んで、ですか」

「いや——」

それ以上聞くのははばかられた。貴子は黙って前方を見つめ、やがて八王子の出口が迫ってくると、ウィンカーを点滅させて車線を変更した。アクセルを戻し、車は急速にスピードを緩めながら、大きくカーブする出口のスロープを走る。外には、まだ朝の気配さえ漂っていないように見えた。

「——本気で殴りかかって来やがった」

やがて、滝沢のため息混じりの声がした。

「顔見知り、ですか」

「いや——倅《せがれ》だ」

深々としたため息が、再び酒臭い息をまき散らす。閉めていた後ろの窓を、もう一度細く開けながら、貴子は自分も微《かす》かにため息をついた。耳の底には、まだ電話を取った少女の声が残っている。

「お子さんは、お二人ですか」

「三人」

「――」

「――まったくなあ」

貴子は、どういう相槌を打てば良いのか分からなくて、結局黙っていた。男の兄弟のいない貴子には、父親と息子の喧嘩《けんか》というものが、どれほど激しいものなのか、想像がつかない。だが、殴り合いとは穏やかではない。しかも、やわとは言えない父親の顔に、ここまで痕《あと》を残すとなると、相当な喧嘩だったということだ。

高速を下りると、辺りは相当な雪景色に変わっていた。国道一六号線を北に向かい、程なく多摩川に差し掛かる。道路がわずかに凍結していた。

「因果だなあ」

「――え？」

「こんな天気の夜明けになあ、何も、昭島くんだりまで呼ぶこたあ、ねえだろうにな」

新奥多摩街道との交差点を左折し、さらに六〇〇メートルほど進んだ辺りに、パトカーの赤灯が見えた。貴子の車はウィンカーを点滅させて注意深く停車中のパトカーに近付いた。コートの肩と帽子の上に雪を積もらせている制服警官が近付いてきた。窓を開け、手帳を見せると、警官は白い息を吐きながら敬礼して見せ、現場の位置を説明してくれた。パトカーの先を左折して、次にパトカーがいるところを右折だという。その辺りまで行けば、嫌でも分かるだろう。何しろ、貴子たちまで呼ばれているということは、相当な人数が集まっているということだ。

「あんたの車で来たって分かったら、また冷やかされるな」

住宅地の狭い道を徐行で進んでいると、滝沢が自嘲的な口調で呟いた。

「私は、大丈夫ですから」

「そりゃあ結構。まあ、俺も、どうってことは、ねえけど」

次のパトカーが見えた。案の定、もうその辺りまで来れば、関係の車がそこここに停められている。貴子も、そのうちの一台の後ろに車を停めた。大きなぼたん雪が斜めに降りしきっている。しまった、使い捨てのカイロを持ってくれば良かったと思いながら、貴子はエンジンを切った。

「あんた、口が軽くないから、いいよな」

後ろのシートに手を伸ばしてコートをとっているときに、滝沢が言った。貴子は、どういう意味か分からなくて、思わず正面から滝沢を見てしまった。なかなかどうして、大した腫れようだ。顔の右半分は無傷に見えたが、左は無惨なもので、特に目の下は思いきり殴られたらしく、眼球まで赤くなっている。

「ちょっと、ひどいですね」

「――目立つか、相当」

滝沢は、無傷の右半分の顔だけをしかめて見せた。貴子は微かに頷《うなず》きながら、腫れはひいても、痣《あざ》は相当に残るだろうと思っていた。

「ちゃんと手当した方が、いいんじゃないですか」

「したさ。アルコール消毒をな」

笑っているのか怒っているのか分からない。自分の息子に、ここまで殴られなければならないなんて。

「あんたのことだから、大丈夫だとは思うけど、人に言うなよ」

車から降りるとき、滝沢はそれだけ言った。それなりの信頼。貴子は短く返事をしながら、自分も雪道に足をおろした。

「あ――傘、さしていかれますか」

「いらねえよ」

「でも、少しは隠れるんじゃないですか」

女性用だが、紺色の傘だから、そう不自然でもないはずだ。貴子が差し出すと、滝沢は何か言おうとしたが、素直に傘を受け取った。貴子は、コートの襟を立てて、足早に歩き始めた。とても、滝沢と相合い傘をするつもりにはなれなかった。

6

一人ですたすたと歩いていく相方の後ろ姿を追うように、滝沢はやっとの思いで歩き始めた。やはり、酒など飲むんじゃなかったかも知れない。心臓が顔に移動してきたかのようだ。こんな痛みは、実に久しぶりのことだった。人の目がなければ、傘など閉じてしまって、雪をじかに顔に受けたいくらいだったが、まさか、青二才のように平気でこの顔をさらす勇気は滝沢にもなかった。

——親父《おやじ》にこんな思いをさせやがって。

それでも、さほど腹が立っているわけではない。隙《すき》をつかれたとはいえ、こんな痣を作られるほどに殴られたということは、知らないうちに、それだけ息子が成長していたということだ。ただし、今度また同じことになったときには、そううまくはいかないということを、どこかで思い知らせておく必要はある。第一、親に暴力を振るうなど以《もっ》ての外だ。たとえ、理屈では息子の言い分が正しいとしても。滝沢自身の横暴が招いた結果だとしても、だ。

俯《うつむ》きがちに歩くうち、何とも焦《こ》げ臭い匂《にお》いが漂ってきた。そこここに野次馬の人影がある。寒いんだから、家に入ってろよ。どうせ、あと二、三時間もすれば、火事のお陰で寝不足になっちゃったわとか何とか、呑気《のんき》なことを言える連中なのだ。

「爆発音を聞いている人がいる。それから、猛烈な黒煙と、刺激臭」

お馴染《なじ》みの火災現場に着くと、早々と到着していた宮川管理官が、まず言った。じきじきのお出まし。

「火元は、ちょうどこの裏手の、勝手口付近と思われている。当然のことながら火の気はなかった。証言でも、火は外から燃えていたという話だ」

「すると、例の薬品という――」

「断定は出来ない。それは、夜明けを待ってからだ」

管理官は、滝沢の顔に気付くと、何か言いたそうな表情になったが、こちらが黙って会釈《えしやく》をすると、考え直したかのように顔を逸らし、傍にいた若い刑事に脇田課長を呼ぶように命じた。滝沢は、内心でほっとしながら音道と並んで現場を見上げた。

たった数時間前まで、日々の暮らしの舞台となり、生活の匂いをさせていたはずの建物が、雪の中で無惨な姿をさらしていた。木造二階建てだったということは分かるが、屋根の一部は焼け落ち、梁《はり》と柱とが薄闇《うすやみ》の中につき立っているだけの箇所もある。もはや、完全に息絶えた廃墟《はいきょ》と化していた。

「何となく、目が痛くないですか」

音道が小声で話しかけてきた。

「はなっから痛てえんだから、よく分かんねえよ」

滝沢も小声で答えた。見ると、早くも音道の髪には雪が積もりかかって、前髪からは雫《しずく》が落ちようとしていた。滝沢は、黙って傘を差し出した。だが、音道は、いつもの硬い表情で「大丈夫です」と答えただけだった。そして、白い息を吐きながら現場を見上げている。相変わらず可愛《かわい》げのないお嬢さんと並んで立ちながら、こっちだけ傘をさしているわけにもいかない。滝沢は黙って傘を閉じた。火照《ほて》った顔に心地良い冷たさが触れた。コートのポケットから白手袋を取り出していると、隣の音道も慌《あわ》てたようにバッグから手袋を取り出している。

周囲を背の高い塀に囲まれた、敷地そのものは五、六〇坪はありそうな家だった。家の脇《わき》にはガレージがあったらしいが、そこも鉄製の骨組みが残っているだけで、中のワゴン車さえ半分黒こげの状態になっている。

「どうしたい、その顔」

同じ捜査本部の仲間が、めざとく滝沢を見つけて、声をかけてきた。滝沢は何も答えず、ただ軽く手を振っただけだった。ただでさえ、所轄《しょかつ》署の捜査員と本庁からの応援、さらに電話で呼ばれた滝沢たちの仲間も続々と到着していて、現場は不要な程にごった返している。それなのに、よくもと思うほど、入れ替わり立ち替わり、誰かが滝沢を見つけた。彼らは、滝沢の顔に気付くと、一様にぎょっとした顔になり、中には「年甲斐《としがい》もなく」などとからかい半分に言っていく者もいた。

「わざわざ呼んだのは、他でもない」

五分程もして、ようやく人混みの中から現れた脇田課長は、滝沢と音道の前に立つと、わずかに顎《あご》を動かして、ついてくるようにと合図し、先に立って歩き出した。焼け落ちた門から敷地内に入ると、建物には向かわずに、黒こげのワゴン車の方に回りこむ。塀と車の隙間を一列になって進むと、その先には庭があった。だが、普通の庭と違うところは、家を囲っている塀とは別に、さらに鉄製の檻《おり》が作られていることだ。二メートル程のフェンスは、ご丁寧に天井にまで網が張られている。

「どう思う」

課長が振り返った。滝沢は、ぐるりと檻の中を見渡した。地面は、半分ほどがガレージの延長のようにコンクリートで固められており、残りは土がむき出しの状態だった。その地面には、数カ所にかなり大きな穴があいている。コンクリートの端には、つぶれたバスケットボールが転がり、変形したブリキ製の洗面器もあった。そして、檻の突き当たりには、ここから見ても畳二枚程度はあるかと思われる小屋。

「オオカミ犬、ですか」

滝沢が何か言うよりも先に、口を開いたのは音道の方だった。

「断定はできん。明るくなったら鑑識が入る。とにかく、こっちを見ろ」

課長は、言いながらワゴン車に近付いた。言われるままに、窓ガラスの割れ落ちている車の中を覗《のぞ》くと、犬用の太いリードと革製の首輪、ソフトボールなど、この数日間の聞き込みで見飽きたようなものの他に、案山子《かかし》のようなものが幾つか転がっていた。人間の形に、布をぐるぐる巻きにして作ってある奇妙な物体。滝沢は、身を乗り出してそれを見た。ぼんやりとしか分からないが、確かにそのうちの一つの、ちょうど首と頭のあたりに食いちぎられたような跡がある。

「こりゃあ、間違いない、ですな」

滝沢は唸《うな》るように呟《つぶや》いた。滝沢の横から車内に首を突っ込んでいた音道も、言葉を失ったかのように小さな唸り声を上げた。殺人の訓練。仮想された標的。

「集まってきた野次馬に聞いても、見ている者はいないんだ。犬を飼っているらしいことは、知ってた者はいるんだがな」

「ここの、世帯主は」

ようやく車から顔を出し、課長の方を見ると、課長は、滝沢と音道とを交互に見て、意を決したように大きく息を吸い込んだ。

「年格好からして、病院に運ばれた男が、世帯主であることは間違いないだろう。かなり煙を吸い込んでいて、意識不明だ。この家は貸家でな、以前は高木という家だったというが――」

「高木？　じゃあ、あの――」

音道が課長の言葉を遮って身を乗り出した。だが、課長はそれを制するように軽く手を上げると「いや」と言った。

「現在は、笠原《かさはら》という男が住んでいたということだ」

「笠原？　高木じゃ、ないんですか」

今度は滝沢が言った。課長は眉間《みけん》に皺《しわ》を寄せ、難しい表情で頷く。

「笠原、笠原勝弘だ」

「勝弘――」

「下の名前は、高木と同じですね」

音道が眉《まゆ》をひそめて滝沢を振り返った。確かに、高木勝弘ならば、話は分かる。第三者の出現ということだろうか。いや、名前は同じなのだ。またもや偽名？　名字だけを？

「それで、ホトケっていうのは」

「ホトケの方は、身元確認中。若い女だ」

「若い、女――」

何とか頭を整理しようとしながら滝沢が呟くと、それをかき消すかのように音道が「犬は」と言った。女刑事は、飼い主の名前よりも、とにかく犬のことが気にかかって仕方がないらしい。

「それが、発見されていないわけだ。死体もなく、消防が踏み込んだときには、既に檻は開いていたそうだ」

「逃がしたんでしょうか」

音道が何か言う度に、息が白く見えた。見上げれば、東の空がわずかに白んできている気がするが、この天気のせいで朝の気配は感じられない。

「分からん。笠原の意識が戻らないことにはな」

課長は眉間の皺を深くして、小さく舌打ちをした。

「ときどき、哭《な》き声のようなものを聞いたという者は、いなくはないんだ。だが、ワンワンという、普通の犬の声よりも、むしろ、もっと低い、ウォッ、ウォッというような、そんな声だったと言っていた。それも、滅多に聞こえなかったらしい。それから、遠吠《とおぼ》えを聞いたことがあるという者も、いなくはない」

「遠吠え――」

いかにもオオカミ犬らしい話だ。オオカミ犬は無駄吠えをしない。オオカミ犬は番犬には適さない。オオカミ犬は裏切りを許さない。オオカミ犬は、犬ではなく、犬の血の混ざったオオカミだ——。これまでの聞き込みで得てきた知識が頭の中を駆けめぐる。ついに、野生の血が野に放たれたということか。

「見て分かる通り、外からではまるで見えないような状態にして飼っていたし、ここから車に乗せて連れ出せば、ほとんど人目につくことはなかったんだろうな。実物を見たという者は、まだ見つかっていない」

よほど注意深く飼っていたということだ。そして、ここから離れた場所まで連れていって訓練を施していたということだろうか。特定の人間ののど首に食らいつく訓練を。

「もしも、逃げたとなると——」

「だから、一刻の猶予《ゆうよ》もならんというわけだ」

課長の表情はさらに厳しくなった。さっきから、何度も滝沢の顔を見つめているが、顔の傷についてなど、触れている余裕はないというところだ。だが、一刻の猶予もならないとは言っても、相手がオオカミ犬では、普通の容疑者を探し出すのとはわけが違う。

「他に家族はいないんですかね」

「その辺りについては、まだ分からん。巡回連絡カードでは、一人暮らしということになってる」

黒こげのワゴン車の横をすり抜けて、滝沢たちと同様に呼び出されたらしい捜査員が課長を呼びに来た。薬品捜査担当の男だ。課長が「すぐ行く」と答える間に、彼は滝沢たちの姿を認めて、よう、と言うように小さく手を挙げた。離れていても相手の顔が識別出来るほど、辺りは明るくなり始めていた。

「これで、薬品とオオカミ犬とが鉢合わせしたってわけだ——仲間割れかなんか、ですかね」

滝沢は、オオカミ犬の輸入元で見た、雪の中の写真を思い出した。この灰色の景色の中を、逃げ出した犬も同様に走っているのだろうか。白い息を吐き、景色の中に溶け込んで、どこへ向かって走っているのだ。

「とにかく、病院へ向かってくれ。意識が戻り次第、筆談でも何でもいい、聞き出せ。真っ先に、オオカミ犬のことを」

塀の外に出ると、脇田課長は、そのまま他の捜査員の方に向かおうとして、思い出したように滝沢を呼んだ。そして、滝沢の肩に手を置くと、自分の方に引き寄せて耳元に顔を近付けてくる。滝沢の肩に、自分よりも一〇センチは長身と思われる課長が、まるでのしかかってくるような重みが加わった。

「金井と、やりあったって？　その顔、それか」

滝沢は、反射的に身を引き、背を反らして課長の顔を見つめた。

「違います。これは、一身上のことでして」

課長の目は、わずかに悪戯《いたずら》っぽく光って見えた。だが、有無を言わさない迫力がある。

「ここまで来て、下らない仲間割れは困るぞ。あんただから、音道と組めると、こっちは踏んでるんだからな」

「——分かってます。ですがね、これは本当に違うんです。いわゆる——家庭内暴力ですわ」

滝沢は仕方なく白状した。そうでも言わなければ、疑いが晴れないと思った。

「それで、やけ酒かい」

「痛み止めにね。消毒も兼ねまして」

課長は、一瞬大きく目を見開いて「ほう」というように息を吐き出し、あとは何も言わずに滝沢の肩をぽんぽんと叩《たた》いた。そして、次には音道を呼ぶ。滝沢は、課長の「あんただから」というひと言を嚙《か》みしめながら、課長から離れ、今度は自分と同じように何かを耳打ちされている音道を、少し離れて眺めていた。灰色の朝だった。音道の足には、雪と泥がはねて、ストッキングに点々とシミが出来ていた。課長に何か言われて、何度か細かく頷いているその頭は、既にびっしょり濡《ぬ》れている。

——そう言われたってなあ。

ありがた迷惑な話だという気もする。滝沢のどこを見込んでくれたのかは知らないが、厄介なお嬢さんであることは確かだ。ここで、女刑事がもとで仲間と喧嘩《けんか》になったなどと、おかしな噂《うわさ》が流れでもしたら、余計に面倒なことになる。

「行きましょう」

話が終わったらしい。音道は、ぬかるんでいる道を大股《おおまた》に歩いてきた。

「課長は、何だって」

現場保存のロープをくぐり、彼女の車を停めてある場所まで戻りながら、滝沢はずっと我慢していた煙草《たばこ》をくわえた。

「――滝沢さんに、あまりご迷惑をかけるなと」

大方、「別に」などという言葉が返ってくるのだろうと思っていたら、足元を見つめながら、注意深く歩く音道の口から、そんな言葉が聞かれた。課長は、滝沢の説明をただの言い訳だと思ったのだろうか。そう考えると、どうも気になる。だが、遅かれ早かれ金井から話を聞けば分かることだ。

「笠原って、高木だと思われますか」

「どうだかな。本人から聞くより、しょうがねえなあ」

「素直に白状するでしょうか」

音道の車にも、うっすらと雪が積もっていた。身体《からだ》が芯《しん》から冷え切っている。娘の言うとおり、股引《ももひき》をはいてきたのは正解だった。

「させなきゃならんだろう。」この期《ご》に及んで、悠長なことは言ってられん。

助手席側に回り込みながら、吸殻を投げ捨てようとすると、音道は「禁煙車じゃないですから」と言った。それならそうと、早く言ってくれれば良いのだ。来るときだって遠慮をして、ずっと我慢していたのにと思いながら、滝沢は黙って助手席に乗り込んだ。本当は「俺が運転する」と言いたい気持ちがある。女が運転する車になど乗りたくはないのだ。だが、これで少しでも身体が暖まれば、眠くなりそうな気がしていた。せめて、病院に着くまでの数分間でも眠りたい。

「着いたら起こします。休んでいて下さい」

エンジンをかけながら、音道はいつもの無表情で呟いた。まただ。この女は時折、まるで滝沢の心を見透かしているかのようなことを言う。それが、奇妙に滝沢を苛立《いらだ》たせるのだ。だが、今は文句を言う気力はなかった。滝沢は、フィルター近くまで煙草を吸ってしまうと、吸殻を窓から放り投げ、わずかにシートを倒した。エアコンの温風が吹き付けてくる。それじゃあ、お言葉に甘えるか。

「笠原の意識がまだ戻っていないようでしたら、私、いったん車を置いてきます。カイシャの車に乗り替えて、すぐに戻ってきますから」

車が走り出したのも、うろ覚えだった。確か、隣からそんな言葉が聞かれた気がするが、それきり、滝沢は寝入ってしまった。やはり、顔の表面がずきずきと痛かった。

7

久しぶりの大雪だった。一〇センチも積もれば、都市機能がマヒしてしまうのが東京だ。それが、ニュースでは雪は夜半まで降り続き、都心でも二〇センチは積もるだろうと言っているらしい。つまり、立川や昭島など、東京でも西寄りの、奥多摩の山々が近くに見える辺りならば、もっと積もるということだ。

——都会の人間にはとんだ災難。オオカミ犬には、またとない逃走日和《びより》。

仲間には悪いが、こんな日に、聞き込みに回されなくて良かった。貴子は、ラジアルのタイヤにはき替えた捜査用の車両を駆って、滝沢が待機している病院に向かう道を注意深く走りながら、今頃、現場検証に向かっている連中は、さぞかし大変だろうと考えていた。これから何時間も、こんな天気の下で焼け跡をあさるくらいならば、夜明け前に叩き起こされた方が、まだ幸せだった。とにかく、車を使って移動できて、笠原という男の意識が戻るまでは、暖かい建物の中にいられる、それだけでも有り難かった。

——逃げたのがオオカミ犬なら、ホシは割れたことになる。

様々なことが、頭の中を過《よ》ぎっていく。火傷《やけど》を負った男は、本当に笠原という名なのか。高木勝弘ではないのか——名字が違っていて同じ名前の人物が、一つのヤマに絡《から》んでくる偶然が、それほどあるとは思えない。だが、高木ではないとしたら、笠原とは、誰なのだろう。焼死体で発見された若い女とは、どういう関係の人物なのか。とにかく、彼が一連のオオカミ犬の絡んだ事件の鍵《かぎ》を握る人物だとすると、過酸化ベンゾイルを用いた人物とは別人であることが、これではっきりした。二人の関係は？　結局、二人の人物が同時に狙《ねら》ったのは、現在のところは原照夫一人ということになる。二人の接点は、原照夫だ。今となっては、遠い過去の存在にしか思えない、デートクラブ経営者。かつて、彼と付き合いがあったらしい、オオカミ犬に襲われた二人のガイシャは、一体、何をした為《ため》に報復を受けたというのだろうか。一〇年以上も前の、忘れ去られたような思い出が、今頃になって、こんな形で掘り返されようとは、想像もしていなかったに違いない。

——この雪の中を。

どうしても、思いはオオカミ犬に戻ってくる。実物を見たこともないのに、何故、そんなにも惹《ひ》かれるのか、貴子自身にも分からないのだ。それでも、写真で見ただけのオオカミ犬の、あの目が忘れられない。神秘的ともいえる力を秘め、知能の高さをうかがわせ、独自の意思と個性とを持っている生命の目。人間よりも、よほど豊かな感情を持っている、決して凶暴さなどを感じさせるものではない、見えるものを、あるがままに受け入れようとする目——。実際にオオカミ犬を見た捜査員たちは、口々に「あれは犬ではない」と言った。ごくわずかに、人になつく血を受け継いだだけの、まさしくオオカミだと。

その目を、追いかけたかった。あの目に見つめられてみたい。どうしても、その思いが貴子の頭から離れなかった。

雪のせいで渋滞している道路をのろのろと走り、ようやく病院に戻ったのは、午前九時になろうという頃だった。こんな天気だというのに、一階の薄暗い待合所には順番を待つ外来患者がひしめき、方々から乾いた咳《せき》が聞こえていた。片隅に置かれている大型のテレビには、公共の施設にお決まりのNHKの番組が映し出されている。患者は、圧倒的に老人が多かった。急病じゃないんなら、家にいればいいのに。こんな日に出てきたら、風邪《かぜ》でもひくか、転んで骨でも折るんじゃないの。

長い廊下を曲がり、渡り廊下のようなところを抜けると、建物は急に明るくなった。恐らく、新しく増築されたと思われる棟に外来患者の姿は見えず、ただ、クリーム色の壁が続くばかりだった。廊下の天井から下がっている標識を頼りにさらに歩くと、一つの角に制服の警官が立っていた。相手が何か言う前に、貴子は手帳を見せた。二〇代の前半と思われる警官は、少年の面影を残した顔を緊張させて「こちらです」と言った。貴子は軽く会釈《えしゃく》をして彼の前を通過し、さらに歩いた。また次の角に警官がいる。こちらは、さっきの警官よりも二、三歳上に見える。貴子が手帳を見せても、彼の顔からは胡散臭《うさん》そうな表情が消えなかった。もう、洗脳されてるわけね。警察《ここ》は男だけの砦《とりで》だって。

ご苦労様くらい、言えないのかと思いながら角を曲がると、ようやく正面にＩＣＵのドアが見えてきた。近付くに連れて、規則的な音が聞こえてきた。人気のない清潔な廊下の両脇《りようわき》に数脚ずつ置かれている、緑色のビニール・レザーの長椅子《ながいす》の一つで、滝沢が鼾《いびき》をかいていた。

「――」

貴子は、起こそうかどうしようかと迷い、すぐに諦《あきら》めた。時折、ナースシューズやサンダルの音が行き交う廊下で、腕組みをしたまま口を半開きにして眠りこけている相方の姿は、緊張感とはほど遠い。ＩＣＵの中で悪戦苦闘している医者や患者にも、病院そのものにも、その姿はひどく不謹慎で不愉快な存在に映ることだろうと貴子は思った。

――女じゃあ、こういう真似《まね》は出来ないんだからね。

こういうときにこそ、体力を回復させるのだ。時間も場所も選ばず、眠れるときに寝ておくのが刑事の心がけだという、その理屈は、男にしか通用しない場合が多い。実際問題として、女の貴子が、この皇帝ペンギンのように、病院の廊下でごろ寝など出来るものか、考えるまでもなく分かることだ。女の方が体力がない、無理が出来ないと言われながら、結局のところ、無理を強いられているのは、いつでも女の方ではないか。

「お連れ？　よく、寝ていらっしゃいますね」

自動販売機で熱いコーヒーを買ってきて、湯気を吹きながらゆっくりと飲んでいると、通りかかった中年の看護婦が苦笑混じりに声をかけてきた。貴子は、急いで習慣的にジャケットの内ポケットから警察手帳を取り出して彼女に示した。看護婦は既に了解済みだという表情でゆっくりと頷《うなず》き、眠りこけている滝沢を顎《あご》で指す。

「女性の刑事さんがみえるからって、聞いていました。大変なお仕事なんでしょうねえ」

制服の上から紺色のカーディガンを羽織り、クリップボードを小脇に抱えている看護婦は、メタルフレームの奥の目を穏やかに細める。貴子は、実に久しぶりに、こういう同性と口をきいた気分になりながら、素直に頷いた。看護婦は、再び滝沢の方を見ながらくすくすと笑っている。カーディガンにつけられたネームプレートには、「婦長　沢山多津子」という文字が見て取れた。

「顔の手当をね、なさったらいかがですかって、お声をかけたんですよ。でも、『ここから離れるわけにはいかない』の一点張りで、お連れが来るまではって、さっきまで頑張っていらしたんですけど。どうなさったの？　お仕事で？」

貴子は、ちらりと滝沢を見下ろして、規則正しい鼾が続いているのを確認すると、わずかに肩をすくめて見せた。「一身上の都合、みたいです」と小声で囁《ささや》くと、沢山婦長は、あらまあという表情になり、また微笑《ほほえ》む。微笑み。ずいぶん長い間、忘れていたもの。

「それで、患者の容体はいかがなんでしょうか」

捜査本部にはこまめに連絡を入れることになっている。また、向こうからも新しい情報が入り次第、ポケットベルを鳴らすからと言われているのだ。何も、身内の見舞いで来ているのではない、これは仕事だった。

「今のところ、何とも言えません。意識が戻れば助かるだろうとは、先生は仰《おつしや》っていますけれど」

火災現場から救出された男は、現在のところは身元不明の重要参考人とだけ、位置づけられていた。婦長は、男の火傷の程度そのものは、生命に別状があるほどには重くはないのだが、相当に煙を吸っており、恐らく一酸化炭素中毒を起こしているのだと言った。

「高圧酸素を吸わせましたから、もう血中の濃度は下がっているはずなんです。ただね、火傷の影響で、血が濃縮されて、循環量も減ってるんですよね」

それが、どういう症状を生み出すことになるのか、貴子にはよく理解は出来なかった。

「つまり、もう危険はないということですか」

ベテラン看護婦は、穏やかな表情のままで、淡々と「危険は、危険ねえ」と呟《つぶや》き、貴子を見上げて困ったような顔になった。

「うかがっても、教えていただけないんでしょうけど、何か、した方なんでしょう？　ただの火事で焼け出された方っていうんじゃなくて」

「――まだ、何とも言えないんです。本人の意識が戻ってくれないことには」

「ええと、笠原勝弘さん、で、間違いないんですよね？」

「――今のところ」

貴子の受け答えに、彼女は怪訝《けげん》そうな顔になり、さらに何か言おうとしたとき、若い看護婦がナースシューズを鳴らしながら小走りにやってきた。婦長に何か言うと、彼女はそのままICUに飛びこんでいった。沢山婦長は、表情こそは静かなままだったが、急に我に返ったように身体の向きを変えた。

「とにかく、私たちの仕事は、患者さんがどんな人でも、生命を助けることですから。意識が戻りそうになったら、すぐにお教えしますね」

それだけ言うと、彼女もせかせかとした足どりでICUの扉の向こうに消えていった。それと入れ違いに、今度は滅菌した白衣を着た看護婦が飛び出してきた。辺りがにわかに慌《あわ》ただしくなったかと思うと、廊下の向こうからストレッチャーの音が響いてきて、点滴の容器を揺らしながら、誰かが運ばれてきた。ICUから、再び例の沢山婦長が出てくる。勢い良く廊下を滑ってくるストレッチャーを避《よ》けながら、彼女はさっきとは異なる厳しい口調で「ご家族の方は、ここで！」と言った。貴子の目の前を、数人の医者や看護婦がストレッチャーを押して通り抜け、その後に、どこでも見かけるような四〇前後の女が残された。貴子は、女の全身を素早く観察した。ウエストにゴムを通してある薄茶色のスラックスを穿《は》き、えんじ色のジャンパーを羽織っている。短い髪全体にパーマをかけているが、ウェーブもへったくれもあるものかというほどに乱れており、前髪からは雫《しずく》が滴《したた》り落ちていた。この雪の中を、傘もささずに歩いたのだろう、合成皮革と思われる茶色い靴も、水を吸って先の方から変色していた。呆然《ぼうぜん》とした表情の女の口元から「おねがい」という小さな呟きが聞こえた。そして、すがりつくものを探すように視線をさまよわせる。貴子は、咄嗟《とっさ》に彼女から視線を外した。

騒ぎに気付いたのか、ごそごそと音がして、長椅子から滝沢が身体を起こした。顔をこすろうとして怪我《けが》していることに気付き、しかめ面《づら》で周囲を見回している。

「動きが、あったのか」

貴子を見つけると、相方はよたよたと近付いてきて、いつも以上に嗄《しわが》れた声で呟いた。殴られた方の目は真っ赤に充血して、目の下は青紫に腫《は》れている。口の脇も内出血を起こしており、ただでさえ美しさとは縁遠い容貌《ようぼう》に、異様なまでの迫力を生み出していた。

貴子は小さく頭を振り、ちらりと視線を動かして見せた。滝沢も、幾度か瞬《まばた》きを繰り返しながら短い首を巡らした。斜め向かいの長椅子に腰掛けた女は、一心にＩＣＵの扉を見つめていた。声までは聞き取れなかったが、その唇が、何度も「神様」と動いているのが分かった。

愛する人の為に祈ること――。病人は彼女の夫だったのだろうか。急患か、それとも入院していて容体が急変したのか。

「うちの方は、まだ意識が戻りません。火傷そのものは、大したことはないみたいですが、一酸化炭素中毒を起こしているそうです」

滝沢は、もう一度欠伸《あくび》をしながら煙草《たばこ》を取り出し、辺りに灰皿が置かれていないことに気付くと、「おう」とか何とか言いながら腰を浮かした。煙草ならば、勝手に吸ってくれれば良いではないかと思って、貴子が後ろ姿を見送っていると、滝沢は途中で立ち止まって振り返る。貴子は仕方なく、すっかり冷めたコーヒーの入った紙コップを持ったまま立ち上がり、滝沢の後に従った。コートの前をはだけたまま、がに股《また》で歩く滝沢は、長い廊下を曲がったところに喫煙コーナーがあるのを発見すると、早くも煙草をくわえて火をつけた。

「積もったなあ」

片隅には飲み物の自動販売機が置かれ、灰皿も用意されている一角に、他に人影はなかった。滝沢は窓辺に近付くと、うまそうに煙草の煙を吐き出した。窓の外では、大きなぼたん雪が、外の景色をかき消すほどの勢いで降っていた。

8

「もう、現場検証は始まってるな」

貴子も滝沢の隣に立って、灰色の景色を眺めた。

「科捜研の技官にも臨場を要請してあるとのことでした。特に、動物の毛については、大至急鑑定結果をこちらにも知らせてくれることになっています」

滝沢は、煙草をくわえながらゆっくりと頷き、それからしばらくの間、眠気を覚ますかのように黙って雪を眺めていた。貴子は、冷たいコーヒーを喉《のど》に流し込み、空になった紙コップを販売機の脇のごみ箱に捨てにいった。ただじっとしていては、睡眠不足の体がいよいよだるくなる。その時、貴子のスーツの中でポケベルが鳴った。貴子は、咄嗟に滝沢と顔を見合わせ、それからスカートのポケットに手を入れた。捜査本部からの呼び出しだ。

「鑑識の結果が出た」

喫煙コーナーの隅に設置されているカード式の公衆電話で捜査本部に連絡を入れると、受話器の向こうから脇田課長の声が聞こえてきた。

「あの家から採取された動物の毛は、これまでの被害者を襲った犬のものと同一だ」

貴子は滝沢を振り返った。「一致したんですね」と言っただけで、滝沢の無傷の方の顔がわずかに緊張したのが見て取れた。貴子も、にわかに息苦しさを覚えた。

「そっちの方はどうだ」

「まだ意識が戻りません」

受話器を通して苛立《いらだ》ったようなため息が聞こえる。

「実は、現在確認を急いでいるが、埼玉の病院から連絡が入っていてな」

「埼玉の？」

「焼死した若い女について、自分のところの入院患者ではないかと言ってきているんだ。氏名は高木笑子、二六歳。笑う子と書いて、えみこだ。一週間の予定で一時帰宅していたそうだ。父親が迎えに来て」

「高木？　すると――」

「それも含めて、山梨県警にも照会を急いでいる。とにかく、意識が戻り次第、聞けるだけのことを聞き出せ」

受話器を通しても、捜査本部の緊張した空気が伝わってくる。貴子自身、鼓動が速まっているのを感じていた。いつの間にか、貴子のすぐ隣までやってきて、苛々した表情でこちらを見ている滝沢の顔が視界に入ってきた。煙草臭い息がかかりそうだ。

「とにかく、本人の身元と、オオカミ犬のことを真っ先に。いいな」

「あの、犬の足どりは」

「警視庁管内と、近県の警察には連絡は入れてある。だが、今のところは、全く分かってない」

「マスコミには」

「発表していない。いたずらに騒ぎを大きくすることは出来んだろう。今の段階では、笠原——高木かも知れんが、奴《やつ》が意識を取り戻してくれない限り、見つかる可能性さえ少ないと思った方がいいだろうな」

課長はいつになく早口だった。一通り話を聞き終えて電話を切ろうとしたとき、受話器の向こうから「ああ、それから」という声がした。

「一応、オートバイは用意させてある。まあ、この天気じゃあ今日明日は無理だろうがな。とにかく、頼むぞ、何がなんでも、聞き出してくれ」

それだけ言うと、脇田課長は電話を切った。貴子は、「高木えみこ・笑子　26」と走り書きしたメモを見下ろしながら、ゆっくりと緑色の受話器を戻した。頼むぞと言われても、声援を送れば意識が戻るというわけでもない。あの、後から駆け付けてきた女のように、神様に向かって祈れば良いのだろうか。

テレフォン・カードが戻ってくるときの、ピー、ピーという音が、静まり返った空間に大きく響いた。

「誰だ、それ」

滝沢が貴子の手帳を覗《のぞ》き込み、苛立った声で言った。そして、食いつきそうな表情で貴子の報告を聞き、「何で、俺のポケベルを鳴らさねえんだ」と呟いた。

「たまには、私の方を鳴らさないと、私が僻むと思ったんじゃないですか」

あまり利口な言い訳とも思わなかったが、あんたは居眠りしてると思われたのよ、と言うよりはましだと思った。滝沢は、面白くもなさそうな顔をしていたが、それきり黙った。今朝、火災の現場でも貴子は課長に呼ばれ、いつでもバイクで出動できる心づもりでいるようにと言われている。滝沢は知らないことだが、課長は貴子の耳元で「トカゲの出番が近いかもな」と言ったのだ。

だけど、見つけることさえ至難のわざじゃないの？　この天気は、相手にとっては好都合だったに決まっている。元々、オオカミ犬は寒い土地での生活に適している。だから日本で飼う場合には、北海道や東北地方ならいざ知らず、夏の暑い季節をどう乗り切るかが問題になるという話だ。今日あたり、本気になれば、オオカミ犬はもう関東地方からだって出ていることだろう。

——いや、そんなに遠くには行っていない。さまよってるはずだわ、近くを。

オオカミ犬は、ワン・オーナー・ドッグとも言われている。つまり、飼い主以外には決してなつかない、家族だけを大切にする犬ということだ。人一倍愛情を必要とし、心を開く相手を限定する、そんなオオカミの血をひいた犬が、どういう思いで、あの家から逃げ出したか。炎に包まれた我が家を、どんな思いで見つめていたか——。

ふいに、「娘、か」という呟きが聞こえた。貴子は、ちらりと隣を見た。赤い目が、泣いているように見える。底意地が悪い上に、僻みっぽいところまである貴子の相方は、痣《あざ》だらけの横顔をしかめながら、新しい煙草を取り出してくわえている。

「娘が高木笑子っていうんなら、親父《おやじ》は、やっぱり俺らの同業者だったってことだな」

「——そう考えて、まず、間違いないんじゃないでしょうか」

滝沢は、いよいよ苦虫を噛《か》み潰《つぶ》したような顔になっている。相方の気持ちも、分からないではなかった。貴子たちは、誰よりも仲間を重んじる人種だ。その中で、たとえ女性差別が行われ、平然と裏切り行為が起こり、醜いいがみ合いなどは日常茶飯事だとしても、それは、たとえて言えば、一つの家族の中での出来事だという感覚があった。閉鎖的といえば、それまでだ。だが、よその家の出来事に、首を突っ込んでもらいたくないという意識だけは、誰にも共通のものだった。そんな、かつて仲間だった人間と、法の番人と犯罪者として向き合わなければならないとき、貴子たちは、もっとも複雑な思いにとらわれる。新聞やテレビで、各地の警察官の不祥事が報じられる度に、出来の悪い家族が馬鹿《ばか》なことをしでかしてしまったような、外に対してきまりが悪く、内々でも黙ってやり過ごしたいような、えもいわれぬ気まずい思いを味わうのだ。

「娘ってえのは、何の病気だったんだ」

滝沢は、貴子の方を見ずに口を開いた。

「そこまでは聞いていません。現在、確認を急いでいるとのことでした」

「たまたま帰ってきて、巻き込まれるとはなあ」

奇妙に気落ちした声に聞こえる。貴子の耳の中で、「もしもし」と言った滝沢の娘の声が蘇《よみがえ》った。ずいぶん以前のことのような気がするが、あれは今朝のことだ。息子に殴られ、娘に起こされる父親。それが貴子の相方だった。

「あんた、どう思う」

滝沢がふいに振り向いた。

「復讐《ふくしゅう》が目的だとすると、その理由は何だったと思うね」

不気味な顔が、真《ま》っ直《す》ぐに貴子を見つめていた。過去に関連のあった人物ばかりが狙《ねら》われていると分かった時点で、捜査陣は、今回の犯行は復讐が目的だと予測を立てている。それに関しては、貴子も異論はなかった。だが、元警察官と、盛り場にたむろしていた遊び人の青少年とでは、あまりにも接点がないと思っていた。

「――その、入院中だった娘が――年齢的には、ガイシャたちと近いですよね」

貴子の答えに、滝沢は半ば満足げに頷《うなず》いた。娘のために親が復讐する――筋が通らない話ではない。高木笑子は、どういう理由で入院していたのだろうか。一時帰宅を許されていたということは、長期の入院だったということだ。彼女が原因で、父親は復讐の鬼と化したのか？

「一二年前っていうと、娘はまだ一四歳だったわけですよね。中学生」

滝沢は、やはり黙って頷くだけだった。貴子の中では、即座にレイプというひと言が思い浮かんでいた。だが、被害者には女性も含まれているではないか。すると、他の何かか。

「何か、されたってえ、ところだろうなあ」

滝沢も同様のことを考えているのかも知れない。いかにも苦々しい表情で、ぼそりと呟《つぶや》いた。警察官の娘が受けた災難。

「法的な手段に訴えることを考えなかったんでしょうか。警察官だったのなら、当然、そっちの方を考えると思うんですが」

「だから、どう思うって聞いてんだ。あんた、大学出てんだろう？　俺なんかより、よっぽど頭がいいんじゃねえか」

また嫌味が始まった。貴子は、この期《ご》に及んで、まだ喧嘩《けんか》を売って来るつもりなのかと思いながら、滝沢を見た。だが、意外なことに、彼からはそれほどの敵意は感じられなかった。それどころか、どこか哀れっぽい、情けない雰囲気ばかりが漂っている。決して顔の怪我のせいとばかりは言えない、淋《さび》しい波動。

「――大学っていったって、短大です。それに、勉強は嫌いでした」

「勉強嫌いが、短大に行ったのか。何、習ってたんだい」

「保育、です――あの、親の希望もあって」

滝沢は、へえ、というような顔をすると、「親の希望ねえ」と呟いた。

「いつだってな」

また新しい煙草を取り出す。

「親は、色々と希望するわな。あんたんとこの親御さんだって、保育をすすめたってこたあ、あんたがデカになるなんて、思わなかったってことだろう？」

「――特に、母はそうです」

仕方なしに、素直に答えた。敵意も何も感じられない相手に、自分から突っかかる趣味は、貴子にはない。だが、プライベートな話はしたくないのだ。この辺りで話題を変えないと、終《しま》いには離婚のことや、別れた夫の素性までも話さなければならなくなりそうな気がして、貴子はあれこれと思いを巡らせた。

「オオカミ犬は、捕まるでしょうか」

「――捕まえなきゃ、ならねえだろう」

「高木は警察犬の訓練をしていた男です。そんな男なら、誰よりも犬が好きで、可愛《かわい》がっていたはずだと思うんです。それなのに、自分の飼い犬をこんな残酷な犯罪に利用しようとするなんて、どういうことなんでしょう」

滝沢は、突き出した腹の上で腕組みをすると「さあなあ」と唸《うな》るように言った。

「所詮《しょせん》、真実なんてえものは、分からねえまんまだ。どんなヤマを追いかけてたって、ホシと一対一で向き合ってたって、それらしい話を聞くことは出来ても、それが本当かどうかなんてことは、当事者にしか分からねえ」

「——」

「俺たちは、上から言われた通りにヤマを追いかけてホシを捕まえてりゃあ、それでいい。違うか？」

「そう、ですが」

「たとえ、真実が他にあったとしても、それを調べるのは俺たちの仕事じゃねえってことだ」

そういう考え方は、これまでにも幾度も聞かされた。その度に、貴子は何となく割り切れない思いに駆られた。

「それだけで、手一杯だろうが。悪い野郎は後を絶たねえし、次から次へと事件が起きる。せめて、筋道の通った説明をさせて、後からひっくり返されねえ程度の調書を取る。それが真実じゃなかったとしても、それさえきっちり出来てりゃあ、俺らの仕事は十分だ」

「――」

「大体、検察官にだって弁護士にだってな、真実なんて分からねえって。特に殺しの場合にだぞ、ガイシャの側の真実を誰が知るよ、え？　死人に口なし、ホシが『真実を申します』なんて言ったって、そいつあホシの側の理屈、てめえの都合じゃねえか。つまり、考えるだけ時間の無駄なんだよ」

ベテランになればなるほど、似たようなことを言うものだ。いつだったか、貴子は当時の上司から、「そんなに真実を知りたければ、自分が事件の一つも起こして当事者になるんだな」と言われたことがある。確かにその通りだ。たかだか一介の捜査員に、事件や犯罪者の真実など分かろうはずもない。

ことに、相手が犬となったら――。

自分自身でも、少しばかり感情移入が激しくなりすぎているのは自覚していた。捜査に私情は禁物。それは、分かっている。

――でも、犬なんだから。

情けないような、馬鹿馬鹿しいような言い訳。それからしばらくの間、貴子と滝沢は黙って降りしきる雪を眺めていた。時間ばかりが虚《むな》しく流れた。滝沢は、再び長椅子《ながいす》でごろ寝を始めた。貴子は、廊下をうろうろと歩き回り、コーヒーを二杯飲んで空腹を紛らわし――こんな時には食べない方が良い。満腹になったら、すぐに眠くなるに決まっているのだから——遅々として進まない時計の針と徐々に積もっていく雪を眺めて、ようやく午後一時半になろうという頃、忙《せわ》しないナースシューズの音がして、例の沢山婦長が現れた。

「ここにいたんですか。患者さんの意識が、戻りかけていますよ」

それまで、傍若無人と思われる程の大鼾《おおいびき》をかいていた滝沢が、弾《はじ》かれたように立ち上がった。

「話、聞けますか」

婦長は意表を衝《つ》かれたような表情で「それは」と口ごもった。

「とにかく、会えるんですねっ」

言うが早いか、もう歩き始めている。貴子も慌《あわ》てて立ち上がり、後を追った。視界の隅に、婦長が驚いた顔で立ち尽くしているのが、ちらりと見えた。

9

酸素マスクをあてられ、鼻からチューブを入れられて、その他にも色々な管をつけられた男は、頭部や腕、胴体などを包帯でぐるぐる巻きにされた状態で、ベッドの中で喘《あえ》いでいた。周囲には、コンプレッサーのような音や、男の心拍を示しているらしい電子音が満ちている。横たわっている男も含めて、全《すべ》てが機械だけの世界のような、無機的な部屋だった。滅菌処理した白衣を羽織らされて、貴子は滝沢と共に男のベッドの傍に立った。担当の医師が、難しい表情のままでこちらを見る。

「まだ、完全に意識が戻っているわけではありません。煙を吸い込んだ際に、気道まで火傷《やけど》を負っていますから、意識が回復しても、当分、話すのは無理でしょう」

滝沢は適当に頷き、すぐに視線をベッドに戻している。以前、目撃者の話を聞きに病院を訪ねたときとは異なり、今回は愛想笑いの一つも浮かべていなかった。

「筆談でも何でもいいから、とにかく話を聞かなけりゃならないんです。それなら、構わないですよね?」

医師は小さく頷くと、看護婦に命じて一枚のボードを持ってこさせた。五十音順にひらがなが並んでいるボードだった。

「これを使って、話させてあげて下さい」

医師はそう言って看護婦から受け取ったボードを貴子に差し出し、ベッドの傍に屈《かが》み込んだ。そして、上腕部は包帯を巻かれた手を握り、「笠原さん、笠原さん」と呼びかけを始めた。

「聞こえるかな。笠原さん、聞こえたら、右手を握ってみて下さい」

酸素マスクをしたままの男は、苦しげに顔を左右に振るだけで、あとは何の反応も示さない。貴子は、力無く半開きになったままの、節くれだった男の手を、じっと見つめていた。その時、滝沢が医師の横から男に向かって顔を突き出した。

「高木さん、高木さん。聞こえるかい」

医師が、驚いたように滝沢を見つめている。貴子は素早く男の右手に視線を移した。最初、まるで反応しないと思われていた男の手がわずかに動き、やがて、ゆっくりと医師の手を握った。貴子は、こちらを見上げた滝沢に頷き返し、息を呑《の》んで男の顔を見つめた。酸素マスクのせいで、顔の下半分は分からないが、眉《まゆ》の太い面長の顔だった。額には深い皺《しわ》が刻まれて、その目尻《めじり》にも、恐らく笑えば人の好さそうな印象を与える皺になりそうな筋が幾本も入っていた。頭に被《かぶ》せられたネットの隙間《すきま》からは、白髪頭が見えている。男が高木勝弘だとすると、五二歳ということになる。だが、その年齢にしては、少しばかり老《ふ》け過ぎているような気がした。

「高木さん、ここは病院だ。分かるね。あんた、高木勝弘さんだね」

男は、再び医師の手を握る。今度は医師が「さあ、目を開けて」と言った。男の瞼《まぶた》がひくひくと動き、やがて、全身の力を振り絞るように、やっとのことで瞼が開かれた。だが、焦点が合っていないらしい目は、虚しく宙をさまよい、再び閉じようとする。だが、自力でそれをこらえ、中途半端《はんぱ》な位置で、瞼は細かく震えていた。短く、まばらな睫毛《まつげ》が、同時に震える。

「覚えてるかい、火事に遭ったんだ」

滝沢が囁《ささや》いた途端、男の目が、かっと見開かれた。それから、必死で周囲を見回している。貴子は、男と目が合った瞬間、どういう顔をしていれば良いのかも分からず、ただ、わずかに頷いて見せるのがやっとだった。

「大丈夫だ、あんたは助け出されたんだよ」

滝沢は、医師に代わって彼の手を握りながら囁いた。男は、すがるような目で滝沢を見、再び視線をさまよわせた。やがて、震える手が滝沢の手から離れて上に差し出される。

「言いたいことがあるんなら、これで」

今度は貴子が、ひらがなの並んだボードを差し出しながら笠原に近付いた。彼は何度も目を瞬《しばたた》かせ、必死で手を動かして、ボードに並んだひらがなを指し始めた。え、み、こ——。

「笑子さん、娘さんだね」

滝沢の言葉に、力尽きたようにシーツの上に落ちた手が、また握られる。さっきよりも、しっかりと、きつく。イエス。

「確か、埼玉の病院に入院してたんだそうだねえ。一時帰宅をしていたんだって？」

イエス。

「二六になるってきいたけど」

——イエス。そこで、彼は改めて滝沢を見た。そして、再び腕をボードに向ける。ぶ、じ、か。貴子は、滝沢を見つめた。滝沢は、ボードを覗《のぞ》き込むふりをしながら、ちらりと貴子を見上げてきた。どうする。本当のことを告げるか。それが、これからの取り調べにどういう影響を及ぼすか。ショックを受けて、そのまま口を噤《つぐ》まれては困る。だが、隠しおおせるものでもない。

「重体だがね」

滝沢はそう答えた。男は、真偽をはかるように、横目で滝沢を見つめていたが、やがてまた目を閉じた。その胸が大きく膨み、彼がため息をついたのが分かった。安堵《あんど》の？　諦《あきら》めの？

「もう分かってるだろうが、俺は警察の人間でね」

イエス。

「あんた、本名は笠原っていうのか」

イエス。

「前は、高木だったよな」

イエス。

「離婚か」

イエス。

「そうか――じゃあ、笠原って呼ぶがね、今朝、あんたの家も見てきたよ。ほぼ、全焼だな」

イエス。

「だがね、犬が、見あたらないんだ」

――。

「犬は、どうしたね」

――。

「オオカミ犬だよ。あんたが飼ってた」

――。

「分かってるんだ。もう、時間の問題だったんだよ。むしろ、もう一足早く、あんたのところにたどり着いていれば、あんただって、娘さんだって、火事に遭うことなんか、なかったんだよな」

笠原は、ゆっくりと目を開けた。再び真偽をはかりかねているような、不安そうな目だ。瞳《ひとみ》がわずかに震えている。滝沢は、かつて、貴子が聞いたこともない、柔らかい口調で、まるで幼い子どもでも諭すように「なあ」と続けた。

「事情は、色々あったろうよ、なあ。あんただって、昔は俺たちの仲間だったんだ」

イ、エス——。

「だから、俺たちの仕事も、十分承知してるだろうと思う。その話はさ、あんたが話せるようになってから、ゆっくりと聞かしてもらうよ、なあ」

——。

「とにかく今は、あんたの可愛がってた、あの犬のことを教えてくれないかね。あんたが、逃がしたんだろう？」

イエス。

「オオカミ犬だな？」

イエス。

「雌かね、雄？　名前は、なんていうんだい」

笠原の手が伸びてきた。貴子は、ボードを差し出し、必死の表情でひらがなを指す笠原の指先を追った。は、や、て——し、つ、ぷ、う。

「はやて？　疾風と書いて、はやて、ですか」

貴子が口を挟むと、笠原は今度はわずかに頷《うなず》き、続けて、お、す、と指した。

「その疾風は、今頃、どこにいるかね」

——。

「心当たりは」

――。

貴子が顔を覗き込むと、笠原は、首をわずかに横に振ってみせた。答えたくないのではない、知らないのだと、その目が訴えている。

「分からないんですね」

イエス。

「あんたが、訓練したんだよな？　人を襲う訓練を」

ゆっくりと滝沢の手を握り、イエス、と意思表示をすると、笠原はがっくりと力つきたようになった。後ろに下がっていた医師が「今日は、この辺にしておいて下さい」と言った。

「じゃあ、最後に一つだけ」

滝沢は、いつも通りに食い下がる姿勢を見せ、再び眠りに落ちそうな男を「笠原、笠原」と呼ぶ。いつの間にか、「さん」が取れていた。

「あんたの家に火をつけた犯人に、心当たりは」

反応がない。それでも、滝沢はしつこく、「おい、笠原」と呼び続けた。何度も呼ばれているうちに、再び笠原の手が弱々しく動いた。

「心当たりは、あるのか」

――イエス。

「名前を知ってるのか。どこの、どいつか」

また反応がない。滝沢は、苛立《いらだ》ったように何度も笠原の名前を呼び続けた。「これ以上は、無理です」と医師が言ったが、その言葉も無視して、滝沢は「笠原！」と大きな声を出した。

「名前を言え。誰が、おまえの家に火をつけた、ええ？　知ってるんだろうっ」

イエス。

弱々しく笠原の目が開く。そして、その目がボードを探した。貴子は、見ていられないような気持ちになりながら、ボードを差し出した。震える手は、ひらがなを探し当てるのさえままならない程に力が入っていない。男の目尻から涙が一筋こぼれた。苦痛のためか、悔恨か、悲しみか。

「言うんだ。名前だ、ほらっ」

奇妙な声援。それでも、滝沢の声に励まされるように、笠原の手がボードの上を撫《な》でた。お、が、わ。

「――小川？　知り合いか？」

反応がない。

「もう、本当にこの辺にしておいて下さい。明日になれば、もう少し回復しているはずですから」

たまりかねたように医師が言った。今度は、滝沢も素直に引き下がった。貴子は、再び目をつぶり、死んだように動かなくなった笠原を眺めていた。娘が死んだことも知らず、自分自身が生死の境をさまよっている男。疾風と名付けたオオカミ犬を使って、二人の人間を殺害した男。それにしては、何と弱々しい、頼りない姿なのだろう。火傷を負っているとはいえ、笠原の瞳は、あまりにも悲しげに震えていた。顔に刻まれた皺も、包帯の隙間から覗く白髪も、全てが彼を一〇歳以上は老けて見せている。それが、この男の人生だったのだろうか。

「本部に連絡だ」

ＩＣＵから出ると、彼は即座に貴子に言いつけ、自分は煙草《たばこ》を取り出した。貴子は公衆電話に向かいながら、名前の通り、風のようにこの雪の中を走り抜けている、灰色のオオカミ犬の姿を思い浮かべていた。

――疾風。

捕まらないような気がする。捕まって欲しくないような気もした。だが、とにかく追いかけなければならない。

「ご苦労。一六時から会議だ。それまでに戻って来られるな」

電話口では、貴子の報告を聞いた課長が、さっきよりもさらに早口で言った。電話を切ると、貴子は滝沢の隣に戻りながら、脳貧血でも起こしそうな気分になっていた。やはり何か食べて、少しでも良いから目をつぶって休みたい。

「この天気だ。取りあえず、早めに署に戻ろうや」

歩きながら滝沢が言った。廊下の角々に立っていた制服の警官は、いつの間にか交代していた。外へ出ると、雪は幾分勢いを弱めていたが、なおも降り続いていた。病院の駐車場を少しばかりうろついて、雪の積もった車の中から貴子の運転してきた覆面パトカーを探し出し、当然のように運転席の方に回ろうとすると、滝沢が「よせよ」と言った。

「ここまで積もったら、あんたの運転じゃ、怖くてたまらねえよ」

そして、貴子からキーを受け取ると、さっさと運転席に乗り込んでいく。貴子は、おとなしく助手席に回った。空腹と緊張とが、かろうじて眠気を覚ましている。だが、震えるほどに身体《からだ》が寒かった。

「寒いな、たまらんな、こりゃあ」

滝沢は、搭載されている無線機のスイッチを入れると同時にエアコンのスイッチを入れた。予《あらかじ》め捜査系の周波数に合わせてある無線機からは、警視庁管内の各地で交信されている無線が、送風口からは温風が流れてきた。

「これで、一日が終わるんだったらなあ」

エンジンが暖まるのを待つ間に、滝沢がぼそりと呟《つぶや》いた。貴子は、愛想程度に薄く微笑《ほほえ》みながら、黙って窓の外を眺めていた。やがて、車はのろのろと走り始める。病院の門を出ると、そこからすぐに渋滞に巻き込まれた。早朝からの雪だったとはいえ、ここまで積もるとは思っていなかったに違いないドライバーが、至る所で立ち往生しているのだろう。

「今日あたりは、交通課の連中は大変だな」

滝沢は苦笑混じりに言い、そう焦《あせ》ってもいない様子で、のんびりと他の車を眺めたりしている。それから、急に思い出したようにこちらを見た。

「目の下に、隈《くま》が出来てるぜ」

「――そう、ですか？」

滝沢は、口の半分を歪《ゆが》めるようにして、にやりと笑うと「無理すんな」と言った。

「別に襲ったりしねえから、署まで寝ていけよ。寝不足は、美容に悪いんだろう？」

「――大丈夫です」

貴子が答えると、滝沢は「そう言うと思った」と言い、今度は声を出して笑った。

「お嬢さんじゃあ、俺たちみたいにごろ寝は出来ねえもんなあ。だが、意地を張るのも結構だけどな、大事なときに倒れられちゃあ、こっちが困るんだ。女ってえのは素直じゃねえとな、可愛《かわい》くねえぞ」

「元々、素直じゃないんです」

「知ってるよ、そんなこたあ」

それだけ言うと、滝沢は前を向いてしまった。私は隈かも知れないけど、あんたの顔は痣《あざ》じゃない。お互い、パンダみたいで結構ね。それでも、一応は気を遣ってくれているのだ。だが、これで気を許せば、そのうちつけあがって来そうな気もする。それに、貴子の中ではつい今し方の、ＩＣＵの光景が焼き付いていた。貴子がこれまでに関わってきた中で、もっとも哀れな犯罪者の姿。

考えてみれば、笠原という男は貴子の父よりも若いのだ。父は、来年で還暦を迎える。それなのに、父よりもずっと老《ふ》けて、彼はまるで老人のように見えた。だが、笠原には平穏な老後は待っていない。これから彼は間違いなく逮捕、起訴され、それから裁判を受けて、なにがしかの判決を受ける。そして、恐らく長い獄中の生活を送ることになるのだ。たとえ、死刑という判決を受けたとしても、刑が確定し、いつか、その時の法務大臣が判を押して、刑が執行されるまでに、まだまだ何年もかかることだろう。

――疾風。

もう二度と、笠原がオオカミ犬に会うことはないだろう。永遠に会えない娘と同様に、たとえ、捕獲に成功したとしても、笠原は再び疾風と共には暮らせない。

「滝沢さん」

声をかけると、滝沢は驚いたようにこちらを見て、「何だい、寝てねえのか」と答えた。

「笠原には、他に家族はいないんでしょうか」

「どうだかな。他の連中が調べてるだろう」

「疾風は——オオカミ犬は、捕獲されたあと、どうなるんですか」

滝沢は、ハンドルの上で両手を組み、その上に顎《あご》をのせるような姿勢をとりながら「そうだなあ」と唸《うな》った。

「無事に捕獲されたとしても、いずれは処分されるんじゃねえか。何せ、二人も咬《か》み殺してるんだ」

「——」

「重要な証拠物件だろうから、裁判の間は、生かされてるとは、思うがな」

それならば、裁判が長引いてくれると良い。貴子は、ぼんやりとそんなことを考えていた。ただ、飼い主に命じられるままに訓練を受け、ことの善悪も分からないままに、疾風は人を咬み殺したのだ。疾風に罪はないと、貴子は思う。引き取り手があれば、生かしておいても良いではないかと思った。

「それにしても、小川って、誰だったかな」

今度は滝沢が口を開いた。ぼんやりと、窓の外の雪景色を眺めるうち、徐々に緊張がほぐれて眠りかけていた貴子は、再び目を開いた。

「滝沢さん、覚えがあるんですか」

滝沢は、「さあて」と言い、貴子に腫《は》れ上がった横顔を見せながら、相変わらずハンドルに顎をのせている。前方から、赤いランプの明滅が見えてきた。のろのろと車が進むに連れ、パトカーのランプであることが分かってくる。道路の脇《わき》に、追突事故を起こした乗用車が三台停まっていた。滝沢は、貴子の方に身を乗り出して事故の様子を眺めながら、「あららら」と、少しばかり愉快そうな声を出す。

「全く、決まり切ったように、必ず、こういう事故を起こす野郎が、いるんだよなあ」

貴子は、革製のコートや帽子に雪を積もらせて歩き回っている制服の警察官を、黙って眺めていた。真っ白い息を吐きながらメジャーを持っている警官も、運転者らしい人物から話を聞いている警官も、貴子の知らない顔だった。考えてみれば、当たり前の話だ。警視庁だけでも、警察官の数は四五〇〇〇人を数えるのだ。その人数を、総務部をはじめとして交通部、生活安全部、公安部、刑事部など、八つの専門部署と、警察学校などの付属機関が分け合っているのだから、ざっと考えても、一つの部署には、五〇〇〇人程度の警察官がいると考えて良いだろう。それらの顔の全《すべ》てを把握出来ているはずがなかった。

「珍しい名前じゃあ、ねえけど。最近、聞いたことがあるような――」

事故からはすぐに興味を失ったらしい滝沢は、再び「小川、小川」と呟き始めている。

まさか、昔の同僚の名前だなどと言うのではあるまいなと思いながら、貴子は、その念仏のような声を聞いて、少しずつ微睡《まどろ》み始めていた。重苦しい、粘りつくような眠気。こんなはずではなかった。ホシの見極めがつき、いよいよオオカミ犬に近付くことが出来たら、もっと気持ちがはやるだろうと思っていたのだ。貴子は、その日を待っていた。その日の為《ため》に、皇帝ペンギンとのコンビにも耐えてきた。それなのに、疾風という名前まで知った今になって、気持ちは沈む一方だった。

10

小川という名前の正体は、程なく四時からの捜査会議で明らかにされた。

「ひょっとすると、小川将則《まさのり》のことじゃないでしょうか」

最初の被害者である、原照夫の周辺捜査を続けていた捜査員の一人が、そう言ったのだ。

「例のビルで、健康器具の製造販売会社を経営していた男です。少し前までは、管理会社との間で、立ち退《の》きを巡ってもめているという話でしたが」

そこで、滝沢も「ああ」と膝《ひざ》を叩《たた》いた。道理で聞き覚えがあるはずだ。この本部が設置されてすぐに、ビルの管理会社を訪ねて他の入居者のことを調べたときに、その名前を目にしている。確か、扉にも連絡先を張り出していない事務所の契約者の中に、その名前があった。畜生、俺が会っておけば良かったかな。そうすれば、何かの勘が働いたのかも知れないのだ。

「今、その男の所在はつかめているのか」

「最後に話を聞いたのが、ええ――二週間ほど前です」

「その時の印象は」

課長は、あくまでも感情を押し殺した静かな口調で話す。原に関しては、一見、山ほどの問題を抱えているように見えながら、あまりに全ての糸が立ち消えになり、その身辺から殺害の動機を持ち得る人物が出てこない為、堀川一樹が殺害されてからというもの、捜査の焦点は彼の過去の方に集中していたのだ。

「これといって、特に記憶に残るような部分は、なかったと思います。言葉数も、多くも少なくもなく、落ち着いていました。原照夫のことは、見覚えがあるかも知れないという程度で、あのビルにデートクラブが入っていることも知らなかったと言っていました。痩《や》せて神経質そうな男でしたが」

「小川、将則――」

呟きながら、課長は滝沢の方を見る。ＩＣＵで意識を取り戻した男が、自らを笠原であると認めており、疾風と名付けたオオカミ犬を自分の手で逃がしたとも認めていること、自分の家に火をつけた男が小川であると証言したことについては、既に報告が済んでいた。もちろん、下の名前までは聞き出せなかったことについても。

「今夜、もう一度笠原のところに行ってみます」

滝沢が何か言うよりも早く、隣の音道が口を開いた。背筋を伸ばし、真《ま》っ直《す》ぐに前を見つめている、その横顔を見て、滝沢も急いで課長に向かって頷《うなず》いた。

「小川について、知っている限りのことを聞き出しますから」

脇田課長は「そうしてくれ」と頷き返すと、ホシの割り出しに手間取った全ての責任を背負ったかのように、肩を落として立ち尽くしている原照夫担当の捜査員に視線を戻し、極めて穏やかに言った。

「とにかく小川を洗いなおすことだな。その、健康器具会社の経営状態、経歴、人間関係、何でもいい。当然、過酸化ベンゾイルとの接点も、徹底的に、頼むよ」

頼むよ、という、そのひと言だけで、現場の捜査員は救われる。そのことを十分に承知している一課長だった。三〇代の前半というところか、確か松島とかいったと思うが、酒の席では実に如才なく動き回り、人なつこい一面を見せる担当の捜査員は、すっかり緊張した面もちで「はいっ」と答えて着席した。その時、講堂の扉が開いて、オオカミ犬担当に回っていたはずの捜査員が二人入ってきた。「雪で、電車が遅れてまして」と言いながら、二人はコートを着たままで、正面にいる課長たちに頭を下げる。

「笠原勝弘は、婿《むこ》養子だったんです」

そのひと言で、彼らが笠原の身元を洗っていたことが分かった。滝沢は、すると、この二人は甲府から戻ってきたところなのだろうかと思いながら、手早くコートを脱ぐ仲間を見守っていた。仕事とはいえ、この天気の日に遠出をするのは大変な話だ。彼らの周囲からも、口々に「お疲れさん」という言葉がかけられた。

「県警の記録を調べる他に、笠原が在職中に親しくしていたという鑑識課員数名と、さらに、笠原の別れた女房にも会うことが出来ました」

一息入れる間もなく、報告が始まった。カラオケの得意な多田という巡査部長は、自分と似たタイプの刑事だと滝沢は踏んでいた。だが、はっきりと違っているところは、上がり性というか、会議とはいえ、人前で話すのを苦手としている滝沢に比べて、多田は、まるで物語りでも聞かせるように、実に生き生きと話が出来るという点だ。

「それが、少しばかり気の重くなる話でしてね」

そう前置きをすると、多田は上着を引っ張って形だけ身だしなみを整え、笠原の履歴を語り始めた。

笠原勝弘は、旧姓高木、東京都昭島市の出身で、あの火災に遭った家は彼の実家になる。四人兄弟の末っ子で、兄が二人に姉が一人いたが、二人の兄は既に他界し、嫁いでいる姉も、現在は末期癌《がん》で入院中とのことだった。高校卒業と同時に警視庁の採用試験を受けるが合格せず、翌年、山梨県警の採用試験に合格した。二三歳のときに上司の娘と見合いをし、相手が一人娘でもあり、笠原が三男だったことから、婿養子に入ることになった。

「あれこれと聞いたところによれば、取り立てて目立つようなところもなく、地味な性格だという印象なんですね。どうしてサツカンになろうと思ったのか、周囲が首を傾《かし》げたくなるくらいに、世間のことにも比較的無頓着《むとんちやく》で、熱血漢などとは程遠く、どちらかというとひ弱な印象を与えたそうです。付き合ってみれば、それなりに誠実な部分も見えて来るらしいんですが、本来、一人で何かをこつこつとやっている方が性に合っていたようで、荒っぽいことの嫌いな、良く言えば生真面目《きまじめ》、悪く言えば偏屈というか、そんな男のようです。ですから、彼を知っていた連中は口を揃《そろ》えて『信じられない』の連発ですわ」

多田は、手元の手帳を眺めながら、そこで微《かす》かにため息をついた。そんな間の取り方も、なかなか堂に入ったものがあると思う。滝沢は、自分もひと前で話すときには、少し真似《まね》をしてみようかと思いながら話を聞いていた。

隣では、音道がせっせとメモをとり続けている。会議の前、小一時間ほど、彼女は滝沢の前から姿を消していた。そして、現れたときには、目の下の隈は消えていた。彼女は、滝沢の視線に気付くと、心持ちつんとした、素気ない顔の口元をわずかに動かし、無理矢理のような微笑みを浮かべた。どう、人に弱みを握られるような顔はしていないでしょう、とでも言いたげな。はいはい、だから女は怖いんだ。ちゃんと、見事に化けていやがると思いながら、滝沢は大袈裟《おおげさ》に肩をすくめて見せた。

「ですから、そんな笠原が鑑識を希望したというのは、考えてみれば当然のことだったろうということです。実に根気よく、こつこつと任務に励むタイプだったようで、凝り性だったんでしょうな、与えられた仕事はしっかりとこなしていたようです。そして、ええ、二九歳のときに、警察犬の担当になりまして、それ以後は退官まで、ずっと警察犬担当でした」

退官の理由としては、一身上の都合としか分かっていないという話だったが、笠原の同僚だった男の一人は、彼の娘が原因なのだと、ようやく重い口を開いたということだ。末の娘が中学生になった頃から、親に対する反抗を強め、ついには非行に走るようになった。

「それにしても、同業者から話を聞くというのは、どうも、やりにくいもんです。あちらさんにしても、こっちの立場は分かっているものの、やはり、容易に口を割ってはくれませんでね。一〇年以上前のこととはいえ、仲間意識は健在だし、山梨県警の看板に傷を付けるというか、そんな感覚も、あるんでしょうなあ」

自信か自意識のどっちかが過剰なのだろう、とにかく多田の報告には余計な台詞《せりふ》も多い。早く、要点だけを言えよと思っていると、隣から微かなため息が聞こえてきた。そっと視線を動かすと、手元の手帳を見下ろしているらしい音道の、睫毛《まつげ》の長い横顔が見える。それだけで、滝沢は奇妙に居心地の悪い気分になった。ついさっき、雪道を走る車の中で、彼女の寝顔を盗み見ていたときのことを思い出す。意地っぱりのお嬢さんも、眠っているときには普通の娘にしか見えなかった。

淡い色のスカーフから伸びる首筋が、雪に照り映えるように白く見えていた。いかにも疲れて色を失った顔を滝沢から背けるようにして、彼女は死んだように目をつぶっていた。滝沢は、自分が悪いわけでもないのに、大変な無理を強いているような、そんな気にさせられ、意味もなく後ろめたい、嫌な気分になった。結局、どこからどう見ても、音道は女なのだ。滝沢の相方である、デカである、機捜隊員である、その前に、彼女は滝沢とはまるで別の生き物としか思えない、女だった。

——まいったなあ。

声に出さずに呟《つぶや》きながら、滝沢は奇妙に切ない気持ちでハンドルを握り続けたのだ。だから女と組むのはいやなのだと、悪態をつきたい気持ちにもなった。その時の居心地の悪さが、今の彼女のため息で、一気に蘇《よみがえ》ってしまった。

「笠原には三人の子どもがおりますが、そのうち、末娘がですな——もう、お分かりかと思いますが、その末娘の笑子こそ、今回のヤマの大きな鍵《かぎ》を握っていると思って、まず間違いなかろうと思われるわけですが——その笑子が、まあ、笑う子と書いて笑子とは、何とも皮肉な名前だという感じがするわけで」

　何となく、気の滅入《めい》る話になってきた。多忙のあまり、家庭を顧みることの少ない滝沢たちにとって、それはひと事とは思えない話だ。ことに、滝沢には不愉快な話になりそうだった。何しろ滝沢の顔には、まだくっきりと、昨夜の息子の叛乱《はんらん》の跡が残っているのだ。

　——親父《おやじ》がそんな風だから、おふくろだって出てったんじゃねえのかよっ！

　好き勝手なことを言ってるんじゃねえ。おふくろなんていう呼び方をするな。どういう理由があろうと、あの女は、三人の子どもを見捨てて、他の男の元へ走ったのだ。母親ならば、命に代えても守り抜くはずの子どもを、ただでさえ忙しい俺の手元に残して、私だって幸せになりたいと、そうほざいたんじゃねえか。大体、俺が息子を叱《しか》ったのは——いかん、今は仕事中だ。滝沢は慌《あわ》てて耳の奥に蘇った息子の声を振り払った。

「——と、おきまりのコースといいますか、学校には行かず、そのうちシンナー、万引き、家庭内暴力と続きまして、家出を繰り返すようになり、ついには補導されるに至ったと、そういうことのようです。地元の暴走族などとも付き合っていたようで、とにかく笠原としては、立場上、これ以上警察官を続けていくわけにはいかないと判断して、依願退職の道を選んだのではないかと、そういうことのようでした。ええ——」

「分かった。高木笑子については、他の連中が調べてきているから、その部分は飛ばしてくれ。とにかく、その笠原が高木勝弘であることは間違いないんだな」

途中で課長が口を挟んだ。多田は、半ば残念そうな表情で、仕方なさそうに頷き、再びもったいをつけた仕草で手帳をぱらぱらとめくって見せる。

「そこは、間違いありません。旧姓笠原勝弘は、婿養子に入って高木勝弘となり、さらに離婚して、笠原に戻った、と」

似たタイプだと思っていたが、どうも違うらしい。これだけ芝居気の多い野郎が滝沢と似てるとは到底考えられない。

「高木が笠原姓に戻ったのは、三年前といいますから——例のオオカミ犬を購入した後ということになりますか。ですが、彼が女房子どもと別居したのは、警察を辞めた翌年だそうなんです」

笠原の妻だった晃子《あきこ》によれば、夫は警察を辞めて以来、ほとんど人が変わったようになってしまった。再就職した先にも馴染《なじ》めずに、数カ月で辞めてしまった後は、何をしても長続きせず、その頃から酒量も増えて、挙げ句の果てに暴力を振るうことも珍しくなくなったのだという。彼の元上司でもある舅《しゅうと》も、何度となく意見したが、その時は殊勝に頭を下げても、またすぐに酒を飲み、暴力を振るう。そんな矢先に、しばらくはおとなしくしていた末娘がまたもや家出をして、今度はすぐには見つからなくなった。笠原は妻を激しく罵《ののし》り、女房がしっかりしていないから、自分が警察まで辞めなければならないことになったのだと責めた。

「もう、手がつけられないような荒れ方だったようで、たまりかねた晃子は二人の子どもを連れて実家へ戻ったと、そういうことのようですな。その後、笑子は発見されて――ああ、そっちについては、後の報告にお任せするとして――とにかく晃子に何の断りもなく、笠原は九年前のある日突然、一人でどこかへ引越してしまったんだそうです。それ以来、まるで音沙汰《おとさた》もなく、ある日、これが三年前ですが、離婚届が郵送されてきたと」

やりきれねえよな。絵に描いたような、サツカン崩れの転落の記録。誰かを責めようとすればするほど、自分に跳ね返ってくるってわけか。家族のため、正義のためと言いながら、身を粉にして働いたその結果、手元に残るのは何なのだ。こういう話は、かえってドラマチックにではなく、事務的に聞きたかった。

「妻の晃子という女は、少しばかり大柄ですが、色白で、おとなしそうな――」

「その辺で、いいよ。おまえの報告だけで、外が暗くなってきた」

課長が苦笑混じりに言った。何となく、互いに顔を合わせたくないような雰囲気の中に、ぎこちない笑いが広がった。明日は我が身。

滝沢も聞いたことがある。鑑識の中でも、生き物を相手にする警察犬の訓練という仕事は、仕事などという意識でやっていては、とても務まらないという話だ。まさしく、寝食を共にしながら、ほんの仔犬《こいぬ》の頃にやってくる犬を育てていくのだ。一年三六五日、休みの日にも欠かすことなく犬舎を見回り、愛情を注ぎ、そして訓練していく。動物の好きな者には手応《てごた》えのある仕事に違いないが、家庭のある人間にとっては犠牲にするものも多い。家族旅行など夢のまた夢、自分の子どもたちよりも犬の心配をし、犬の性格や癖ばかりを把握して過ごす。

ただでさえ仕事熱心で、人付き合いの得意ではない男が、どれほどの情熱を傾けて警察犬の訓練に励んだかは想像に難くない。その結果、淋《さび》しい思いをしなければならない家族のうちの誰かが、男への反発を強め、道を踏み外すという構図も。

「高木笑子についても、おおよその調べはついているんだったな」

課長に促されて、今度は他の捜査員が立ち上がった。二六、七の若造だが、話し始める前から、もう既に陰気くさい顔になっている。

「あの、相方の竹内さんが風邪《かぜ》気味で、声が出ないということなんで、あの、自分が代わりに報告します」

やれやれ、これからホシを捕まえに行かなきゃならんというときに、どうも湿っぽい雰囲気になってきやがった。滝沢は大きく深呼吸をすると目をつぶり、腕組みをした。

ＩＣＵで見た高木——今は笠原なのだが、未《いま》だに高木と呼ばれる方に反応を示す男——

の姿が思い出される。意識を回復するなり、誰かを探し求めていた、あの目が忘れられない。

「自分と竹内さんとは、埼玉の越生《おごせ》にある病院に行ってきました。あの、高木笑子が入院していた病院です。精神、病院でした」

先ほどの多田とは打って変わって、こちらはつかえつかえの報告だった。精神病院と聞いただけで、滝沢は余計に気が滅入るのを止めることが出来なかった。笠原の目、焼け落ちた家、もぬけの殻となっていた犬小屋——雪の中で傘を差し掛けてきた相方の顔。

「笑子は、もう八年以上も、その病院に入っていたそうです。それまでにも、他の病院に何度か入院したことがあるということで、病名は、いずれの時も、覚醒剤《かくせいざい》の慢性中毒による精神病ということです——一七歳のとき、現在の病院に来た当時は、顔面蒼白《そうはく》で妄想が激しく、医者の問いかけにもまったく答えなかったということです」

以前に収容されていた病院のカルテや、家族から聞いた話、さらに本人からも少しずつ聞き出した話を総合すると、笑子は一三歳頃から、シンナーを覚えたという。最初は興味本位、面白半分だったのだろうが、そのうち学校にも行きたくなくなって、部屋から出なくなった。母親は、最初のうちは父親に知られまいとして黙っていたらしい。やがて、昼間は外を出歩くと誰かに見つかるので、夜中になってから出歩くようになり、コンビニエンスストアーなどで学校以外の友達を作るようになった。外泊をしたのは、そうして知り合った友達の家に一泊したら、何となく帰るのが面倒になったからだというが、翌日、帰宅してみると、父に全《すべ》てがばれていて、ひどく叱られた。

「――その腹いせのように、再び外泊をし、連れ戻されては叱られるという日々が続いたそうで、笑子の非行は、進む一方だったようです」

そして、ある日、ついに東京まで家出してきた。右も左も分からないまま、とにかく歩き回っているうちに、若い男に声をかけられた。

「ディスコに連れていってもらい、その夜は、アパートに泊めてもらって一緒にシンナーを吸ったそうです。ですが、翌日になると、そのアパートに他の女が来て、笑子を見ると激しく暴れ始めたので、怖くなって逃げ出したということでした」

眠らない街をうろつく子ども。そんな連中は、今だって掃いて捨てるほどいる。滝沢たちから見れば、行き着く先は目に見えているというのに、子どもたちは、明りに群がる虫のように、休むことなく飛び回り、やがて目がくらんで、いとも簡単に転げ落ちていくのだ。

御多分に漏れず、笑子もシンナーからシャブへと移行し、家出してから三カ月も過ぎた頃には、立派なシャブ中になり、さらに売春までするようになっていたということらしい。

「病院に運ばれてきたとき、笑子は淋病《りんびょう》に感染しており、しかも妊娠中だったということです。笑子本人は、そのことにも気付いていなかったようで、入院直後に流産したということでした」

滝沢は、ゆっくりと目を開けた。広い講堂は、あまりにも重苦しい静寂に支配されていた。これから、また笠原に会いに行かなければならないなんて、何て嫌な役目なんだ。恐らく、間違いなく、笑子にシャブを教えたのは、殺された原照夫たちなのだろう。

「先ほどの報告とは矛盾するんですが、病院で聞いたところによると、笑子がそのような状態になったことで、笑子の母親は医者や看護婦の目の前で、全ての責任は父親の笠原にあると、半狂乱で責めたてたんだそうです」

そして、笠原は甲府から姿を消した。だが、笑子の病院には、月に二、三回は、必ず見舞いに訪れていたという。母親や兄弟は一度もやってきたこともなかったのに、笠原は、娘の症状が徐々に安定してきた四年ほど前からは、外泊の許可も申請するようになり、笑子が落ち着いているときを選んで、最初は一泊ずつ、やがて期間を延ばして一時帰宅をさせていた。

「中毒になる前の笑子の性格、父親に対する感情などは分かっていません。ただ、この頃では笠原が面会に来るのを心待ちにしており、『お家には大きな犬がいる』『帰ってはやてと遊びたい』と、医者や患者たちに話していたそうです。恐らく、シャブの影響だと思われるということでしたが、笑子は非常に子どもっぽくて、未だに中学生のままのような、そんなところがあったそうです」

　息が詰まりそうだった。和解したときには、既に正常ではなくなっていた娘。人生の大半を、父親への反発とシャブだけに費やして、最後には炎に包まれた娘。多田の台詞ではないが、なるほど笑子という名前は皮肉過ぎる。

　分かっている。だからといって、今の法律では敵討ちなんていうものは認められていないんだ。馬鹿《ばか》なことをしやがって。第一、笠原は生きている凶器ともいえる、例のオオカミ犬を逃がしている。とにかく、あの犬を捕まえないことには、たとえ小川将則がもう一人のホシで、逮捕まで漕《こ》ぎ着けたとしても、安心は出来ないのだ。滝沢は、喉元《のどもと》からこみ上げて来そうな熱い固まりを急いで呑み下し、大きく深呼吸をした。出来ることならば、一杯引っかけて、その勢いで笠原に会いに行きたいくらいだった。

第四章

1

東京を白一色に変えた雪も、大半が跡形もなく消えた翌々日の朝だった。前日、前々日に引き続いて、滝沢と共に笠原の収容されている病院に向かう途中、パトカーに搭載している電話が鳴った。ハンドルを握っている滝沢に替わって貴子が電話をとると、「音道巡査に外線の電話が入りました」と言う女性の声が聞こえてきた。

「外線、ですか」

「ご実家の、お母様だそうです。折り返し電話をするからと、お伝えしておきました」

デスク要員の中の紅一点の、婦人警官の声に違いなかった。忙しいこともあるが、お互いに何となく敬遠し合っている雰囲気があって、捜査本部で唯一《ゆいいつ》の同性だというのに、まだ満足な会話も交わしたことのない相手に、貴子は丁寧に礼を言って電話を切った。

こんな時に限って、何の用だろうと思う。だが、これまで、実家から仕事場に電話がかかってきたことなど、ほとんど全くといって良いほどないことを考えると、咄嗟《とっさ》に不吉な想像が頭の中を駆け巡った。事故？　病気？　火事？　誰が？

「何だい」

二日前から比べれば、確実に腫《は》れも退《ひ》き、痣《あざ》だけが残っている顔で、滝沢が、ちらちらとこちらを見ながら言った。

「私用です」

「なるほど、私用、ね」

間髪を入れず、不愉快そうな声が返ってくる。だが貴子は、真《ま》っ直《す》ぐに前を向いていた。不安そうな顔など、見られたくない。第一、何があったのかなんて、まだ何も分からないじゃない。それに、こんな状況の時に、何があったって、すぐには駆け付けてなどいられない。隣から、荒々しい鼻息が聞こえた。少しばかり、答えが素気なさ過ぎただろうか。

「——実家から、電話があったそうで」

「実家から？　何だって」

「分かりません。病院に着いたら、電話してみます」

今度は、滝沢は少しばかり満足そうに頷《うなず》いた。そして、「じき、着くさ」と言った。

「あんたの実家って、どこなんだい」

「浦和です。元々は、東京の下町の方なんですが、何年か前に引っ越して」

「浦和か——まあ、その気になりゃあ、そんなに遠いわけじゃあ、ねえな」

貴子は、曖昧《あいまい》に返事をしながら、その気になったって、そう簡単に行かれるものかと思っていた。だが、実家の方だって、そんなことは百も承知で電話を寄越したのだ。たまには食事にでも来ないかとか、同窓会の通知が来ているとか、そんな用事ではないことは確実だろう。そう考えると、じりじりとした焦燥感が湧《わ》いてくる。やめてよ、こんな時に。面倒な話を聞かされたんじゃ、たまらないわ。私は今、疾風のことだけを考えたい。今、どこにいるか分からないオオカミ犬を、何としてでも射殺しないで捕まえたい。そのことだけに集中したいんだから。

「ああ、貴子か」

病院に着いて、すぐに実家に電話をすると、耳に飛び込んできたのは意外なことに父の声だった。つい二日前には、灰色に霞《かす》む雪景色しか見えなかった喫煙コーナーの窓からも、抜けるような青空が見える。滝沢は、先に笠原のところへ行ってくれれば良いものを、わざわざ煙草《たばこ》を吸いながら、貴子の電話が終わるのを待つつもりらしかった。

「忙しくしてるのか」

「かなりね。何か、電話をもらったらしいんだけど」

「ああ——母さんが、電話したのかな」

父の声は、普段と変わらなく聞こえた。だが、平日の午前中に、父が家にいること自体が不自然だ。貴子は、普段から口が重く、娘たちともあまり話さない父が、こんな時間に家で何をしているのかと考えた。やはり、何かあったのだ。

「お母さんは？」

貴子の質問に、父は返事をする代わりにため息をついた。そして、「そうか、忙しいか」と呟《つぶや》く。

「母さんは、貴子に帰ってきて欲しかったんだろう」

「どうしたのよ。お母さんに、何かあったの」

つい、苛立《いらだ》った声を出してしまった。父は、小さな声で「いや」と言うと、再びため息をつき、「母さんは、何ともない」と続けた。じゃあ、何なの、誰の身に何があったっていうのと言いかけた貴子の耳に、父の「智子だ」と言う声が届いた。

「薬を、飲んだ」

「薬？」

一瞬のうちに、顔から血の気の退《ひ》くのが分かった。ああ、聞きたくない話になってきたと思う。今、余計なことは考えたくないのだ。

「——それで？」

「今朝、なかなか起きてこないんで、行子が起こしにいったらな、枕元《まくらもと》に薬瓶が転がってたんだ」

捜査は追い込みに入っていた。ここ一両日中が山だと、誰もがその自覚のもとに、本来ならば疲労困憊《こんぱい》しているはずの身体《からだ》に鞭《むち》打つようにして捜査に励んでいる。ゴールを迎えた後で飲む酒の旨《うま》さだけを夢見て、ゆうべも、所々で凍結した雪に足をとられながら深夜まで、今朝もこうして早くから動き回っているのだ。ことに、それまでは捜査に大きな進展のみられなかった薬品担当の捜査員は大いに張り切っていた。彼らは、今頃は所沢にある小川将則の自宅に乗り込んでいるはずだ。

「――無事、なの？」

「ああ――とりあえずは、大丈夫だ。生命《いのち》に別状は、ないらしい」

一瞬、鷲摑《わしづか》みにされたように感じた心臓が、そのひと言で再び激しく脈打ち始めた。貴子は「どうして」と呟きながら、腹の底から猛然と怒りが湧き上がってくるのを感じていた。こんな時に限って、何て人騒がせな子なの。

「――いつか、こんなことになるんじゃないかと、思ってたんだ。特に、この二、三日は、様子がおかしかったから」

「じゃあ、とにかく今は、病院なのね？」

「ああ――母さんと行子が付き添ってる。行子は落ち着いてるんだが、母さんがすっかり慌《あわ》ててな。それで、貴子にも電話したんだろう」

背中から力が抜けていく。母が、どんな様子でいるのかが、気がかりでならなかった。

ふと、笠原が病院に運ばれた日の朝、ＩＣＵの前で途方に暮れて立ち尽くしていた女を思い出した。何度も何度も「神様」と呟き続けていた、あの女はどうしただろう。運ばれてきた病人は、どうなっただろうか。

「——行ってあげたいけど、すぐには無理だわ。ここのところ、休みもないくらいなのよ」

貴子が答えると、父は「分かってる」と答えた。貴子の家に二晩泊まった後、きまり悪そうな顔で帰ってきた智子が、貴子の忙しさについては報告したらしい。父は、智子が姉の健康を気遣っていたと言った。

「そんな、人の心配をするような余裕のある子が、どうしてそんなことをするの」

「さあ——おまえも、ある程度は聞いてるんだろう？」

「——聞いたわ。だけど、そんなに思い詰めてる感じじゃなかったし、どっちかって言うと呑気《のんき》な雰囲気だったわよ。言うことだって、まるで幼稚で」

「幼稚だから、そういうことを考えつくんだ」

父の声は、そこで初めて怒りを含んだものになった。貴子は、離婚の意志を父に打ち明けた時のことを思い出した。あの時も、父は極めて冷静に、感情的にならずに貴子の話を聞いていた。そして、「我慢は出来ないのか」と言い、「しょうがないな」とため息をついた後、「早く、忘れることだ」と吐き捨てるように言った。貴子は、その時初めて、父に対して申し訳ないことをしたと思った。娘ばかり、三人を持つ父親が、初めて持った義理の息子に対して、どんな感情を抱いていたか、男親として、どんな気持ちで貴子の話を受け止めたか、その後ろ姿が語っていた。

貴子は「それで」と言った後で、周囲を見回して滝沢の姿を探し、彼が——聞き耳は立てているに違いないにしても——素知らぬ顔で窓辺に立っているのを確かめると、受話器に口を近付けて声をひそめた。

「遺書みたいなものは、見つかってるの？」

「いや。ざっと見た限りでは、そんなものはないみたいだ。部屋だって、いつもの通りに、散らかったまんまで」

「だったら、死ぬつもりだったかどうかなんて、分からないじゃない」

「だがね——まあ、いい。こっちのことは、こっちでするから。そっちは、もっと重要な仕事をしてるんだから」

それから父は、身体だけには気をつけるようにと言い、自分と行子がいるのだから、母のことも智子のことも心配しないで仕事に励めと言った。

「——こっちが一段落ついたら、一度、帰るわね」

最後にそれだけを言うと、貴子は重苦しい気分で電話を切った。腹が立ってならない。人騒がせにも程があるではないかと思いながら滝沢に近付くと、相方は無表情のままで

「いいのかい」と言った。貴子は黙って頷いた。

「そんじゃあ、仕事を始めましょうかね」

そう言うと、腹を突き出して歩き始める。

「まあ、色々あらあな」

背中越しに、唸《うな》るような声がした。貴子は、脂《あぶら》ぎった少ない髪が、ぺたりとはりついている滝沢の頭を見つめながら、やはり聞こえていたのだとため息をつき、「あの馬鹿《ばか》」と内心で呟いていた。ついこの間、貴子のパジャマを着て、甘えた顔で地団駄を踏んでいた智子の姿が蘇《よみがえ》る。高熱に浮かされていた貴子のためにアイスノンを買いに走り、カレーを作ってくれていた智子は、貴子にとってはいつまでも幼い妹だった。それなのに、家庭のある男との恋に堕《お》ちて、子どもまで堕ろして、挙げ句の果てに薬を飲んだという。

これが他人だったら、「死にたきゃ、勝手に死ぬのね」とでも言ってやりたいところだ。それが、どんなにはた迷惑で、美しくもドラマチックでもないことを、妹は知らないに違いない。不自然死ということにでもなれば、見知らぬ人々に裸体をさらして、解剖に付され、全くの物として扱われる、その事実を想像もしていないのだ。本当に、馬鹿。今すぐ行って、頬の一つも叩《たた》きたいくらいだった。いや、とにかく無事だったのだから、よしとすべきだろうか。生きていてくれて良かったと、手を握って笑いかけてやるべきだろうか。

「笠原、おい、気分はどうだい」

だが、今は手を握る相手が違っていた。貴子は滅菌された白衣を羽織ってICUに入り、滝沢と共に容疑者の傍らに座った。そして、怪我《けが》の回復を待って獄中につながれる運命の男の手を握っている。もっとも危険な状態こそは脱したものの、笠原は、相変わらず高熱が続いており、今日も意識は朦朧《もうろう》としていた。

「分かるかい、笠原。聞こえるか」

一度の面会は、一五分と決められていた。その間、滝沢はひたすら呼びかけを続け、貴子は、容疑者の手を握り続けた。滝沢の何度目かの呼びかけで、ようやく笠原の瞼《まぶた》が開き、生気のない瞳《ひとみ》が覗《のぞ》いた。そして、見覚えのある顔を認めると、ゆっくりと手を握り返してくる。

「今、小川を捜してるからな。あんたと娘さんを、こんな目に遭わせた奴《やつ》を、俺たちは必ず捕まえる、な」

弱々しく、イエスの意思表示が返ってくる。貴子はそれを感じ、滝沢を見上げて頷いて見せた。

笠原の証言により、捜査本部は、原照夫と同じビルで健康器具会社を経営していた小川将則を洗いなおし、最有力容疑者と断定した。

〈最初は、こちらから声をかけた〉

昨日、笠原はとぎれとぎれに、自分が疾風の訓練をしているときに、小川が川原で何かを燃やす実験をしているのを見た、さらに、自分自身が原照夫を付け狙《ねら》っていた最中に、例のレストランの地下駐車場で、彼が原に何かを手渡しているところを見たと、震える手でひらがなをひと文字ずつ示していった。

〈こっちは、黙っているつもりだった。小川が代わりにやってくれたのだから〉

当の小川本人は、笠原の家が火災にあった日から、家人に何も告げないまま帰宅していないという。さらに、小川が経営していた健康器具の会社は、この数年、経営が行き詰まっており、ノンバンク系などから多額の融資を受けていることも分かった。

成分鑑定の結果を待たなければ断定は出来ないものの、笠原の家の周囲からは、恐らく過酸化ベンゾイルと思われるタール状の燃えかすと、時計の部品などが発見されている。それだけで、笠原の家の放火事件と原照夫の殺害とは無関係なはずがないという空気が捜査員の間に流れた。浮かび上がっている名前は小川将則一人だ。これで小川の周囲から、何らかの物証を得ることが出来れば、すぐにでも引っ張るだけの用意は出来ていた。

「一日に一五分やそこらじゃあ、聞きたいことも聞けやしない。まあ、怪我が治ったら、じっくりと話そうや、なあ」

滝沢の口調は穏やかだった。貴子は、わずかに汗ばんで湿っている笠原の手を握りながら、二人の顔を交互に見つめていた。

「とにかく、どうしても今のうちに、あんたから聞かなきゃならんことがある。そりゃあ、分かるよな？　あんたの立場だって、ただ可哀想《かわいそう》ってわけじゃ、ねえ。あんた、自分のやったことについちゃあ、認めてんだよな？」

力のこもらない、イエスだった。貴子は、目をつぶったままの笠原の横顔を見つめていた。頭の片隅には、地団駄を踏む智子の顔が浮かんでいる。あの子はチビの頃から、いつでも駄々をこねて、何かというと貴子に救いを求めてきた。ちょっと風邪を引いて寝込んだだけでも、途端に甘えん坊に戻って、貴子と行子だけで遊びに行くのを、わざと咳《せき》をしたり、泣いたりして阻止しようとしたものだ。それを、今度ばかりは力になってやらなかったから、だからって薬を飲んだの？

「考えようによっちゃな、罰が当たったってことも、あるかも、知れねえしなあ」

笠原の指が、まるで微弱な電気を通したようにぴくりと動いた。

「てめえの手を汚さずに、人の生命を奪ったってことじゃあ、あんただって、小川と大差ねえもんなあ。そりゃあ、理由は色々とあるかも知れねえし、俺にだって、年頃の娘がいる——まあ、そいつは後からじっくりと聞かしてもらうことにして、だ」

包帯を巻かれた胸が、わずかに上下に動く。笠原の、深い皺《しわ》に囲まれた目が、ゆっくりと開いて天井を見つめた。智子は、今頃どうしているのだろう。病院の名前だけでも聞いておけば良かったかも知れない。

「とにかく、俺たちが今いちばんに聞きたいのは、あんたが逃がした犬のことだよ。疾風のことだ」

また、目が閉じられた。瞼の下で、眼球が落ち着きなく震えている。そして、笠原は一瞬首を反らし、喉《のど》の奥から呻き声のようなものを発して顔を歪《ゆが》めた。反射的に、貴子は手に力を込めて彼の手を握りしめた。大きく無骨な手は、あまりにも弱々しく、貴子の手の中でぐにゃりと曲がった。

「疾風の行き先に、心当たりはないかね、え?」

反応はない。それどころか、笠原はどこか痛むのか、急に顔を苦痛に歪めて、呼吸を荒らげ始めた。少し離れて立っていた医師が、慌てて近付いてくる。

「ちょっと、下がっててくれませんか。話を聞くのは、まだ無理なんですよ」

そして、彼は笠原の顔を覗き込み、患者につながれている様々なチューブやコードを確認した上で、看護婦に何かを命じた。それまで無表情で医師の後ろに控えていた看護婦は、弾《はじ》かれたように動き始めた。貴子は、突然ここが自分たちの職場ではないことを思い出し、居場所を失って、すごすごと後ずさりをするより他になかった。だが滝沢は、例によって簡単には引き下がらなかった。癪《しゃく》にさわるけど、そういうところは見習うべきだ。嫌われても、やることはやる。それが、刑事だ。

「何とか、落ち着かせてもらえませんかね。まだ、どうしても聞かなきゃならないことが、あるんですよ」

「見れば、分かるでしょう。こっちだって、必死なんです。とにかく、出てて下さい」

「何分くらいで、話せますかね。あたし、外で待ってますが」

医師は、滝沢の最後の質問には答えなかった。それでも滝沢は「先生」を連発し、「頼みますよ」と念を押して、ようやく貴子の方を振り返った。

「このままじゃあ、本部にも連絡出来やしねえ」

ＩＣＵを出て、滝沢がぼやいた途端に、人気のない廊下にポケットベルの音が響いた。貴子は滝沢と顔を見合わせ、二人で同時に自分の服のポケットに手を入れた。そして、貴子が自分のポケットベルを確認する前に、滝沢が「俺の方だ」と呟いた。

「こういうときに限って、俺の方を呼びやがる」

ただでさえ、痣《あざ》もあって片方は真っ赤な顔を、余計にしかめ面《つら》にして、滝沢は、さながら鬼瓦《おにがわら》のような表情になった。貴子は、思わず笑いそうになり、急いで「そんな場合じゃない」と自分に言い聞かせた。そして、肩をいからせて歩いていく滝沢に従った。

智子。皆、こうして生きてるのよ。夫や妻、子どもに裏切られて、背かれても、こうして生きてる。ただ、悲しむためだけ、傷つくためだけかも知れないけど、でも、生きてる――。

緑色の公衆電話に向かう滝沢の後ろ姿を眺めながら、貴子は初めて、彼を相方として実感していた。あの、不格好な皇帝ペンギンだって、今の貴子のように、常に誰かに語りかけながら、日々の仕事に明け暮れているのに違いない。他人の事件ばかり追いかけて、自分の身内のごたごたは放ったらかし、そんな身の因果を感じながら、それでも日々を過ごすのだ。顔に痣なんか作っちゃっても、隠す暇もなく仕事に励むしかないのだと、少しばかりしみじみとした気分になりかけたとき、滝沢がくるりと振り返った。いつにも増して変な顔で、黙って貴子に受話器を差し出す。

「詳しい話はデカチョウから聞いてくれ。そっちが済んだら、滝沢班は解散だ。音道巡査には、新しい任務についてもらう」

貴子の耳に届いたのは、綿貫係長の極めて事務的な声だった。貴子は短く返事をしただけで電話を切った。戻ってきたテレフォン・カードを滝沢に返そうと振り返ると、滝沢の姿はそこにはなかった。慌てて周囲を見回すと、出てきたばかりのＩＣＵに、せかせかと戻っていく滝沢の後ろ姿が扉の向こうに消えるところだった。

2

立ちはだかる医師や看護婦を押し退《の》けて、滝沢は再び笠原のベッドに近付いた。苦痛に顔を歪め、荒々しい呼吸を繰り返している笠原は、滝沢が近付いたことにも気付かない様子で、固く目を閉じている。どこから見ても、哀れな重病人だ。今となっては、赤ん坊に足を踏まれたって、抵抗する力すら持っちゃいない。

「聞こえるかい。なあ、笠原」

聞こえてくるのは荒々しい呼吸ばかりだ。滝沢は、笠原の傍らに屈《かが》み込み、その耳元に口を近付けて彼を呼んだ。だが、彼ははっきりとした反応を示すこともなく、乾ききってひび割れた唇を半開きにしたまま、喘《あえ》ぎ続けている。滝沢は、今度は彼の手首を摑んで、軽く揺すりながら名前を呼んだ。その時、喫煙コーナーに置き去りにしてきた音道が、小走りに近付いてきた。訳が分からないといった表情で、普段は切れ長の瞳を精一杯に大きく見開き、女刑事は滝沢の隣に立った。滝沢の耳に、今し方聞いたばかりの、綿貫係長からの指令が蘇った。

――滝沢班は、その聞き込みを終えた段階で解散する。滝沢巡査部長は新たに他の捜査員と組んで任務を続行、音道くんには別の任務についてもらう。

ここまで来て、どうして班を解散するんだ、音道が、そういう希望でも出したのだろうか。今頃になって、滝沢の中では、様々な疑問が渦巻いた。だが、電話をかけていたときには、そんなことを考える余裕はなかった。綿貫係長は、滝沢の頭をぶん殴るような情報をもたらしたのだ。

もらおうか、おい」

「苦しいのは、分かる。だがな、是が非でも、あんたに聞かなきゃならん。目を開けて

滝沢は、笠原の手首を軽く揺すっていた手に力を込め、無抵抗な病人の手を心持ちねじ上げるようにした。笠原の喘ぎが、一瞬止まった。背後でお嬢さんの動く気配がする。非難めいた顔つきなんかするなよ、こうしてでも、こいつに頭をはっきりさせてもらわなきゃならんのだと思いながら、ちらりと見上げると、彼女はいつの間にか、例の、ひらがなの並んだボードを用意して、笠原に向かって差し出そうとしているところだった。気配り。判断と行動の早さ。そして、冷静さ。家で何があったのかは知らないが、受けた動揺を抑え込めるだけの精神力。

「聞こえますか、笠原さん。聞こえたら、目を開けて!」

女の鋭い声に反応したのか、笠原の瞼がわずかに動いた。まったく、女にしておくのは、もったいないかも知れないな。だが、そんなお嬢さんとも、今日でおさらばだ。

「いいかい、笠原。よく聞けよ、水谷、水谷拓って、知ってるか」

笠原の手がぴくりと震え、瞳がかっと開かれた。充血し、潤《うる》んだ瞳が宙をさまよい、やがて滝沢の方を見る。滝沢は、「知ってるんだな」と呟《つぶや》いた。

「そうだよ、足立区の、竹の塚の水谷だ」

笠原の瞳が揺れた。滝沢は、身を乗り出して、彼の顔を正面から見つめた。そして、

隣の音道にも聞こえるように、ゆっくりと、「死んだよ」と言ってやった。一瞬、呼吸が止まったかのように、笠原がおとなしくなった。だが、目は見開かれたままだ。

「今朝な、近くの寺の境内で、発見されたとさ。のど首を喰いちぎられて、頭蓋骨《ずがいこつ》は破裂骨折してたそうだ」

言っている滝沢自身の方が、背中に悪寒《おかん》を感じる。笠原の瞳に、明らかに動揺が見て取れた。視線がさまよい、救いを求めるように動き回る。「本当なんですか」と、隣から囁《ささや》きが聞こえた。滝沢は、笠原から目を離さずに小さく頷《うなず》き、さらに、彼に顔を近付けた。

「疾風だよな？」

笠原は、ようやく滝沢の顔に目の焦点を合わせ、試すような瞳でこちらを見つめ返してきた。滝沢は、ため息をつきながら「疑ってるのか」と呟いた。返事をする代わりに、笠原は瞬《まばた》きを一度、した。

「だが、本当なんだよ、残念ながらな」

滝沢は、イエスなら一度、ノーなら二度、瞬きで答えれば良いと告げ、さらにもう一度、水谷拓という男に覚えがあるのだなと念を押した。笠原は、一瞬躊躇《とまど》い、滝沢と音道とを見比べた後、ゆっくりと、一度だけ瞬きをした。

「まあな、考えようによっちゃあ、あんたのしつけた犬が、手当たり次第に誰かを咬《か》み殺したんじゃないっていうだけ、まだましかも知れんがな。俺たちゃあ、そっちの方を警戒してたよ」

笠原の視線が再び宙をさまよった。ただでさえ、熱にうかされ、赤く潤んでいた瞳《ひとみ》が震えたかと思うと、目尻《めじり》から涙が落ちた。こんな場所で、泣いてもらったって困る。だが、女と違って男の場合は、取り調べに際して涙を見せたときに、「落ちた」ことになる。滝沢は、さらに身を乗り出して「どうしてだい」と口を開いた。

「あんたは、こうやって病院に入ってる。それなのに疾風は、水谷を捜し出した。どうして、そんな芸当が出来たんだ」

涙に咽《むせ》びながら、笠原は手を震わせた。すかさず、音道がボードを差し出した。哀れな容疑者は首を捻《ひね》ってボードを見、力が入らないらしい手を、焦《じ》れったいほどゆっくりと動かした。

——下見には、連れていっていた。

「水谷を、覚えさせてたのか」

——家を突き止めて、何度か、後をつけたことがある。

それだけで、水谷を覚えたということだろうか。それほどに知能の高い生き物なのか？　犬っころじゃないかよ、ええ？　どんなに訓練されていたって、出来ることと、出来ないことがあるはずじゃないか。その場で命じて襲わせるだけだって、相当なものだと思うのに、飼い主から離れても、自分の任務を遂行するといったら、そいつあ人間並みということだ。オオカミ犬とは、オオカミとは、そんな生き物なのだろうか？　滝沢は、いよいよ薄ら寒い気分になりながら、自分の隣で、わずかに眉《まゆ》をひそめて笠原を凝視している音道を見た。

「つまり、疾風は、あんたがいなくても、やるべきことは出来るんだな」

――そこまでとは、思っていなかった。

ボードを見つめ、自分自身も焦れったそうに指を動かす笠原の瞳は、確かに怯《おび》えているように見えた。

――確かに、疾風には意志がある。自分で納得しなければ動かない。

滝沢は、一体、何という犬を育てたのだと思いながら、「そうかね」と唸《うな》った。

「あんた、他に誰を覚えさせたんだ」

無言。滝沢は、初めて声を荒げ、抵抗すら出来ない、かつては同業者だった男にのしかかりそうな勢いで顔を近付けた。

「言えっ！　疾風は、あと、誰を狙《ねら》ってる！」

笠原の、皺に囲まれた瞳が二回、弱々しく瞬きをした。

「ノーじゃあ、分からねえんだよ。誰を狙ってるかって、聞いてんだっ」

彼の瞳は再び不安そうに揺れ、声の出ない唇がわずかに動いた。滝沢は、「何だって?」と彼の口元に耳を寄せ、「何なんだ!」と声を荒げた。

「思い当たるところがあるんだったら、これで、言って下さい」

隣から音道も厳しい口調で言う。笠原は、再び唇を動かそうとし、やがて、諦《あきら》めたようにボードの方を見た。

——最初から狙っていた人は、もう、いない。

滝沢が、「いないのか」と言いかけたとき、音道の手が伸びてきて滝沢の腕を押さえた。笠原の震える手は、まだ続きの文字を示していた。

——疾風は。

呼吸が乱れてきている。涙を流しながら、必死でボードを見つめる目は、真っ赤に血走っていた。

「疾風は、何だ。何なんだ、え?」

「落ち着いて、ゆっくりでいいですから」

音道の抑えた声が聞こえた。滝沢の腕を摑《つか》んだまま、女刑事は身を乗り出して、「頑張って」と言う。普通の取り調べでは、聞かれない言葉だ。容疑者を励まして、何になるのだという類《たぐい》の言葉。だが、今の場合、とにかく病床の被疑者から話を聞き出すためには最上の、そして、男の口からではなかなか出ない言葉だった。

——普通の人は、絶対に襲わない。ただ、小川は狙うかも知れない。

ゆっくりと文字をたどる指が、そう語ったとき、音道の指に力がこもったのが滅菌済みの白衣の袖を通して感じられた。畜生、さっき、小川の行方についても聞いておくんだった。だが、係長の方から何も言わなかったということは、まだ、小川の消息が摑めていないということだ。

「疾風の力なら、見つけることさえ出来れば、襲うのは容易《たやす》いだろうな」

滝沢の呟きに、笠原の瞳が弱々しく一度だけ瞬いた。もはや、この飼い主の手からも離れて、野に放たれた疾風は、犬というよりも、限りなくオオカミに近い生き物として、その能力の全《すべ》てを発揮して小川を捜しているということなのだろうか。

「あんた、疾風に襲わせたいかい」

無言。

「小川のことは、俺たちが捕まえるって、言ってるよな。それでも、疾風に殺させたいか」

反応がない。笠原は、ゆっくりと目を閉じ、何とかして呼吸を整えようとしているかのようだった。頸動脈《けいどうみゃく》が激しく脈打っている。涙は、あとからあとから溢《あふ》れてくるらしかった。滝沢は苛立《いらだ》ちながら、そんな笠原を見据えていた。

「疾風が可愛《かわい》くはないんですか」

音道が口を開いた。

「疾風は、あなたのために、何人もの人を襲ったんでしょう？　あなたは、疾風を、ただの復讐《ふくしゅう》の道具にしたいだけで、育ててきたんですか。疾風が、こんなにもあなたを信じてるのは、あなたが、それだけの愛情を注いできたからじゃ、ないんですか」

新たな涙が笠原の目尻から流れた。滝沢は、その顔と音道の横顔とを見比べながら、無意識のうちに、わずかに身を退《ひ》いていた。音道にだって、聞きたいことがあるはずだ。彼女なりの方法で、何かを聞き出そうとしているはずだった。

「私は、疾風を死なせたくありません。何とかして、生きたままで捕獲したいと思っています」

その言葉に、笠原の瞳が再び開かれた。弱々しさと、食いつきそうな執念との交錯。迷いと後悔。孤独。全てが集約された目元だ。

「教えて下さい。他の人には、絶対になつかない疾風を、捕獲する方法」

時計が止まったのではないかと思うほどの、長い沈黙が流れた。お嬢さんは微動だにせず、男の瞳をひたと見据えている。新しい任務。滝沢は、音道が白バイに乗っていたことさえ知らなかった。声も出せない、哀れな怪我《けが》人の荒々しい呼吸の音ばかりが響いた。

「それが、飼い主であるあなたの義務でしょう？　それとも、あなたはこのまま疾風を見捨てるんですか。もう、目的は達成されたから、あとは野犬にでもなって、生き延びてくれればいいとでも、考えてるんですか」

無言。やがて、音道は大きく息を吸い込んで、「家族じゃ、ないんですか」と言った。

笠原は、しばらくの間、音道を見つめていた。そして、さらに数分が経過した後、ようやく手を動かした。

――笑子の持ち物。匂《にお》い。

「笑子さんの持ち物？　その匂いを感じさせれば、疾風は現れますか」

ゆっくりとした瞬きが一度。その硬い表情を見たとき、滝沢は、この男は娘が焼死していることに気付いていると直感した。

――笑子の病院に、残っている。

「越生の病院ですね？　そこに残っているものを使えばいいんですね？　でも、どこで？　疾風がどこに潜伏してるか、心当たりがありますか？」

音道の口調は、少しずつ速さを増していた。滝沢以上に落ち着いているように見えるが、やはり、彼女だって苛立っている、切羽詰まっている。しかも、これから彼女は、一人の任務に就くのだ。一人で、最前線でオオカミ犬を追わなければならない。まさか、こんな姉ちゃんがトカゲだなんて。女だからというだけでなく、どこまでも得体の知れない、理解不能な奴《やつ》じゃないか。

――家。

「家？」

「あんたの家かい。燃えちまった、昭島の家か？」

笠原は、弱々しく、ゆっくりと一度瞬いた。そして、滝沢が「そうか」と頷くのを確認するように、また目を閉じてしまった。本当は、まだまだ聞きたいことがあった。だが、とりあえずは犬っころ――などと呼べるような代物《しろもの》じゃないことくらいは、百も承知だが――を捕まえること。そして、その間に、少しでも回復してもらって、すらすらと、こっちの質問に答えられるようになっていてもらうことだ。

「他に、行くあてもないんだ。笠原や笑子を捜して、オオカミ犬は、必ず家に立ち寄るんだろう」

眉間《みけん》に薄く皺《しわ》を寄せ、まだ何か考える顔をしている音道に囁くと、滝沢はそのまま笠原の傍を離れた。背後で「探します、きっと」と言う声が聞こえた。

「係長からは、聞いたな」

ＩＣＵを出ると、滝沢は足早に歩きながら隣を見ずに言った。「はい」という小さな声が、靴音と共に追いかけてくる。それきり、滝沢は口を噤《つぐ》んだ。とにかく、そこにいるだけで病気になりそうな辛気くさい建物から飛び出し、正式な発表など、まだ何もしてもいないのに、なぜか嗅《か》ぎつけてくるマスコミの連中からも逃げるように、覆面パトカーに飛び乗る。本部に戻り始めながら、車内電話で報告を入れた以外は、滝沢は黙ったままだった。もはや、これで縁も切れると思う女刑事に、何を言うべきかも分からなかったし、相手も黙ったままなのだ。お世話になりましたくらい、言えないもんかね。それとも、落ち着いて見せてても、頭の中はパニックなのか。

「滝沢さん」

そろそろ、本部に着くという頃になって、ようやく音道が口を開いた。それまで、通信本部からの無線連絡ばかりが虚《むな》しく流れていた車内の空気がようやく動いた。滝沢は、普段と変わらないように気をつけて「ああ」と答えた。

「報告書、お願いしてもいいですか」

「――構わねえよ。あんた、お忙しい身の上だもんな」

また、やってしまった。この期《ご》に及んで、こんな嫌味を言うつもりではなかった。滝沢は、しまった、と思い、反射的に舌打ちをした。ほれ、見ろ。せっかく話の糸口が見えたと思ったのに、気難しいお嬢さんは、またまた黙りこんじまった。

3

小川将則が全国に指名手配されたのは、その日の午後のことだった。朝からの家宅捜索によって、捜査員は小川の自宅物置から、卓上フライス盤やボール盤、ベルトサンダーなどの工具やテスター、オシロスコープといった計器類と共に、アルミニウムのブロック、塩化ビニール板、水晶発振子やタイマーICなどが装着されているPC板やニクロム線、銅製リベット、ケーブル類などを発見した。家人によれば、その物置は小川が健康器具の開発研究の為《ため》に使用しているという話だったが、同時に発見されたメタノールなど数点の薬品類の中には、内容を分析してみなければ分からないものの、白い無臭の乾燥粉末の薬品なども含まれていたという。恐らく、それらの押収《おうしゆう》した薬品類の中に、過酸化ベンゾイルが含まれていることは間違いないだろうと、捜査本部では確信した。

「やっぱり、小川が本ボシですか」

貴子は、それらの話を張り込み中の車の中で聞いた。既に数時間前には日も暮れて、辺りは闇《やみ》に包まれている。火災から二日が過ぎても、まだ焦《こ》げ臭い匂いの立ちこめている笠原の家の周辺の、ありとあらゆる場所には人間ではなく、一匹の犬を張り込む捜査員の姿があった。

「それで、小川本人は」

「一昨日《おととい》の夜から、帰ってきてねえんだとさ」

答えたのは、滝沢だった。ようやく班が解散して、これで厄介な親父《おやじ》とも、もう話をすることもなくなったと思ったら、滝沢はオオカミ犬追跡の任務のまま、特に貴子の援護に回るという役目を仰《おお》せつかったのだそうだ。

「小川は自分の車で出かけてるらしい。その車種、ナンバー、立ち寄りそうな場所は、親元も親戚《しんせき》筋も、知り合いの家も、全部手配済みだ」

「じゃあ、見つかるのは時間の問題ですね」

「まあな、笠原の推測が正しけりゃあ、疾風と俺らとの、競争ってことになるな。どっちが先に、小川を捕まえるか」

言いながら、滝沢はむくむくとした芋虫のような指で首の後ろを掻《か》いた。薄い闇の中でも、雲脂《ふけ》らしいものが落ちるのが見えた。貴子は、車の後ろの席に座っている。滝沢の隣には、彼の新しいパートナーがいた。今関《いまぜき》という、滝沢と似たような年代の、いかにも真面目《まじめ》一徹といった雰囲気の男は、滝沢と貴子が話す間、終始無言のままだった。やっぱり、こういう雰囲気の相手の方が、皇帝ペンギンにはお似合いだ。端から見たら、今の貴子の姿など、道交法違反か何かで捕まった、ただのライダーにしか見えないことだろう。

「それにしても、匂いってえのは、どれくらいの間、残ってるものなのかね」

しばしの静寂の後、滝沢が太くて短い首を無理矢理のように捻《ひね》って振り返った。貴子は、「さあ」と小首を傾《かし》げて見せただけだった。捜査本部では高木笑子の入院先から、彼女が普段身につけていたパジャマを借り受けてきていた。今、そのパジャマは笠原の家の塀の上に置かれている。主人を捜し求めて戻ってきた疾風が、その匂いを嗅ぎ取り、警戒心を解いてくれることだけを祈って、馬鹿馬鹿《ばかばか》しいと思われることでも何でもしないわけにいかない。そこまで、捜査本部の方も追い詰められていた。

「いつになったら、暖かくなるのかねえ」

再び滝沢が呟《つぶや》く。そして、今度は貴子の方を振り返らずに「こんな晩にバイクとはな」と言った。貴子は、何も答えずに外を眺めていた。今にも、闇の中から二つの目が光りそうな気がする。だが、時折、家路を急ぐ人の姿が見られるこの時間では、用心深い疾風は、まだ現れないだろう。

「若いんですね、やっぱり。私も以前は趣味で乗ってたんですが、もう一〇年くらい前に、やめました」

ようやく、助手席の方から声がした。立川中央署の隣の署から、応援として捜査本部に加わっているという捜査員は、滝沢とは違って言葉つきも丁寧だ。

「若いってだけじゃ、ないんじゃないですか。やっぱり、あれでしょう、好きなんだ、なあ？　革のつなぎなんか着てさ、こう、ぱあっと走るのが」

夕方、滝沢は貴子のレザースーツ姿を見て、いかにも驚いたように目を丸くしていた。そして、恥ずかしそうな、不愉快そうな、何とも言えない複雑な表情で「格好いいじゃねえか」と言ったものだ。

「それでも、冬場はきついですよ。いくら好きでも、なかなか——」

「まあ、しょうがないやな、それが音道刑事の任務なんだから——おい、少し、寝といたらどうなんだい、音道。オオカミくんが出てくるのは、夜中って相場が決まってるんだ」

膝《ひざ》の上にヘルメットを置いたまま、貴子は素直にシートにもたれて目をつぶった。眠れるかどうかは分からないが、滝沢と二人きりの時よりは気が楽だ。

本部では疾風を殺さずに捕獲する方針を立てた。人間ならば実行犯なのだが、相手が証言能力もない動物なだけに、オオカミ犬は重要な証拠物件ということになる。ゆくゆくは処分されることにはなるのだろうが、裁判の段階までは生かして、その高い能力を証明させようというわけだ。その決定に、貴子は胸を撫《な》で下ろしていた。殺すために、先陣を切って追うというのでは、少なからずやりきれない気持ちにさせられる。

「それにしても、女のトカゲとはねえ」

滝沢の呟きが聞こえる。貴子が、もう眠っていると思ったのだろう、滝沢なりに気を遣って声をひそめているつもりなのだろうが、中途半端《はんぱ》な小さな声は、貴子の神経をかえって刺激した。

「頑張ってるじゃないですか、彼女。息の合ったコンビだったんじゃないですか」

わずかに鼻を鳴らす音。そして、「そう思うかい」という、いかにも皮肉っぽい声。

どうぞ、お好きに言って下さって結構。疾風さえ現れたら、私は今度こそ、あんたの傍から離れるわ。

上層部の中には、たとえ射殺しても、咬傷《かみきず》や体毛、足跡などから、疾風が実行犯である証明は出来るではないかと主張する者もいたと聞いている。その為に、機動隊のスナイパー要員の出動を要請すべきである、すぐにでも機動隊の所属部署である警備部に働きかけをすべきだと主張したらしい。それに異を唱えたのは、宮川管理官だったという。そして、スナイパー要員の代わりに民間の猟友会に協力を要請した。今、要請に応じて集められた民間人たちは、各々《おのおの》が麻酔銃を持って、どこかで待機しているはずだ。

「長い夜になりそうだ」

「滝沢さんも、少し寝ておいたらどうです。私が起きてますから」

前の方では、まだそんなやりとりが聞こえている。その声を聞きながら、貴子は眠りに落ちていった。智子のことが気がかりだ。だが、これから疾風を追うという時に、余計なことを考えてはならないと自分に言い聞かせた。レザースーツにグローブをはめたままの、窮屈な仮眠だった。

結局、その日は夜明けまで、貴子に出動の機会は訪れなかった。疾風は現れず、署から乗ってきて、パトカーのすぐ前に停めてあるCB400スーパーフォアには、シートにうっすらと霜が降りた。

「こりゃあ、長丁場になるかな」

そっとパトカーから降りて、濡《ぬ》れたシートを拭《ぬぐ》っていると、滝沢も大欠伸《あくび》をしながら車から降りてきた。今関刑事は、今も助手席で熟睡している。

「包囲の仕方が、狭すぎるんじゃないでしょうか。こっちが張り込んでることに、気付いたんじゃあ」

貴子が言うと、滝沢は「そうかもな」と答えた。

「何せ、頭がいいんだもんな。下手すりゃあ、俺よりも利口かも知れねえ」

陽が昇ってから、貴子たちは他の捜査員と交代して、一旦《いったん》捜査本部に引き上げた。いつ召集がかかるか分からない、どうしてもオートバイが必要になるときがあるかも知れないとの考えから、貴子は会議の後も家には帰らず、署内で待機することになった。

「小川に愛人がいたんだと。心境を告白したとよ」

「小川は、どっかのテロ集団に属してたんじゃないかって書いてる新聞があったな」

一晩中の張り込みを終え、ようやく一息ついた捜査員たちは、しばしの休息の間にテレビを見、新聞を読んで、世間が今回の事件をどう見ているか、どんなふうに知らされているかを知った。

マスコミの報道ぶりも過熱の一途をたどっている。数日前から、立川中央署の前には、新聞やテレビの取材が詰めかけていた。センセーショナルな事件が起きたときのお決まりとして、笠原や小川の周囲にいた人間は全て追い回され、テレビの画面で、時には顔

にモザイクをかけられて、大して意味のないことを言っている。それまで聞いたことも
ないようなジャーナリストや評論家、果ては薬品に詳しい大学教授から、獣医や動物園
の係員に至るまで、実に様々な人たちが新聞やテレビに登場して、ありとあらゆる意見
を述べていた。
「オオカミ犬は佃島界隈《つくだじまかいわい》にひそんでるんじゃないかだと」
「こっちには、東北の方に向かって走る、犬にしては大きい生き物を見たっていう話が
出てる」
各社の新聞を眺めながら、貴子たちは諦《あきら》めにも近い笑みを浮かべた。騒ぐのは結構だ
が、パニックを起こされたら厄介だ。だから、詳しい発表を控えているのに、マスコミ
は好き勝手なことを並べ立てる。
「下に、動物愛護団体が押しかけて来てるよ」
やはり、寝不足の顔をした捜査員が、本部に入ってくるなりため息混じりに言った。
市民からは、早く犬を捕まえろ、射殺しろという苦情が殺到している。そして、それと
は逆に、捕獲した際には下げ渡して欲しい、アラスカに戻すべきだという動物愛護団体
も、昨日から詰めかけてくるようになった。まるで、お祭り騒ぎ。何しろ、貴子たちで
さえ知らないような――つまりは、まるでガセネタという場合の方が多いのだが――情
報を、一般市民の方が摑《つか》んでるなんて。実際には、現在のところ、さまよっているオオ

カミ犬を見たという情報など、どこからももたらされていないのだ。疾風は、見事なほどに注意深く、誰の目にも留まらないように行動している。そして、自宅のあった東京の西の端から、東の端の足立区へと、闇の中を移動して、見事に飼い主の思いを果たした。

「おかしいよなあ、水谷は、真面目でおとなしい男だったとさ。そう書いてあるぜ」

「何気なく、流してやれよ。あいつはシャブ中で、ゆくゆくは通り魔か何かになったかも知れない野郎だったたって」

「俺がか？　よせよ、これ以上、付きまとわれちゃあ、たまらん」

水谷拓という男に関しては、捜査本部でも居場所を探していた矢先だった。原照夫を始めとして、今を去ること十数年前に、高木笑子を取り巻いていた遊び人のグループについて、当時のことを知る人物を捜し出し、その名前までたどり着くのも、容易なことではなかったらしい。だが、フタを開けてみれば、現在は食品倉庫会社に勤務していたという男は、二〇代の一時期に、覚醒剤《かくせいざい》取締法違反で二年間の服役生活を送っており、現在も自宅のアパートには、腕に注射痕《こん》のある内縁の妻がいた。

人間の頭で考えれば、もっとも人の多い、過密都市の真ん中を突っ切って、疾風は水谷を襲いにいったことになる。大した距離ではないが、どこを通っても、すぐに幹線道路に行く手を阻《はば》まれ、人気のない場所など、そう簡単に見つかりそうもないような都会を、オオカミ犬はどう移動したのか。それを知るのは、たとえ疾風の捕獲に成功した後でも不可能だろう。

「まさか、もう小川の居所をつかんでるっていうことは、ないでしょうね」

「分からんぞ。居場所が分かってたって、チャンスを狙《ねら》ってるのかも知れん。それくらいの知恵は、あるんじゃないか」

疾風が、飼い主が入院してからも、なお狙っていた人間を襲ったと分かって、本部には、それまで漂っていた、「たかが犬ではないか」という空気はなくなった。疾風を、ただの動物と思っては捕獲は失敗する、相手は、これまでに捜査陣の誰もが対峙《たいじ》したこともないような、野生の生き物だった。オオカミには神秘的な能力がある。たとえ、数パーセントの犬の血が混ざっていても、その神秘性は失われないということだろうか。その存在感は、直接オオカミ犬を見なければ分からないと、聞き込みに回った捜査員たちは口を揃《そろ》えて言った。

「下手な人間よりも、よっぽど頼りになるもんなあ。そこまで信じられたら、飼い主だって、ただのペットだなんて、思えないだろう」

「聞き込みに回ってるとき、どっかの飼い主が言ってたじゃないですか。『ペットだと思ってたら失敗する。一つの人格を持った、完全な家族だと思わなければ駄目だ』って」

「姿かたちは、大型の犬みたいに見えても、中身は限りなく人間に近いんじゃないかね。あの日の光り方なんか見てると、それ以上って気さえ、したもんな」

誰も彼もが疲れた顔で、ため息混じりに話をする。貴子は、そんな雑談の相手をしている暇があったら、少しでも身体《からだ》を休めようと考え、本部を出た。ついでに、実家に電話を入れようと思い立って、署内の公衆電話をダイヤルすると、今日は、すぐ下の妹の声が応対に出た。

「智子、どう？」

貴子が聞くと、行子は「まあまあよ」と答える。貴子とは対照的な性格の妹は、貴子に対して常に敵対心を抱いているようなところがあって、相性が悪いというか、そりが合わないというか、たまに顔を合わせても、どうも気まずい雰囲気になることが多かった。今も、貴子の中では、そういう答え方があるものか、という苛立《いらだ》ちが生まれた。

「まあまあって。落ち着いたの？」

「最初から落ち着いてるわよ。慌《あわ》てたのは、まわりだけ」

「――それなら、いいけど」

行子と話していると、どうも話が進まない。母は、と聞くと、行子はいかにも素気なく「待って」と言って受話器を保留にした。貴子の知らない間に昔のオーソドックスな電話から、いわゆる今風の、様々な機能のついている電話に取り替えられていたのは、三年ほど前のことだったろうか。こうして、我が家はどんどんと遠くなる。

「あんた、モコちゃんに何を言ったの」

しばらくの保留の後、聞こえてきた母の声は、挨拶《あいさつ》をするよりも先に、そう言った。いかにも不愉快そうな、苛立った声。

「――何をって」

「お姉ちゃん、ちゃんと話してくれたんじゃないの？」

智子はモコ、行子はコーコ、そして、貴子はいつでも「お姉ちゃん」だった。母は、いつでも貴子をお姉ちゃんと呼び、貴子としては僻《ひが》んでいるつもりもないのだが、行子や智子とは異なる扱いをする。時には、得をすることもあると思うが、大抵の場合は、母の感情のはけ口、親と妹たちの仲裁役、そして、悪役だ。

「いくら、大切な仕事をしてるか知らないけどね、妹が困ってるときに、何の力にもなってやってくれないような人が、やれ国を守るだの、犯罪者を捕まえるだの、そんなことが出来るもんなの」

「ちょっと――」

「お母さん、お姉ちゃんの家に電話をしておいたわね？　それでも、全然連絡もくれないで。モコちゃんだって、お姉ちゃんに相談に乗って欲しいから、そっちに行ったんだし、あんただったら、ちゃんと相談に乗ってやってくれると思ったから、お母さんも安心してたのよ」

疲れた神経に、母の声は鋭く突き刺さってくる。貴子は、未《いま》だに昨日のショックから立ち直っていないらしい母の声を黙って聞いていた。言い返す、何の言葉も思いつかない。

「分かってるの？　あんた、大切な妹を、もう少しで見殺しにするところだったのよ。いくら、毎日のように死体を見てる、人間が死ぬことなんか、平気になってるっていったって――」

「誰が平気になってると思うの」

「だって、そうじゃないの。昨日だって、電話一本かけて、それで終わりにして」

電話をかけたことを後悔していた。余計なことは考えたくない、少しでも気持ちを平静に保って、いつでもすぐ出動できる態勢でいなければならないときに、感情的になっている母の言葉は、貴子を余計に動揺させ、疲れさせる。

「毎日毎日、何がそんなに忙しいんだか知らないけど、妹の一大事にも駆け付けられないような仕事ならね、やめればいいじゃないの。そんな仕事を続けてるから、結婚だってうまくいかなくて――」

「私は、智子の容体を聞きたくて電話しただけなの。今も、仕事中なのよ。智子は？　意識は回復したんでしょう？」

「――しましたよ。しなかったら、大変じゃないの」

　相手に分かるように、大きくため息をつくと、貴子は声の調子を落として「よかった」と呟いた。まだまだ、堰《せき》を切ったように話し続けそうな気配の母を制して、とりあえず智子の様子だけを聞き出すと、貴子は電話を切ろうとした。だが、そう簡単に引き下がる母ではなかった。

「モコちゃんが、あんたのことを頼りにしてるの、知ってるでしょう？　お母さんたちに、どうすることもできなくてもね、お姉ちゃんなら、あの子を説得してくれるだろうって、お母さんたち、そう思ってたのよ。それなのに、あんた――」

「智子には、そんな男とは別れろって言ったわ。それから、私に不倫の手伝いなんか、させるなって言ったのよ。昨日もお父さんに言ったけど、うちに来たときには、それ程思い詰めてるような感じじゃなかったの。あの子だって子どもじゃないんだから、自分で考えて行動するでしょう」

「冗談じゃないわよ。自分で考えて、勝手に薬なんか飲まれたら、こっちはたまらないわ。お姉ちゃんがねえ――」

「私のせいにするんなら、それでもいいけどね――」

「そういう、ふてくされた言い方をしないでちょうだいよ。お母さんは、ただね、こういうときに、長女のあんたが、電話一本で用事を済ませようっていう、それが分からないって言ってるの」

「ふてくされてなんか、いないわよ。私だって――」

「分かってますよ。どうせ、何かの犯人を捜すのが大変なんでしょう。でもね、何もあんたじゃなくたって、代わりにいくらでも人がいるでしょう？　でも、モコちゃんにとっては、お姉ちゃんはあんただけなのよ」

「行子がいるじゃない」

「コーコはコーコ、お姉ちゃんはお姉ちゃんでしょう」

こんな不毛なやりとりなど、あるものではなかった。どちらも、自分の都合で話をしていることは、承知している。そして、貴子がこれ以上仕事の話をすれば、母は「女が」と言い出すに決まっているのだ。女の敵は、女。いくら警察官の母だって、貴子の仕事のことは理解はしていない。

「いつ、帰ってくるの」

「こっちが一段落ついたらね」

「いつ、一段落つくの」

「分からないったら。こっちだって、一生懸命にやってるの」

「それは、分かってるわよ。だから、いつ」

「だから、一段落ついたら」

貴子は、胸に鉛でも詰め込まれた気分で、とりあえず、母の大嫌いな「忙しい」という言葉を使って、電話を切った。智子、ありがとう、お陰でまたお母さんに怒られたわ。まったく、有り難い家族。おまけに離婚のことまで言われて。だが、仕方がないのだ。母に余計な心配をさせないためにも、貴子は自分の仕事については、極めてぼかした説明しかしていない。今だって、世間を賑《にぎ》わせているオオカミ犬を、先頭を切って追いかけるために待機しているのだなどと言おうものなら、その場で目をつり上げて、ついでに血圧も上げて「断りなさい！」とでも言うに違いないのだ。何も、あんたが引き受けることはないじゃないの。女なのよ、もっと安全で、楽な仕事だってあるはずでしょう。はいはい、分かってる。でも、私は走りたい。たとえ命じられなくても、疾風を自分で、オートバイで追いかけたい。

ため息をつきながら振り返ると、同じ捜査本部の捜査員が立っていた。貴子はぎょっとなり、今の話を聞かれていただろうかと思った。

「何、彼氏か誰か」

三〇代の半ばに見える捜査員は、自分も財布からテレフォン・カードを取り出しながら、わざとらしく肩をすくめ、笑って見せる。

「なかなか逢《あ》えなくて、文句でも言われたんじゃないの」

貴子は、曖昧《あいまい》に笑ってごまかして、その場を後にした。余計なことは考えないこと。

いつでも出動できるように、身体を休めておくこと。智子、あんた、私にこういう思いをさせてるんだから、是が非でも、元気になってもらうから。そして、あんたをそこまで追い詰めた男と、きっぱり別れてもらうからね。

仮眠室へ引き上げながら、貴子は人目さえなかったら、その辺のものでも蹴飛《けと》ばしたい気分だった。それでも、身体だけは疲れているらしく、薄い布団《ふとん》の上に横になると、すぐに寝入ってしまった。

4

それは、薄汚れたぼろ雑巾《ぞうきん》のような色をしていた。最初、庵原《いおはら》照子は数日前に降った雪が、そこだけ残っているのかと思った。何しろ、ここ何年も手入れというものをしたことのない庭だ。伸び放題に伸びてしまった木々は、冬になっても葉を落とさない山茶花《さざんか》やヤツデなどの常緑樹が多いために、下土には日が射《さ》さず、一度雪が降れば、いつまでも残っている。

——いつまで寒いんだか。

照子は、その雪の固まりを何気なく眺めながら、ほうっと息を吐き出した。庭に出たのは、雪の日以来だ。普段は、一日に一度は、何もしなくても歩き回るのだが、積もって凍り付いた雪に足を取られて転びでもしたら大事だと考えて、ずっと出なかった。

本当ならば、植木屋を呼んで、以前のようにさっぱりとさせたいとは思う。だが、わびしい一人暮らしでは、経済的な余裕もないし、第一、わざわざ職人を捜すのが億劫《おっくう》だった。昔なじみの職人は、植木屋だけでなく、畳屋もペンキ屋も、建具屋や水道屋まで、皆、代替わりをしたか、または姿を消してしまった。

——まあ、いいわね。この家も、私と一緒に歳《とし》をとっていくんだから。

それでも、放りっぱなしというわけにはいかない。野良《のら》猫が棲《す》み着いているかも知れないし、塀の外から、どんなごみが投げ込まれているかも知れないからだ。まったく、最近の通行人ときたら、ジュースの空き缶でも吸殻でも、好き勝手なものを投げ込んでいく。いくら、手入れが行き届いていないからといって、人の家をごみ箱のように扱うとは、何と失礼なことだろう。

——本当に、近頃の人間ときたら。

四人の子どもも、孫たちも、まるで寄りつかなくなった庭を眺め回して、照子は再び雪の固まりに視線を戻した。何か、どうも変だと思ったのだ。庭の所々には、他にも雪の残っている場所がある。だが、あそこの雪以外は、一見すると降り積もったばかりのように、真っ白なのだ。何故《なぜ》、一カ所だけが汚れているのだろうか、それとも、雪ではなくて他のものだろうかと思った。

「ああ、危ない。もう、下がぬかるんじゃって――」

タイツの上から厚手の靴下を履いて、古いサンダルをひっかけた足を、照子は注意深く前に出した。普段は、それほど不自由に感じたことはないのだが、少しずつ悪化している白内障のせいで、やはり、視力が落ちている。

「こんなところで、転んでね、腰でも打ったら、それこそ、身動きがとれなくなるわ」

一人で暮らしていたら、とにかく健康、不自由なく身体が動くことが、何よりも大切だ。もしも、転んで骨でも折ったら、そこで人生もおしまいだと、照子はいつも自分に言い聞かせている。

「昔は、確か、この辺りに敷石があったと思うんだけどねえ」

ああ、あったあった。上に土が被《かぶ》さっていて、分からなくなっているのだ。この数年は、落ち葉の一つも掃いたことがないのだから、隠れているのも無理はなかった。

自分の足元ばかりを見つめて、そろそろと雪の固まりの方に向かいながら、照子は、一二〇坪ほどもある敷地の、ほぼ真ん中あたりに、そんな物を投げ捨てる人がいるものだろうか。塀に沿っている場所ならば、考えられなくもないのだが、わざわざ塀を乗り越えて入り込んで来たのでなければ、あんな場所にごみなど捨てられるものではない。そこまで悪質な悪戯《いたずら》、嫌がらせだとすると、こちらとしても手を打つことを考えなければならないかも知れない。

「まったく。何だって、こんな面倒をかけられなきゃ、ならないんだか」

ようやく、茂みの傍まで近付くと、照子はそうっと背筋を伸ばした。若い頃のように、すっと姿勢を正そうとすると、腰が痛むのだ。そういえば、雪が降ったりして日延べしていたが、今日か明日にでも、電気をかけにいこうかと考えながら、照子はシダや万年青《おもと》、そろそろ伸び始めた水仙の葉の向こうに目をやった。

「――」

どれくらいの時間だろうか、照子は、ただ黙って、それを見つめていた。驚いてはいる。背骨の辺りから、恐怖らしいものも這《は》い上がって来そうだ。だが、それよりもなお、照子を支配しているものがあった。

「――どうやって、入ってきたの」

低く、嗄《しわが》れた声で呟《つぶや》いてみた。だが、その灰色の固まりは、身体を丸めてうずくまったまま、ただじっとこちらを見つめているだけだった。真っ黒い鼻と、わずかに緑がかった丸い目が、汚れた雪にくっついているように見えた。だが、その上には大きな三角の耳が二つ、ぴんと立っているし、尖《とが》った顎《あご》の下には、確かに足もある。

「どうやって勝手に入ってきたのって、聞いてるの」

何ということだ。今時、東京のど真ん中で、こんなに大きな野良犬を見かけるなんて。

照子は、驚きや恐怖よりも、怒りに支配されていた。きっと、無責任な飼い主が、捨てていったに違いないと思った。

「ご主人様は、どうしたの、ええ？　ここはねえ、私の家なのよ。勝手に入ってこられたら、困るの」

　これほど大きくはなかったが、照子も以前は色々な犬を飼っていたことがある。子どもが小さい頃は、ひっきりなしに捨て犬や捨て猫を拾ってきたものだし、番犬として柴《しば》犬や雑種を飼っていたこともある。今だって、勝手口の方へ回れば、誰も使わなくなって久しい犬小屋が、半分朽ちかけたままで放置されているはずだ。

「ちょっと、ねえ」

　照子は、ぬかるんでいる地面に、さらにサンダルの足を踏み出した。すると、うずくまっていた犬は、ようやく身体《からだ》を起こして、その場に座りなおした。その大きさに、照子は改めて目をみはった。顔の位置が、高いのだ。それに、何という鋭い顔つきをしているのだろう。どういう種類の犬かは知らないが、鼻面《はなづら》が黒くて大きく、その鼻筋も長くて、まるでオオカミのようではないか。反射的に、こんな犬に襲われたら、自分など簡単に咬《か》み殺されてしまうだろうと思った。

　――下手に騒ぐのは、よくないんだわね。

咄嗟《とっさ》にそう判断した。山で熊《くま》に出くわしたときには、まず騒がず、怖がらず、相手から目を逸《そ》らさないことだと、どこかで聞いたことを思い出していた。獣なのだから、熊も犬も同じことだ。それでなくとも、相手の目には、こちらの視線を釘付《くぎづ》けにするような、不思議な魔力のようなものがあった。それに引きずられるように、照子はしげしげと相手を見つめた。この家は塀に沿って、大きく育つ木ばかりを植えているお陰で、周囲の雑音は、かなり遮断されている。弱々しい陽射しがこぼれる庭先は、普段でも、近くを幹線道路が走っている、住宅の密集した都区内とも思えない程に静かなのだが、その犬の瞳《ひとみ》を見つめていると、余計に静寂に満ちて感じられた。

——さて。

このまま、睨《にら》み合っているわけにもいかない。では、どうしようか。ようやく我に返って、照子は、じっくりと考え始めた。

まずは、無事にここから離れることだ。それから、棒か何かを探してきて、追い払うべきだろうか、または、保健所にでも連絡する方が安全だろうか。小さくて丸い瞳を見つめながら、あれこれと考えを巡らして、照子はふと相手の足元に目をやった。泥にまみれている、雪と枯葉を踏みしめているその前足は、震えていた。照子の目にも見て取れる程に、本当にぶるぶると、細かく震え続けているのだ。

「——」

犬だから、表情は変わらない。比較的小さな瞳は、自らが輝きを放っているかのように、あやしく光って見えた。ある種の威厳が感じられる、良い目をしていると照子は思った。それなのに、太く、がっしりとした足が、震えているのだ。どこを、どう歩いてきたのだろうか。きちんと洗ってやれば、それなりに綺麗《きれい》な犬ではないかと思うのに、顎の下から胸の辺りにも、赤黒い、泥のようなものが付いている。思わず、「寒いの？」と言おうとして、わずかに手を動かしただけで、犬は全身をびくんと震わせた。

「――そんなに怖がらなくたって、いいじゃないの」

何も、取って食おうというのではない。大体、そんなに大きな図体《ずうたい》をして、自分の方が食いつきそうな顔のくせに、こんな老婆《ろうば》を見て震えるとは、何という情けない犬なのだろうか。

「いいわよ。休んでなさいよ」

結局、しばらくの間見つめていた後、照子は、そう話しかけた。吠《ほ》えもせず、うなり声も上げない、ただ震えているばかりの犬に、棒など振り上げたって、仕方がない。

「寒い、寒い。私は、家に入るからね」

それだけ言うと、照子は、そっと踵《きびす》を返した。背後から襲われるのではないかと、気が気ではなかったのだが、とにかくそろそろと五、六歩進んで、そっと振り返ると、灰色の犬は、ヤツデの葉の間から、じっとこちらを見つめていた。

まあ、良いでしょうよ。どうせ、そのうちいなくなる。大方、飼い主とははぐれたか何かで、疲れ果てて迷い込んできたのだ。少しくらい、休息のために庭先を貸してやる、そんな気持ちを持ち合わせていないわけではなかった。それに、余計なことを言う人間ではない。相手は、臆病《おくびょう》で喋《しゃべ》らない、ただの犬なのだ。

「ああ、どっこいしょ」

茶の間に戻ると、照子はすぐに炬燵《こたつ》に足を入れた。いったい、いつになったら暖かくなってくれるのだろうか。すっかり開ききった茶葉の入りっ放しになっている急須《きゅうす》にポットの湯を注ぎ、薄いほうじ茶を飲みながら、照子は改めて、今さっき見た犬のことを考えてみた。

「入ってきたっていったって、どこから、入ってきたんだか」

門は、鍵《かぎ》をかけてある。以前は日中は開けてあったのだが、滅多に訪れる人もいないのだし、陽が落ちてから鍵をかけにいくのが億劫だから、自分が出かけるとき以外は、もう外したりもしないのだ。

すると、塀を乗り越えて入ってきたのだろうか。大人の背丈もあろうかという、大谷石の塀なのに、そんなところを乗り越えられたのだろうか。まあ、相手は犬なのだから、それくらいは簡単に乗り越えられるものなのかも知れないと考えながら、それでも照子は、落ち着かない気持ちで薄い茶をすすった。庭の木が茂りすぎているお陰で、この部屋も陽当たりが悪くなってしまった。静寂に包まれて、薄暗い中で一人でいると、どうにも、あの犬のことが気にかかってくる。

「いつまで、いるのかしら」

しばらく宙を見つめていた後、照子は再び自分にかけ声をかけて炬燵から出た。寒々とした玄関を抜け、以前は客間として使っていた座敷を通り抜けて、次の部屋まで行くと、そっと障子《しょうじ》を開けて廊下に出る。全《すべ》ての雨戸を開けてあれば、陽当たりの良い廊下なのだが、最近では雨戸も一、二枚しか開けないから、古い段ボール箱などを積み上げてある雑然とした廊下には、湿気がこもり、一層寒く感じられる。その廊下に立って、照子は雨戸を開けてある窓辺に立ち、そっとカーテンを繰ってみた。

やはり、木立の間に灰色の固まりが見える。うずくまっているのだろうか、顔は見えないが、さっきと同じ場所に、それは、確かにいた。

「怪我《けが》でも、してるんじゃないでしょうね」

こんな場所で死なれては、迷惑な話だと思う。だが、震えてはいたものの、あの犬の顔は、衰弱しているようには見えなかった。自分が外に出なければ、襲われる心配もないのだし、放っておけば、そのうち出ていくだろうと思い直して、照子は窓辺から離れた。

――それとも、お腹が空《す》いてるのかしら。

炬燵に入り直して、照子は再び考え始めた。以前、この家で飼っていた犬は、汁かけ飯が大好きだった。食事の残り物を何でも加えて、時には煮魚や天麩羅《てんぷら》などものっけてやったものだ。犬は、餌《えさ》をくれる人にいちばんなつく。その頃のことを思い出して、照子は、冷や飯に味噌《みそ》汁《しる》でもかけて、与えてみようか、などと考えた。

——駄目駄目、冗談じゃ、ないわ。

そんな情けをかけて、棲み着かれてはたまらない。仔犬《こいぬ》ならともかく、あんな大きな犬など、飼えようはずがない。第一、どれほどの餌を食べるかも、分かったものではないのだ。

結局その日、照子は一時間に一度の割合で、窓辺から庭を覗《のぞ》いた。その都度、灰色の固まりは、同じ位置にいた。やがて、陽は傾き始め、風の鳴る音が聞こえてきた。雨戸を閉めるときにも様子を窺《うかが》ってみたが、徐々に薄闇《うすやみ》に包まれていく庭で、それはまったく動く様子がなかった。

夜になると、照子はいつもの通り一人で食事をした。入れ歯の具合がよくないせいもあって、それほど食欲も出ないから、一〇分とかからない、簡単な食事だった。その後はもう、何もすることがない。明日の朝食の下ごしらえをして、家中の戸締まりを確認して歩くと、照子は布団《ふとん》を敷き、寝巻に着替え、あとは寝床に入るだけになってから、テレビのスイッチを入れた。面白くても、つまらなくても、一一時まではテレビを見て過ごす。テレビがいちばんの楽しみ、今の照子の、最高の友達だった。

蜜柑《みかん》の皮をむきながら、何となくニュースを見ていた。照子の毎日は、まったく何の変化もないというのに、世の中は、次から次へと、実に様々な事件が起きる。

《――次に、今日未明、足立区竹の塚にある寺の境内で、若い男性が頭から血を流して死亡していた事件について、警視庁はその後の捜査の結果、被害者の男性は、大型の犬に咬み殺されたらしいと発表しました。死亡したのは、足立区竹の塚の水谷拓さんで、警察の調べによると――》

このところ、犬に咬み殺されたという事件が続発しているらしいことは、照子もニュースを見て知っていた。だが、今夜ばかりは、その報道を見た途端に、心臓が縮み上るのを感じた。大型の犬。そんなものが珍しくないことくらいは、百も承知している。

《――水谷さんを襲ったと思われる犬は、体長一・六メートルほどのオスのウルフドッグで、黒っぽい灰色をしており、国内でも少数しか飼われていないということです。通常は、人に襲いかかることはないと言われていますが、関係者の話によると、今回の場合は、特殊な訓練を施されている可能性もあるとして、警察ではその行方を全力で探しています――》

黒っぽい灰色。一・六メートル。ウルフドッグ。様々な言葉が照子の心臓を締め付けようとする。まさかとは思う。だが、茂みの中で、真っ直《まっす》ぐに照子を見据えた犬と、あまりにも特徴が似ている気がする。

「——いやだ、どうしよう。人殺しの犬だっていうこと」

急に、背中をぞくぞくと悪寒《おかん》が駆け上がっていく。警察に電話するべきだろうか。だが、ニュースで言っていた犬とは限らないではないか。第一、あの犬は震えていた。照子を見ただけで、あんなに震えるような犬が、人間などを襲えるものか。

——あれは、泥じゃなかった？

ふいに、あの犬が顎の下から胸にかけて、赤黒く汚れていたことを思い出した。あれは、襲った人間の血糊《ちのり》だったのではないだろうか。人間を襲って、疲れ果てて、この庭に逃げ込んだのだ。そう考えると、震えが止まらなくなった。今すぐにでも、雨戸を開けて、まだいるかどうか、確かめようかと思う。だが、下手に窓を開けたところで、襲いかかられてはたまらない。あんな犬に、一時でも餌まで与えようかと考えた自分の愚かさを呪《のろ》いつつ、照子はしばらくの間、警察に連絡をするべきかどうか考えた。だが、こんな夜になって、サイレンを鳴らした車に駆けつけられては、近所の目というものがある。第一、犬は、もういなくなっているかも知れないのだ。いなくなっていて欲しかった。関わり合いは、避けたかった。

——どっかに、行ってしまってよ。私は、何も知らない。何にも、関係ない。

もう、テレビを見る気にもなれなかった。照子は、ニュースの途中でテレビのスイッチを切ると、その晩は、早々に布団にもぐり込んでしまった。何十年も暮らしてきて、すっかり慣れているはずなのに、その夜に限っては、他に暮らす人もいない、思い出ばかりが詰まっている家の広さが薄気味悪く感じられてならなかった。

5

それは、灰色のちぎれ雲のように見えた。

本部からの無線連絡を受けて、昭島の張り込み先から、練馬区内の現場に駆けつけたのは、まだ夜も明けきらない時刻だった。

「本当に、疾風に間違いないんでしょうか」

「分からん。とにかく、通報の内容からすると、その可能性が高いっていうんだから、しょうがねえだろう」

最初、貴子は眉《まゆ》をひそめて滝沢に聞いた。こちらとしては、笠原の家の周囲から離れたくないのだ。ガセネタに振り回されてはいられないと思う。

「首から胸にかけて、血糊がべったりとついてるんだとよ」

「血糊、ですか」

「通報者が、そう言うんだそうだ。隣近所のこともあるから、サイレンは鳴らさないで来て欲しいっていうことなんだがな。勿論《もちろん》、相手は犬なんだから、サイレンなんぞ鳴らさなくたって、自分の身に危険が迫ってると感じりゃあ、するりと逃げ出すだろうとは、思うがね」

滝沢自身も、あまり気が乗らないといった顔で、そんなことを言った。だが、命令が下った以上は、行かないわけにはいかない。貴子は霜の降りたバイクにまたがり、埼玉との県境に近い練馬区の現場に急行した。

そこは、比較的古い住宅街だった。元々は農家が多かったのかも知れない。一軒の家の敷地はかなり広い家が多く、庭に植えられている木も、何十年もの樹齢を数えるような、大きなものが目立つ。通報者の家も、そんな大きな木々に囲まれた古くて大きな家だった。だが、それにしても、こんな住宅地に疾風が逃げ込むものだろうかと考えながら、貴子は四〇名程の機動隊員がその家を取り囲みつつあるのを見守っていた。猟友会の協力者の到着を待つか、それとも、どこかに追い詰めるべきだろうかという協議が始まり、上司がその家の住人から事情を聞き出そうとしている最中だった。突然、貴子の身長程もある塀を乗り越えて、灰色の固まりが舞い降りて来た。

――あれが。

バイクの横に立ち、何気なく振り返る姿勢だった貴子には、それは、まさしく音もなく舞い降りて来たようにしか見えなかった。周囲の機動隊員たちも、他の捜査員たちも、一瞬、声を発する機会も失っていた。咄嗟のことに、貴子はオートバイにまたがることも忘れて、その姿を見ていた。わずか二、三メートル程先の、朝日も射《さ》さないアスファルトの路上に、疾風は、すっくと立っていた。

「――疾風」

貴子が呟《つぶや》いたのと、周囲の空気がわずかに動いたのとが同時だった。長い、尖《とが》った顔、大きな耳。普通の犬よりも、足が長いようだ。遠目に見ても、体毛が密生していることが良く分かる。毛足の長い、太い尾は、真っ直ぐに宙に伸びていた。そして、あの目だ。これまで、写真でしか見たことのなかった、深みのある瞳が、真っ直ぐに貴子を見据えていた。

――これが、疾風。オオカミの血を受け継ぐ犬。

思っていた通りだった。強烈な存在感。威厳。気品。知性。貴子は、思わず歩み寄りたい衝動に駆られた。一瞬、この犬が何人もの人間を襲い、殺していることも忘れていた。伝わってくるものは、犯罪者特有の陰鬱《いんうつ》さでも、追い詰められたものの殺気でも、粗暴さ、悪意、凶暴性でもないのだ。まるで、夜明けの谷間に漂う雲のように、疾風は、ただそこにいた。うなり声も上げず、その静かな表情からは、怒りも、憎しみも感じられなかった。

どうして、こんなに静かな表情でいられるのだろう。この、気高さとも感じられる雰囲気は、何なのだろう。気安く近付くことさえ躊躇《ためら》われるようで、つい、迷いそうになっているとき、背後から「逃げるぞっ！」という声がした。弾《はじ》かれたように、疾風が走り始めた。そして、自分が飛び出してきた家の大谷石の塀に沿って走っていき、塀が切れたところで左に曲がった。貴子は、疾風に視線を逸《そ》らされて初めて、呪縛《じゅばく》から解けたようにバイクにまたがった。とにかく、追うのだ。追う！一気に頭に血が昇った。少しばかりアクセルを開き過ぎて、貴子は急発進をさせた。疾風が曲がったところで、自分も左に曲がる。そのまま、どこまでも追うつもりだったのに、疾風の姿は、そこでふつりと消えてしまっていた。

「――どうして」

たった今、曲がったばかりではないか。そんなに遠くまで、行かれるはずがない。ますます頭がかっとなる。貴子は、とにかくしばらく直進をして、可能な限り、辺りを見回した。だが、まるで一陣の風か、灰色の幻のように、オオカミ犬の姿は、忽然《こつぜん》と消えてしまっていた。

「捜せっ。また、この家に戻ったのかも知れない」

貴子が疾風を見失ったと報告すると、待機していた捜査員たちは、一斉に、その周囲を調べ始めた。昨日からひそんでいたという家にも、大勢の人間がなだれ込んだ。貴子も、彼らと同様に庭に入った。

「あの――本当に、あの犬が、ニュースで言っていた殺人犬、だったんでしょうか」

小柄な老婆が、肩から手編みのショールを掛けて、おろおろと歩き回っていた。七〇代の後半というところだろうか、ほとんど白くなっている少ない髪は、ほつれたままだし、目は落ちくぼんで、すっかり疲れた顔をしている。彼女は、何が何だか分からないといったように、忙しく動き回る捜査員の間を「ねえ」「ちょっと」と言いながら付いて歩いていた。そして、一人だけ他と服装の違う貴子に目を留めたのか、彼女は小股《こまた》で近付いてくると、「まだ、中にいるんですか」と言った。

「分かりません。今、調べていますから」

貴子が答えると、彼女は驚いた顔になって、「あら」と言った。

「女の、方だったんですか」

貴子は、愛想笑いを浮かべて、老婆に軽く頭を下げ、それから簡単に疾風のことを聞いた。彼女は、最初は犬とは思わなかったのだと言った。降り積もった雪が汚れたのか、または、土嚢《どのう》にする袋か何かだと思ったのだと。そして、相手が顔を上げたときには、オオカミのようだと思ったとも言った。

「でもねえ、ものすごく、おとなしそうだったんですよ。私が近付いたときも、吠《ほ》えるわけでも、唸《うな》るわけでもなくてね、あのねえ、震えてたんですから」

「震えていたんですか？」

老婆は、細かい皺《しわ》に包まれた小さな顔で、こっくりと頷《うなず》き、それから寒そうにショールを自分の鼻の辺りまで引き上げた。

「ぶるぶるとね、震えていたんですよ、あなた。だから、私は姿に似合わない、弱虫の犬なのかなあと思ってね、まあ、これだけ広い庭ですし、荒れ放題なんですから、ちょっとくらい、置いておいてやっても、いいかなあなんて、思ったくらいなんですもの。それが、あなた、ニュースでやってた犬なんて。誰がそんな恐ろしい犬だと思うものですか、ねえ」

オオカミ犬は、人見知りが激しく、絶対に飼い主以外にはなつかないという話を思い出していた。たとえ、相手が老婆であろうとも、疾風から見れば、それは見知らぬ他人に他ならない。

——間違いなく、疾風だ。

だが、まさしく一陣の風のように貴子たちの前に現れた疾風は、そのまま、姿をくらましてしまった。捜査員たちが周囲を捜している間に、町は目覚め、車の量も増えてきて、結局、貴子たちは疾風を取り逃がしたまま、本部へ戻ることになった。

「都内に潜伏していることだけは、分かったんだ。奴《やつ》は、絶対に笠原の家に戻ってくる。そう信じて、張り込みを続けるしかないだろう。何が何でも、生きたままのオオカミ犬を捕獲する。いいな」

焦《あせ》りと疲労の色ばかりが濃くなっている捜査会議では、脇田課長がそう檄《げき》を飛ばした。

貴子の目には、夜明け前の空に溶け込みそうな、疾風の姿が焼き付いていた。どうしても、もう一度会いたい。絶対に、もっと近くに行ってみたい。その思いが、時と共に強くなっていく。上から言われるまでもなく、たとえどれほどの時間がかかっても、あの犬を捜し出してみせると、貴子は自分に言い聞かせていた。

6

だが、その夜も、次の夜も、疾風は昭島には現れなかった。同様に、小川の所在も摑《つか》めていない。

小川の自宅から押収《おうしゅう》した薬品を詳しく鑑定した結果、そこからは、二五パーセントの水分を含んだ湿体と、完全な乾燥粉末の状態の過酸化ベンゾイルがあることが分かった。これで小川が本ボシであることは、まず間違いなくなった。

「どうして、あれっきり足どりの一つも摑めないんだ」

捜査本部には日増しに焦りの色が濃くなり、ひょっとすると、小川は既に疾風の手に掛かって死亡しているのではないかという最悪の想像までが捜査員たちの頭を過《よ》ぎるようになった。だが、どれほど知恵があろうと、疾風はオオカミ犬に過ぎない。襲った相手の、死体を隠すような真似《まね》まではしないに決まっている。そして、これまでに、犬に襲われたような人間の死体、または、身元不明の死体が発見されたという報告は入ってはいなかった。

貴子は、自分を責め続けていた。また、腹も立っていた。あの時、何としてでも見失うべきではなかったのだ。一人暮らしの老婆《ろうば》の家にひそんでいた疾風を、もっとうまい方法で取り囲み、たとえ逃げ出したにしても、その方向を絞り込めていれば、捕獲に成功していた。だが、捜査員たちは、誰もが疾風を甘く見ていた。人間を追うプロでも、動物を追うことにかけては素人《しろうと》だった。あの犬が、あれ程に見事な跳躍力を見せ、体の大きさに似合わないほどの身軽さ、しなやかさで、人間を翻弄《ほんろう》するとは思っていなかった。勿論、疾風がこれ迄《まで》に行ってきたことを考えれば、並みの犬でないことくらい、当然のことながら予測していたのだが、現実は捜査員の想像を遥かに越えていた。それは、貴子も同じことだった。実際、頭で考えているよりも、疾風はずっと美しく、素晴らしかった。あの時、貴子は一瞬、自分の任務を忘れそうになった。ただ見とれていたいと思ってしまったのだ。それ程に、オオカミ犬は不思議な力を持っていた。魔力と言っても良い程、見る者の目を釘付《くぎづ》けにし、身体《からだ》を硬直させた。とにかく、疾風か小川か、どちらかの所在が摑めれば、もう片方も近くにいるに違いない。そんな祈りにも近い思いを抱きながら、捜査員たちは疾風担当と小川担当の二手に分かれ、その捜査に全力を挙げていた。

「笠原は、絶対に疾風は戻ってくると言い張ってます。どこへ行くにしても、あの家を起点として行動するはずだ、何日かに一回は帰ってきて、笠原がいないか確認するはずだと」

今となっては、飼い主の言うことを信用するより他にない。ひたすら耐えて、待ち続ける。既に、オオカミ犬と警察との根比べが始まっていた。

「張り込みは、いいんだが、腰に、来るな」

張り込みを始めて五日目、土日を挟んで月曜日の夜だった。今日は助手席の方に乗り込んでいる滝沢が、窮屈そうに身体を動かしながら、呻《うめ》くような声を出した。「まったく」と、運転席の今関が頷いている。

「私も三〇代の頃に、何度かぎっくり腰をやりましてね、以来、癖になってるんですわ」

「ありゃあ、痛いですな。あたしも、やりました」

貴子の見ている限り、新しくコンビを組んだ二人は、どちらから口を開いても、健康の話題に終始することが多かった。今関との会話を聞いていて初めて、貴子は自分と組んで歩いていた男が、魚の目と水虫に悩まされていること、五年ほど前に胃潰瘍《かいよう》を患《わずら》ったこと、もうそろそろ花粉症の症状が出始めることなどを知った。

「コルセットでも、したらいいんじゃないですか」

「いや、こう腹が出てくるとね、あれも苦しくて」

辛気くさい話。だが、常に、いつ現れるか分からない相手の為《ため》に、目配りだけは怠れない張り込みでは、他に何が出来るわけでもなかった。退屈しない程度、眠くならない程度に、どんな話でもしていた方が良いということだ。それにしても、こんなに何日も張り込みをしなければならないときに、二人きりにならずに済んで、本当に助かった。自分がトカゲであることを、こんな形で喜んだのは、初めてのことだ。

――まあ、二人になったらなったで、それも面白かったかも知れないんだけどね。あっちが、余計なことさえ言い出さなきゃ。

時刻は午前二時を回っている。闇《やみ》はますます深くなり、気温も下がってきているようだ。貴子は微《かす》かにため息をつき、覆面パトカーの後ろの席から、ぼんやりと外を眺めていた。斜め前には、完璧《かんぺき》に整備された赤いオートバイが、今夜も寂しげに佇《たたず》んでいる。CB400スーパーフォアは、そのハンドリングもレスポンスの点からも、貴子には乗りやすいオートバイだった。スタイルはオーソドックス、エンジンも静かで、力強さ、乗っているときの安心感は大きい。教習車に使われることも多いくらいだから、アクのようなものはないが、町乗りにも遠乗りにも適している。腰痛や神経痛の話を聞くよりは、あれに乗って走っていたいと思う。だが疾風が現れない限り、身動きはとれないのだ。今夜もこのまま現れてはくれないのだろうか。寒さには強いのだろうが、例えば食べ物などは、どうしているのだろう。そんなことを考えているときだった、突然、無線が鳴った。

「立川西七から警視二二」

警視二二。指揮官の乗っているマイクロバスの無線機のコールサインだ。

「立川西七どうぞ」

「大型の犬を発見しました。場所は多摩川と秋川の合流地点。川原を下流に向かって歩いています。どうぞ」

反射的にヘルメットを抱え込んだ。貴子は、急に速度を速めた心臓の鼓動を感じながら、息を殺して耳を澄ませた。

「警視二二了解。犬の特徴は分かるか、どうぞ」

「暗いので、よくは見えませんが、かなり大型の、顔の尖《とが》った足の長い犬です。弾むような感じの歩き方。かなり、速いテンポです。どうぞ」

疾風だ。貴子はレザースーツの上から羽織っていたブルゾンのファスナーを引き上げ、グローブをはめ直した。助手席から振り返った滝沢が、「行くか」と言った。

「あとの交信はバイクの無線で聞きます。予《あらかじ》め、エンジンをあたためておきたいんで」

滝沢が目だけで頷いた。今関も、シートベルトに手を伸ばしている。貴子は、素早く車から降りると、ヘルメットをかぶりながら大股でオートバイに歩み寄った。吐く息でシールドが瞬《また》く間に曇っていく。夕方から停めてあるオートバイは、エンジンも冷え切っているだろう。素早くキーを差し込み、チョークを引いてセルボタンを押す。通常よりも、わずかに高い音でエンジンが回り始めるのを確認すると、次いで、貴子はオートバイに搭載している無線のスイッチを入れた。

「警視三九から警視二二」

「警視三九どうぞ」

「暗視カメラが捉《とら》えました。川原を歩いています。体長は、ええ、一六〇センチくらい。尾は真《ま》っ直《す》ぐで長く、耳も大きいですね。滝が原運動場前です。どうぞ」

「つまり、川原の南側ということか。どうぞ」

「そうです。川原の八王子市側を歩いています」

「警視二二了解。警視二二から全車。オオカミ犬発見の模様。待機せよ」

指揮官である綿貫係長の乗り込んでいるバスは、笠原の家のもっとも近くで待機しているはずだった。

「機捜一七から警視二二」

「警視二二どうした」

「拝島水道橋を越えたところです、オオカミ犬が立ち止まりました。辺りの様子をうかがっています。あ、渡ります。川を渡って、そちらへ向かいます」

「立川西三から警視二二。こちらからも、オオカミ犬の姿を捉えました。間違いなく、疾風でしょう。どうぞ」

「警視二二了解。絶対に見失うな、気付かれるなよ！」

心臓がいよいよ高鳴ってくる。貴子はCBにまたがり、チョークを戻した。アイドリングが安定していることを確認しながら、ヘルメットのベルトを締め直す。さらに、ヘルメットに取り付けられた小型マイクを口元まで引き寄せた。

「警視二二から警視四四七」

貴子の心臓が小さく跳ねた。警視四四七。貴子の乗るオートバイに搭載されている無線機のコールサインだ。

「警視二二どうぞ」

「準備はいいか」

貴子はハンドルのグリップに取り付けられた送信ボタンを押しながら「警視四四七。準備オーケーです。どうぞ」と答えた。心持ち声が震えてしまったのは、寒さのせいだ。指揮官車の無線は、続けて滝沢の乗っている車両にも呼びかけを行い、いつでも貴子をフォローして走り出せるようにと確認をした。

「立川西一〇了解」

ヘルメットに内蔵された小型スピーカーから、滝沢の声が聞こえた。珍しく、歯切れの良い口調だ。

「機捜一六から警視二二。疾風は川原を横切って土手に向かっています。ちょうど遊歩道の切れるあたりです」

「警視八六から警視二二。猟友会の準備が間に合いそうにありません。ここで川原から出られたら、チャンスがなくなります」

「警視二二から警視八六。了解、やむを得んだろう。とにかく追跡することだ。ことと次第によっては、そのまま泳がせる。疾風は小川の居場所をつかんでる可能性があるということを、忘れるな。どうぞ」


来る。いよいよ、疾風がこちらに向かっている。今度こそ、逃がさない。貴子は、もう一度グローブをしっかりとはめ直し、次々と入ってくる無線を聞いていた。心のどこかには、来て欲しくないという気持ちがある。逃げるなら今だと言いたい思いがあった。だが、感傷にひたっている場合ではなかった。ここまでたどり着くための日々と、逝《い》ってしまった人々——たとえ決して褒められるような過去を持たず、ある少女とその家族の運命を狂わせたような連中であったとしても——のことを考えれば、それがただの感傷に過ぎないことも分かっている。第一、私だって犠牲にしているものがある。肌はぼろぼろ、身体は冷え切って、マンションにも帰れず、妹の病院にも駆け付けられない。母親からも、あんなことを言われなければならなかった。あれ以来、多少の時間が出来たときでも、貴子は家に電話を入れていない。これ以上、気持ちに余裕がなくなるのは困ると思ったからだ。

「警視八六から警視二二。ここからも見えました。疾風は、拝島高校のグラウンドに沿って、隣の中学に向かって歩いています。かなり、大きいですね。どうぞ」

疾風は、既に感じているのだろうか。廃墟《はいきょ》と化した家の前に罠《わな》として置かれている、笑子のパジャマの匂《にお》いが、疾風のいる場所まで届いているだろうか。

——姿を見せるのよ。今度こそ、あんたを、とことん追ってやる。

わずかにアクセルをふかす。目の前に三つ並んだ丸いメーターのうちの右側の針が、わずかに震えた。午前二時半を回って、この界隈《かいわい》は死んだように静まり返っていた。

「警視二二から警視四四七および立川西一〇。公園の門まで出て待機せよ」

了解。クラッチレバーを握り、ギアペダルを踏む。ロウに入った感触がブーツの裏からバイク全体に伝わってきた。ウィンカーを点滅させると、貴子は徐々にスロットルレバーを回してエンジンの回転を上げ、同時に左手を少しずつ開いた。CB400は微かなうなりを上げながら滑り出す。やがて、バックミラーに後続の車のライトが映った。滝沢たちの車だ。

「警視四四七から警視二二。指定の位置まで到着しました。どうぞ」

「警視八六から警視二二。疾風は中学から奥多摩街道に向かっています。どうぞ」

「警視二二から警視四四七。もうすぐ、見えてくるはずだ。距離をおいて、後をつけろ。どうぞ！」

無線の状態は極めて良好だった。貴子はクラッチを握ったままで、息をひそめた。闇に向かって、ライトが真っ直ぐに延びている。ふと、子どもの頃の、運動会を思い出した。徒競走のスタートが徐々に近付くときの、あの緊張。ピストルの音、歓声、スピーカーから流れる音楽。けれど、極度に緊張しているスタート直前の耳には、一瞬、何も聞こえなくなった。あの時に、そっくり。白バイの競技会のときだって、こんなに緊張はしなかった。

「警視一四から警視二二。疾風が街道を渡りました。ちょうど、大師《だいし》バス停前ですっ」

「警視八から警視二二。疾風を発見！」

それを聞いた直後だった。ヘッドライトの中に、一匹の生き物が飛び込んできた。あまりにも唐突に、音もなく、それは、ひらりと現れた。貴子は、息を呑《の》んでその生き物を見つめた。ついに、とうとう向かい合ったと思った。

――もう、逃がさない。

瞳《ひとみ》が緑色に輝いている。大きな、黒い鼻の頭。鼻面《はなづら》から目の周囲は白い毛に覆《おお》われ、その輪郭を取り囲むように、黒っぽい毛が包んでいる。そして、耳の後ろから首の周囲には、短いたてがみのような銀色の毛が伸びて、顔や全体を囲んでいた。肩の高さよりも顔の位置を低くして、前足を心持ち開いて立つ姿勢は、犬などではない、まさしくオオカミだ。いかにも静かな、時の流れさえも吸い込みそうな姿。そこからは、殺気も、敵意も感じられなかった。ただ、瞳だけが強烈な光を放っていた。

これが、人を三人も殺した生き物——。笠原を思い、笑子を思って小川を捜し求めている犬。だが、不思議なほどに恐怖心は湧《わ》いてこない。改めて、バイクから降りて歩み寄りたいような気持ちになった瞬間、それまで、微動だにしなかった疾風が、ひらりと跳んだ。その姿を、貴子のオートバイでなく、背後に控えていた滝沢の車のヘッドライトが捉えた。貴子は反射的にスロットルを回した。

「警視四四七から警視一二」

「警視四四七、どうぞっ」

「疾風を見つけました。後を追います」

言い終える頃には、疾風は五〇メートル程先の角を曲がっていた。貴子は急加速して、その後を追った。自分も角を曲がると、さっきよりも距離を開けて走っていく疾風の後ろ姿が見える。何て速いの。まるで、雲の上でも滑っているように、いかにも身軽に、流れるように走っていく。

「警視四四七から立川西一〇」

「警視四四七どうぞ。俺だ、音道。どうした」

「疾風が、どこで曲がるか分かりません。場所の説明は、そちらでお願いします。どうぞ」

「了解、俺たちがついてる。安心しろっ」

滝沢の野太い声をすぐ耳元で聞きながら、貴子は疾風を追った。バックミラーには、大分離れて後をついてくる滝沢の車のライトが映っている。サイレンは鳴らしていないが、確かに赤いランプを点滅させているのが見えた。

――疾風、そっちは家とは反対でしょう。いいの？　あなたの大好きな、笑子さんの匂いがしたんじゃないの？

だが、疾風は振り返りもせずに走っていた。長い尾は、風になびくような緩やかな揺れ方をしている。わずかに耳を伏せて、その一歩一歩は、どれほど大型の犬とも比較にならないほどに幅広く、走り方は流れるようにスムーズだ。やがて疾風は、一六号線に飛び出すと、迷うことなく南へ進路を取った。貴子も往来のまばらな車の隙間《すきま》を縫い、信号を無視して右折禁止の角を曲がった。疾風は反対車線を走っている。いくら通行量が少ないとはいえ、ここで疾風が右に折れたら、後を追うのが難しくなる。無線では、滝沢が指令車に場所の報告をしているのが聞こえている。

「警視二二二から警視庁」

「警視二二二、どうぞ」

「オオカミ犬が向かう方向の道路規制を願います、どうぞ」

「警視庁了解。警視庁から交通管制課」

さっきまでの、心臓が痛いほどの緊張は消えていた。その代わりに身体《からだ》の奥底から、震えるような嬉《うれ》しさがこみ上げてきている。今、疾風を追っているのだ。CB400は、貴子のスロットル操作にダイレクトに反応して、極めて忠実に、素直に貴子を運ぶ。私は、どこまででも付いていく。絶対に、あんたを見失わない。貴子は、膝《ひざ》に力を込め、顎《あご》を引いて、走り続ける疾風を見据えた。時速は五〇キロにわずかに欠けるくらい。速さも馬力も、負けるはずはなかった。

「立川西一〇から警視二二。疾風は道路の反対車線を走っています。今、拝島橋を渡ります」

一度は足を濡《ぬ》らして渡った多摩川を、疾風は今度は真っ直ぐな橋を通って渡る。そして、ちょうど対向車が途切れたとき、ふいに道路を斜めに横切り、貴子が走る方の車線にやってきた。まるで、こちらの追跡を容易にするかのように、または、貴子を試すように、それだけのスピードが出ているとも思えないほどの、余裕のある走り方で。

「警視四四七から立川西一〇」

「警視四四七、どうしたっ」

「見えましたか、疾風がこっちの車線に移りました」

「立川西一〇了解。大丈夫だ、見えてる！」

冷たい横風が強く吹き付けてくる。シールドの隙間から入り込む風が鳴った。疾風の足音までが聞こえて来そうだ。やがて、バイパスが近付いた。だが、疾風は見向きもせずに悠々と直進を続ける。貴子は、ほとんどバックミラーを見ることもせず、背後のことは滝沢たちに任せることにして、ひたすら疾風を見つめ続けた。路地にでも入られたら、厄介だ。何度も角を曲がられたら、いくらオートバイでも見失う可能性が高い。やはり、もう少し間隔を狭めようと考えているうちに、中央高速の入り口が見えてくる。疾風は、迷うということを知らないかのように、まったくスピードを緩めずに、八王子インターのスロープに向かって走っていく。

「立川西一〇から警視二二。疾風は高速に入りました。中央高速を都心に向かいます、どうぞ」

「警視二二から警視庁。中央高速の入り口を封鎖して下さい。このまま首都高まで入る可能性があります。全線通行止めの準備を願います。反対車線にも車両配備願います！」

「警視庁了解。警視庁から交通管制課。中央高速道路八王子インターより東の全ランプの出口封鎖を願います」

「交通管制課了解。八分以内に実施します」

自分が関わっていることなのに、まるでドラマのように、無線の交信だけが聞こえてくる。その緊迫感と、目の前の疾風の姿は、どこか不釣り合いな気がする。それ程までに、オオカミ犬の姿にはある種の威厳のようなものが備わっていた。最初に貴子を見据えて以来、道路を渡るときでさえ、一度も振り返らない疾風は、中央高速の側道を一定のスピードで走り続けている。貴子は走行車線を走りながらわずかにスピードを上げ、疾風との距離を縮めた。

「立川西一〇から警視四四七！　音道、近づき過ぎるな、危険だぞ！」

八〇メートル以上は離れている滝沢の声が、貴子の鼓膜を震わす。貴子は「了解」と答えながら、それでも徐々に疾風に近付いていった。見たいのだ。傍で、この全力で走り続ける生き物を見たかった。高速道路の青白いライトの下で、疾風の全身は見事に躍動し、そして輝いていた。背中の中心から尾は黒に近い灰色、そして、腹の方に下がるに従って、疾風の毛は銀色に見える。自分を追ってくる者の存在など、まるで眼中にもないように、オオカミ犬は一点を見つめて走っている。

――逃げてるんじゃない。

ふと、そんな気がした。疾風は逃げてはいない。その心には、恐怖心などないように思える。それほどに、自信に溢《あふ》れ、迷いのない走り方だと思った。やがて、高架の下から、サイレンの音が聞こえてきた。疾風がどこで高速を降りても見失わないように、幹線道路からも追走しているのだ。だが、疾風はまったく動じている様子がなかった。貴子のオートバイのスピードメーターは、五〇キロに少し欠けるくらいで、ぴたりと動かない。

「国立府中を通過。同じ速さで走っています」

「首都高に入る可能性がありますっ」

「警視庁から警視二二。首都高の全線通行止めは完了」

「警視庁から警視二二。機動隊の出動準備完了」

貴子の耳元を、風と一緒に捜査員たちのやりとりが飛んでいく。だが、貴子は指揮官車両にも、後続の滝沢の車にも、何の無線も入れなかった。まさか、素敵です、素晴らしいですなどと、言えるはずもない。

「行きたいところまで、行きなさい！」

ヘルメットの中で、貴子は大声で疾風に呼びかけ、そして、声を出して笑った。普段から一人でオートバイに乗っていると、貴子は独り言が多くなる。誰にも聞かれないのを良いことに、思い切り悪態をつき、歌を歌い、自問自答を繰り返す。だが、誰かと一緒に走っていて、こんなに楽しいと感じたことはなかった。道路が続く限り、疾風と走り続けたい。あの、銀色の生き物を追いかけたかった。

7

一般の車両が全《すべ》て締め出された深夜の首都高速道路は、まるで近未来世界のような不思議な空間になっていた。滝沢は、左手でドアの上のグリップを握り、右手で無線機のマイクを握りしめたまま、ひたすら前方を見つめていた。小さく、灰色の固まりが見えている。そして、それをぴたりとマークするように、音道のオートバイの赤いテールランプが滲《にじ》んで見えた。

「立川西一〇から警視二二」

「立川西一〇。どうしたっ」

「芝浦のインターを通過しました。羽田線を空港に向かっています。どうぞ」

「立川西一〇了解」

「警視二二から警視四四七、聞こえるか」

「警視二二どうぞ」

「大丈夫か」

「大丈夫です。疾風のスピードはまるで衰えていません。まるで、最初から行き先を決めているような走り方です。どうぞっ」

無線を通して聞こえる女刑事の声は、今、滝沢が目にしている寒そうなオートバイの姿とは簡単に結びつかないほどに明るく、潑剌《はつらつ》として聞こえた。まるで、走っているのが嬉しくてならない、または、オオカミ犬を追っているのが楽しくて仕方がないといったような声。滝沢に対するときには、常に硬い表情で、どこか思い詰めたような雰囲気さえ漂っていた、あのお嬢さんとは別人のような声だ。

「頑張りますねえ、彼女」

ハンドルを握っている今関が、「大したもんだ」と呟《つぶや》いた。滝沢は、あまりにも癖がないというか、何を話しても手応《てごた》えを得られない、さらさらとした水のような雰囲気の相方を横目で見、「まあねえ」と唸《うな》った。

「まるっきり、彼女が私たち捜査員の全員を引っ張ってるっていう図ですからね。白バイだったんだから当たり前ですが、安定した、いい走りだし」

確かに、その通りだとは思う。小娘に先導されて、大の男たちがピーポーピーポーと後から行くのだから、考えてみれば滑稽《こっけい》な話だ。

「羽田を通過。横羽《よこはね》線を、浜川崎方向に向かっています」

「今、浜川崎を通過しました。汐入《しおいり》に向かいます」

とにかく滝沢は報告を続けた。オオカミ犬は、中央高速から首都高速四号線に入り、ついで環状線を走り続けて、ついに東京の中心を通過した。そして、羽田空港の傍を通って、今は横浜方向に向かっている。音道の言葉通り、確かに目的があるかのような、無駄も迷いもない走りだった。複雑に交差し、トンネルあり、分岐点ありという首都東京の高速道路を、まるで我が物顔に走り続けているのだ。

「タフな犬だな」

「まったくです。噂《うわさ》に違《たが》わぬ、というところですね」

今関の言葉に黙って頷《うなず》き、滝沢は、ブルゾンの背中を膨らませて走る音道の後ろ姿を見つめた。何故《なぜ》だか、奇妙な錯覚に陥りつつあった。オオカミ犬と音道とが、互いに心を通わせて走っているような、何かのパイプが出来上がっているような、そんな感じがするのだ。一般車両を締め出した高速を、並んで走っていくオートバイとオオカミ犬とは、それなりに自分たちの空間を楽しんでいるようにさえ見える。追うものと追われるものではなく、共にどこかに向かっているような感じがするのだ。まさか、二人で道行でもしようってえんじゃ、ねえだろうなと思った矢先、無線機から音道の声が聞こえてきた。

「警視四四七から立川西一〇」

「警視四四七どうぞ」

「生麦《なまむぎ》です。曲がりました！　大黒《だいこく》ふ頭に向かいます」

聞こえた途端に、かなり離れて小さく見えていた音道のオートバイがウィンカーを点滅させているのがようやく確認できた。今関が、わずかにスピードを上げて、その後ろ姿を見失うまいとする。滝沢は、自分の位置とオオカミ犬の位置とを指令車に報告しながら、問題は、オオカミ犬がどこで一般道に降りるかだ、と考えていた。

「まさか、ベイブリッジから飛び降りるなんて真似《まね》、しねえだろうな」

「まさか」

そんな話をしているうちにも、疾風は横浜名所になっているベイブリッジとは逆の方向に向かい、高速湾岸線を、今度は川崎方向に向かって走り始めた。とんだドライブ、高速一周コースのようだ。考えてみれば、疾風が最初に人間を襲ったのは、さっき通過した天王洲だ。つまり、この界隈《かいわい》も、疾風は笠原に連れられて通った可能性がある。疾風は、これまでに通ったことのある道を、もしかすると全て覚えているのではないだろうか。そして、笠原と共に移動した通りに、走っているのではないか、ふと、そんな気がした。何しろ、笠原に命じられなくても、狙《ねら》っていた男を襲うことの出来た相手だ。そして、どこに身を隠していたのかは知らないが、笠原の言うとおり、廃墟《はいきょ》と化した家に戻ってきた犬だった。

「新しい道ですね」

今関が、ぽつりと呟いた。舗装も美しい、見事に整備された道は、緩やかに上下にうねりながら、真《ま》っ直《す》ぐに延びている。そして、やがて道路は長いトンネルに入った。今関は、地図を見ずに「きっと、海の底ですよ」と言った。滝沢は何となく息苦しい、嫌な気分になりながら、ひたすら前を見つめていた。かなり前方に音道の後ろ姿。そして、さらに前方に、ひたすら走り続けるオオカミ犬の姿が、トンネルの明るいオレンジ色の光の中に見えた。

「湾岸線だ、湾岸線！」

「このまま、また都心に戻ってくる可能性があります！」

無線では方々で激しいやりとりをしている。だが、少なくとも滝沢たちと、その前方の二つの影は、そんなやりとりさえも関係ないような静寂に包まれていた。

こんだけ、思いきり走れりゃあ、本望だろう。少なくとも、人を襲う訓練ばっかりさせられて、あとは息をひそめて暮らしていた奴《やつ》には、ここまで自由に走り回った経験は、ないはずだ。それなら、走りたいだけ走ればいいさ。そして、疲れたら、休むんだ。俺たちは、すぐには殺しはしないからさ。

最近になって全線が開通した湾岸道路は、東京湾をぐるりと取り巻いて、横浜方面から千葉までをつないでいる。そこから見える風景は、滝沢が毎日のように靴をすり減らして歩き回っている東京とは、まるで違う都市に見えた。これを東京というのなら、滝沢たちが歩き回っている、あの町は、何なのだろう。

「警視二二から立川西一〇、位置を言ってくれ、どうぞ」

「警視二二どうぞ。一三号地ランプを越えたところです。スピードはまったく落ちていません。有明に向かっています。どうぞ」

「了解。音道くんにも異状はないな」

「ありません。犬と同じスピードで、ぴったり貼《は》り付くように走ってます」

一つのインターチェンジを過ぎると、出口がある。いくつかの出口を通過すれば、また次のインターチェンジだ。その度に、疾風が進路を変えるのではないかと、冷や冷やしながら走っているはずなのに、後ろから見ている限りでは、疾風にも音道にも、緊張も迷いも、何も感じられない。やがて、疾風と音道とは、有明、葛西《かさい》を通過し、ついに浦安に入った。右手には、東京ディズニーランドが見えてくる。無線では、指令車と警視庁本部との間で、千葉県警に連絡を入れるべきだとのやりとりが行われている。まだ、協力の要請までは必要ないが、とりあえず、通過点となるのか、新たな舞台となるのかだ。

「千鳥町《ちどりちょう》のランプを通過、市川インターも通過しました」

時刻は午前四時を回っている。もっとも気温が下がる頃だ。滝沢は、障害物もなく、安定した速度で続く追跡劇に、奇妙な退屈と、いやらしい焦《あせ》りを感じ始めた。あの犬は、ただの犬ではない。何かを企《たくら》んでいるのではないか、まさか、こっちのガス欠まで走り続けるつもりではなかろうなと、様々な思いが今更のように過《よ》ぎり始める。

「立川西一〇から警視四四七」

「警視四四七どうぞ」

「寒くはないか」

「寒いですね。でも、湾岸を抜けたので、少し楽になりました。どうぞ」

音道の声は、まるで疾風と同じように弾んで聞こえる。あいつ、本気で楽しんでいやがる。犯人を追い詰める喜びなんかじゃない、あのオオカミ犬とつるんで走るのを、心底楽しんでいるんだ。滝沢は「まったく」と呟き、まさか、あの女刑事が、疲れ始めているオオカミ犬に声援を送って走らせているのではあるまいな、とまで考えた。道路はいつの間にか首都高速から東関東自動車道と名前を変えている。

「疾風の様子は、どうだい、どうぞ」

「すごいものです。スピードも落ちないし、まるで疲れてる様子がありません。たった今、走り出したみたいな感じです。この分だと、終点まで行きそうな感じですね。どうぞ」

交信は、全ての車両が聞いている。滝沢たちの後方から来る車両も、高速の下を走っている車両も、自分たちは、一体どこまで連れていかれるのだと考えていることだろう。

「習志野《ならしの》の料金所にさしかかります」

「了解」

滝沢は、大きくため息をつきながら、少しばかり小便をしたくなってきたと思った。頼むぞ、おい。肝臓も腎臓《じんぞう》も弱ってるって、言われてるんだから。第一、これで朝になってしまったら、いつまでも広範囲にわたって道路を封鎖しておくわけにはいかない。だからといって、朝になったから「はい、今日はここまで」というわけにもいかないのだ。

湾岸習志野インターの表示が見えてきた。このまま進むと、やがて宮野木ジャンクションに着く。そこで、東関東自動車道は京葉《けいよう》道路と交差して、さらに潮来《いたこ》まで延びている。

「ゴルフ場なんかに逃げ込まれても、困りますよね」

今関が呟いた。

「そういやあ、房総にはゴルフ場が多いんだな」

「京葉道路に入ったら、その可能性も考えなきゃ、なりませんね」

冗談じゃないぞ、山だらけ、林だらけのところに逃げ込まれたら、たまったものではない。包囲するといっても、限度があるではないかと言おうとして口を開きかけたとき、今関が「あっ」と声を上げた。同時に、無線から音道の声が聞こえてきた。

「疾風が、降ります！　湾岸習志野で高速から降りました、どうぞ」

「警視二二一から立川西一〇。音道くんと疾風を見失うなっ」

「了解！」

だらけ始めていた気持ちがいっぺんに引き締まった。滝沢は姿勢を正し、身を乗り出した。音道の姿は見えない。既に高速を降りたのだ。

「高速を降りて、下の道を直進しています。今、陸橋の下をくぐります」

「了解！　曲がる所に注意しろっ」

その頃、ようやく滝沢たちの車も湾岸習志野インターチェンジを降りた。無線では、指揮官が本部に対して、千葉県警への連絡を要請している。

「二つ目の信号にさしかかります——直進しました。湾岸千葉の入り口が見えてきました」

「まさか、もう一度高速に乗ろうっていうんじゃ、ねえだろうな」

滝沢が呟いたときだった。

「疾風が曲がりました。三つ目の信号を右折です」

滝沢は身を乗り出して、フロントグラス越しに前方を睨《にら》みつけた。既に、音道の乗っているオートバイのテールランプは見えなくなっている。

「右手に学校らしい建物が見えます。前方で道路は左にカーブしていて、ああ、左手も学校みたいです」

音道からの連絡が細かくなってきた。今関も、厳しい表情になってアクセルを踏み込んでいる。滝沢は、急ハンドルに備えてドアの上のグリップを握る手に力を込めながら、頼む、見失わないでくれと、初めて祈りたい気持ちになってきた。やがて、前方に赤い、小さなテールランプが見えた。「あれだ」と、滝沢が言うよりも先にランプが視界から消えた。

「道なりにカーブして、今、鉄道の高架らしいものをくぐります」

「了解！」

滝沢は急いで膝《ひざ》の上に開いたままになっていた道路地図を見た。高架線で走っているのは京葉線だ。疾風は海の方に向かっている。

「左手には公園らしい茂みが――あ――」

「どうしたっ」

「疾風は茂みに入っていきます。このまま、入りますっ」

「大丈夫か、おいっ」

滝沢は、思わず無線マイクに唾《つば》が飛ぶ勢いで大声を上げた。公園に入るって、茂みの中を走るっていうのか。

「音道！」

返事がない。高架に沿って走っていた今関が、急ハンドルを切って左に曲がった。確かに、公園らしいものが広がっている。だが、その闇《やみ》の中にバイクのテールランプらしいものは見えない。そこには、まるで人気のないだだっ広い道路が「ずどん」という感じで延びているだけだった。つい、スピードを落としかける今関に、滝沢は「走れっ」と怒鳴った。

「音道を一人にさせるなっ。スピードが落ちたところで、襲われたら一巻の終わりだ！」

頭に血が昇っている。いつの間にか、手のひらにびっしょりと汗をかきながら、滝沢は、ひたすら闇に向かって目を凝らし続けていた。

8

疾風は、軽々と公園の植え込みの上を跳び越えていく。習慣とは怖いもので、一般道に降りればスピードを落とすような癖がついている貴子は、地上に降りてから改めて、疾風のエネルギーを感じ、さらに、植え込みの上を跳ぶ姿に思わず「すごい！」と歓声を上げた。だが、こちらはタイヤを転がしているのだ。高速だろうと一般道だろうと、はたまた公園でも土の上でも、そんなことは知ったことではないという疾風と同じように走れるはずもない。それでも貴子は、取り憑《つ》かれたように走り続けた。少しでも油断をすると姿が見えなくなる。だが、次の瞬間には、木々の間を走り抜ける疾風が見える。

その姿は、まさしく森にふさわしい。

「音道、どこだっ」

ヘルメットの中に滝沢の声が響く。だが、返事をしてる余裕はなかった。そんな場合じゃないのよ。いくら私だって、こんなに細かいハンドリングは楽じゃない。とにかく、この公園から抜け出すこと、あの林を突っ切ること。そう思ったとき、泥濘《ぬかるみ》にタイヤを滑らせた。

――しまった！

思った時には遅かった。貴子は思わずバランスを失い、柔らかい地面に左足をついた。そのまま、持ち直せるかと思ったのだが、オフロード仕様でもないバイクは、さすがに重く、あっと思ったときにはCB400は横倒しになっていた。咄嗟《とっさ》に、バイクを蹴《け》るようにして身体《からだ》を丸める。投げ出された貴子は、バイクの下敷きにはならなかったものの、植木の根元に背中を打ちつけて転がった。一瞬、息が詰まり、頭の中が真っ白になる。突然目の前に、夜明けを待つ星空が広がった。

――綺麗《きれい》。

このまま目をつぶりたいと思った。急に眠くなったような、奇妙な気分。だが次の瞬間、我に返った。そんなことを言っている場合ではない、ここまで来て、何をしてるの。とりあえず、大きく深呼吸をしてみる。大丈夫だ、息は出来る。下が柔らかい地面だったお陰で、怪我《けが》もしていないようだ。それが分かると、貴子は急いで起き上がり、横転しているバイクを起こした。闇が深い。冬枯れの匂《にお》いと、ほんのわずかな春の気配。焦っては駄目だと分かっていながら、涙が出そうな苛立《いらだ》ち。ああ、もうっ！

——せっかく、ここまで来たのに！

泥濘から抜け出すまでバイクを押して歩き、ようやくもう一度またがる。そして、貴子は疲れと緊張で震えそうになる手で、再びエンジンをかけた。

「音道っ、返事をしろっ！」

ヘルメットのシールドにも枯れ草や泥がついている。こすったりすれば、余計に前が見えなくなるだろう。仕方がない、シールドを上げて走るしかないだろうかと考えながら、貴子は再びライトを点《つ》けた。

「音道っ、どうした！　見失ったか！」

「——見失って、いません。まだ公園の中です」

マイクに向かって呟《つぶや》きながら、貴子は信じられない思いでライトの照らし出す方向を凝視していた。疾風が、真っ直ぐにこちらを向いて立っている。一〇メートルも離れていない場所で、緑色の瞳《ひとみ》が、数時間前とまったく同じように、きらきらと輝いていたのだ。

——どうして。

吐く息が白く流れていく。全身からも、わずかな湯気のようなものが立ち昇っているようだ。なぜ、逃げなかったの。それとも——。だが、疾風は息は弾ませてはいるものの、実に静かな表情をしていた。襲おうという気配など、微塵《みじん》も感じられない。むしろ、無様に転んだ貴子を労《いたわ》るような、もう諦《あきら》めるのかとでも言いそうな顔。

——試されてる？

それにしても、射すくめられるような目だ。誇りの高さ、嘘《うそ》や裏切りを許さない厳しさ、そして、孤独感。あまりにも静かな、遠い眼差《まなざ》し。

「——疾風」

思わず、囁《ささや》いていた。疾風の、大きくぴんとたった耳がわずかに動いた。怪訝《けげん》そうな表情で、ほんの少し小首を傾《かし》げる。貴子は息を詰め、その瞳を見つめ続けた。相手が動かない以上、こちらから動くことは出来ないように思える。だが、間違いない。疾風は待っていたのだ。あの、昭島の自宅付近から、高速道路を走り続け、ついに幕張《まくはり》まで共に走ってきた貴子を、どういう理由からか、疾風は待った。

——求めている。

突然、胸の奥が熱くなった。呼ばれること、受け止められること、安らぐこと。心から信じ続けてきた笠原や、大人になっても少女のままのようになってしまった笑子を、疾風は求め続け、待ち続けているに違いない。そのことが、貴子には感じられた。なぜ、自分は独りにされたのか、なぜ、笠原は自分を迎えに来てくれないのか、なぜ、追われなければならないのか、そして、おまえは誰なのか、疾風のひたむきな眼差しは、それらの疑問を全《すべ》て貴子にぶつけようとしているように感じられた。

「音道、聞こえるかっ」

再び滝沢の声。だが、貴子は答えられなかった。どんな動きも、疾風の視線が封じ込めているのだ。こっちは一人でいるのだ。自分と向かい合いたいのならば、おまえも他人を呼ぶべきじゃないと、その瞳が語っている。何も、戦おうというのではない、一騎打ちを望んでいるというのでもない。疑問に答えて欲しい。なぜ裏切った、なぜ見捨てた、なぜ、なぜ――。

「音道くん、応答してくれ。どこにいるっ、大丈夫かっ」

今度は係長の声が貴子を呼んだ。貴子は、それでも無言で疾風と向かい合っていた。答えられない。受け止められない。疾風が望んでいるのは自分ではない。それは分かっている。だが、この瞳には、どんな嘘もごまかしも通用しない。

「音道！　聞こえないのかっ！」

仕方なく無線の送信ボタンを押した。

「――大丈夫です。いま――」

その時、疾風がくるりと後ろを向いた。そして次の瞬間には、再び木々の間を走り始める。貴子は急いでスロットルレバーを回した。大丈夫、バイクにも異常はないらしい。

「今、どうしたんだっ。音道くん！」

「追っています。一瞬、立ち止まったんですが、また走り始めました。前方に――高層のビルが見えています」

報告を入れながら、なぜか後ろめたい気がする。疾風は、一瞬でも貴子にチャンスを与えた。信じても良い相手か、試したのだ。そうとしか思えなかった。だが、貴子には受け止めることは出来ない。こっちは、あなたを追わなきゃならない。あなたを、捕まえなきゃならないのよ。

公園が終わる。ひょっとすると、突然にUターンしてくるのではないかと警戒したが、疾風はそのまま公園の植え込みを走り抜け、再び舗装された広い道路に出た。

「道路に出ました。左右に高層ビル、正面に大きな歩道橋が見えています」

街灯の下を、疾風は再び振り返りもせずに走り続けた。さっきは分からなかったが、肩から腰にかけてと、肘《ひじ》と膝がずきずきと痛み始めている。

「歩道橋を左に曲がりました。左手に見えているのは、ええ――ニューオータニです。右手に幕張メッセです」

この先は、確か海だ。疾風は、どこへ向かおうとしているのだろう。ヘルメットのシールドを開けたままの貴子の顔には、次第に湿り気を含んだ風が当たるようになってきた。四方から、波のようにパトカーのサイレンの音がしてくる。この、臨海新都心と呼ばれる人工の都市は、まるで模型の街のように人の息吹《いぶき》が感じられない。

「右手に千葉マリンスタジアムが見えてきました。疾風は、真っ直《ます》ぐに走っています」

「そのまま行くと、海だなっ」

「ここから海は見えません。ただ、真っ暗い茂みのようなものが広がっているようです」

新たな歩道橋が見えてきた。疾風はスピードを落とさないままで走り続けていく。道路に砂の感触が混ざってきた。やめてよ、ここで急ハンドルを切ったら、また転ぶわ。だが、疾風は曲がらずに、舗装の途切れた小道に入った。どっちにしても走りにくいと思ったとき、目の前で疾風が跳んだ。思いも寄らぬジャンプ力で、一瞬、疾風が宙に浮いたように見えた。だが、次の瞬間、貴子の目のまえに有刺鉄線が接近してきた。何かの造成中らしい土地は、周囲に有刺鉄線を張り巡らされていたのだ。貴子は慌《あわ》てて急ブレーキをかけ、後輪を滑らせながら危ういところで止まることが出来た。

「待って！　疾風！」

松林らしいものが広がっている。その黒々とした闇の中に、疾風は消えていった。

「警視四四七から警視二二、どうぞ」

「警視二二だ。どうした！」

「林に、逃げ込みました。マリンスタジアムの横です」

「ようし、よくやった！」

「――」

顔が痺《しび》れている。貴子は呆然《ぼうぜん》となって、バイクにまたがったままで闇を見つめていた。その時になって、けたたましいサイレンの音が近付き、貴子を取り囲んだ。方々から車のドアの音がして、怒声、靴音などが響く。

「心配したじゃないか、公園の中で――」

まず近付いてきたのが、滝沢だった。頭では、こんなことでは駄目だと思いながら、はっきりとした反応を示せない。

「――どうした。その泥」

半ばぼんやりと見上げると、滝沢、係長、他のもろもろの捜査員の顔が並んでいる。貴子は、意識してゆっくりとエンジンを切り、バイクから降りてサイドスタンドを立てた。気を抜くのはまだ早い。

「公園の中で、泥濘があったもんで」

大丈夫、声だって震えていない。

「転んだのか」

「――はあ」

「それで、よく見失わなかったな」

「疾風は——待ってたんです。私がバイクを起こして、体勢を立て直すまで」

誰の顔にも一様に信じられないといった表情が浮かんだ。だが、その中で滝沢だけが頷《うなず》いた。私、きっと今最低の顔をしてるわ。唇だってひび割れて、顔は疲れと汚れでぼろぼろのはず。そんなときに、どうしてと思うほど、滝沢は穏やかで柔らかい表情をしている。

「あの犬なら、そうだろうよ」

そう言うと、滝沢は貴子の肩を軽く叩《たた》いた。貴子は思わず「痛いっ」と顔をしかめた。

「何だ、怪我してるのか」

途端に滝沢の顔が険しくなる。だが、貴子は「大丈夫です」と答えた。

「ちょっと、打っただけですから」

それだけ言うと、貴子は新しい任務を求めて歩き始めた。だが、綿貫係長が与えてくれた任務は、「少し、休め」というものだった。

「ここまで来れば、袋の鼠《ねずみ》だ」

「ですが、疾風が小川の居場所を知ってるとしたら——」

「心配するな、この付近に駐車している車も、ホテルの宿泊客も、全て洗い出しにかかってる」

そこまで言われてしまえば、貴子に言えることはなかった。やがて、宮川管理官が到着すると、現場にはますます緊迫した空気が流れ、ゴーストタウンのような街には警官の制服が溢《あふ》れた。むしろ、こんな中に泥だらけのレザースーツで混ざっている方が、恥ずかしいくらいだ。貴子は仕方なく、痛む足を引きずるようにしながら、人々の邪魔にならない場所まで歩き始めた。風が強い。海から、次々に雲が流れてくる。

「何だったら、車の中で休んでて、いいんだぞ」

背後から係長の声がする。貴子はゆっくりと振り返り、軽く手を振った。係長は満足そうに頷くと、すぐによそを向いてしまった。奇妙な疎外《そがい》感。ここまで皆を先導したのは私なのに。労られているのは、女だからだろうか。そう思うのは、僻《ひが》みだろうか。

——楽しかった。

疾風の姿が目に焼き付いていた。公園の中で、白い息を吐きながら、貴子を見据えていたときの顔が忘れられない。出来ることなら、ずっとあの目を見ていたかった。追う者の立場としてではなく、向かい合いたかった。そんなことを思いながら、広いT字路にまたがる歩道橋に上がって、貴子は目をみはった。何て異様な光景。疾風の逃げ込んだ林の向こうに、東京湾をぐるりと取り囲む工業地帯の明かりが連なっているのだ。左手には房総、右手には京浜、昼夜を問わず稼働し続けている工場の明かり。そして、振り返れば人工の街を象徴するかのような広い道路と、やたらと広い空に向かって、まったく無機的に伸びている高層ホテルやオフィスビルがある。どこを見ても、まるで自然の息吹が感じられない。全てが御清潔に管理されている世界だ。

——自分から望んで、こんな場所に来るはずがない。人間だって、嫌なはずよ。

歩道橋の丸い手すりにもたれながら、貴子は自分の足の下を、右へ左へと忙しく動き回る仲間たちを眺めていた。熱いコーヒーを飲みたいと思う。冷え切った身体《からだ》を少しでも温めたかった。それでも、貴子はこの場所から動けないと思っていた。猟犬を引き連れたハンターたちが歩いていく。そこかしこに、パトカーの赤いランプが見える。

「おい、車の中で休めよ」

ぼんやりと風に吹かれていると、滝沢が歩道橋を駆け上がってきた。少ない髪を強風にかき回されて、見るも無惨なヘアースタイルになっている。

「帰りだって、乗って帰らなきゃならないんだぞ」

「——見ていたいんです」

貴子は、手すりにもたれたままで答えた。滝沢は、何か言いたそうに口をわずかに尖《とが》らせ、やがて小さくため息をついた。そして、貴子の隣に立って周囲を見回している。

「もうすぐ、朝だ」

「——はい」

「小川の車が、発見されたとさ」

貴子は急いで顔を上げた。滝沢はゆっくりと頷きながら「さっきな」と付け加えた。どのビルかは分からないが、地下の駐車場に停められていたという。身体の芯《しん》まで冷え切っていたはずなのに、貴子の中で何か熱いものが動いた。

「大した犬だ。やっぱり、小川の居場所をつかんでいやがったんだな」

「――」

「今、虱潰《しらみつぶ》しに当たってる。これ以上、疾風に人を殺させないためだ」

「――私は、何をすれば」

「係長が休めって言ってるんだから、休んでりゃあ、いいさ。見れば分かるだろう、人手は十分に足りてる」

ため息さえも、冷たい潮風に吹き飛ばされていった。滝沢は、ポケットから煙草《たばこ》を取り出しながら、「あんたさ」と言った。そして、風上に背を向けて、やっとの思いで煙草に火を点《つ》けると、ようやく貴子の方を見た。

「楽しそうだったな」

目を細めながら、滝沢は煙草の煙を吐き出した。貴子は、黙って頷いた。滝沢は「やっぱな」と言い、また煙草を吸う。

「見てて、分かったさ」

「疾風は――私を認めてくれたような気がしました」

「──違う形で出逢《であ》えたら、よかったな」

それだけ言うと、滝沢は行ってしまった。相変わらずの、皇帝ペンギンのような後ろ姿を見せながら、大股《おおまた》で。貴子は、息苦しくなるような思いで、その後ろ姿から目を逸らした。やはり、肩と腰が疼《うず》いている。足踏みをしたくなるような寒さの中で、それでも貴子は動かなかった。

──違う形で、出逢えたら。

空が白んできた。走っていたときは晴れていたのに、今、頭上には厚い雲がたれ込めている。振り返ると、貴子のいる位置からもっとも近い、全面がガラス張りになっているらしいホテルの高層ビルに、流れる雲が映り始めていた。灰色の空に突き刺さるような、鈍い光を放つビル。徐々に輪郭を見せ始める、だだっ広いばかりでクソ面白くもない街。計算し尽くされ、管理し尽くされた、不気味な圧迫感。疾風に、もっとも似合わない街の夜明けだった。

──朝よ、疾風。

漆黒の闇《やみ》のように見えていた茂みも、徐々にその輪郭がはっきりと見え始めている。まだ若木の松が、灰色の空に向かって枝を伸ばしている為《ため》に、全体にギザギザの輪郭が、歩道橋の上からも見て取れる。ハンターたちは夜明けを待っていたのに違いない。もう二度と、共に走ることはない。あの瞳《ひとみ》に逢うことはない。

――人間にだって、あんな目をした人はいない。

ゆっくりと、確実に朝が来る。異様な存在感を見せつけていた工業地帯の明かりもぼやけて見え始めた。全身が、べたりと湿ったような気がする。人工の浜に打ち寄せる波は、本物なのだろうか。せめて、濁った海水くらいは、偽物《にせもの》ではないだろう。あまりの寒さに、ゆっくりとブーツの足を踏み出したとき、風の音のようなものが聞こえた。風？　笛？　貴子は立ち止まり、耳を澄ませた。高く、細い音だ。風に乗って、もの悲しい程に長く伸びる。

――遠吠《とおぼ》えだわ。

疾風の声に違いなかった。付近を歩き回っていた警官たちも、立ち止まって耳を澄ませ、口々に何かを言い合っている。貴子は、胸が締め付けられそうだった。どうして、わざわざ自分がいることを、ひそんでいる場所を教えるような真似《まね》を？　それとも、誰かに伝えようとしているの？　自分はここにいると。だが、いくら呼んでも笠原も笑子も来てはくれない。それくらいのことは、あの疾風には分かっているはずだ。では、誰を呼んでいるというのだ。他に、知っている誰かでもいるというのか。ふいに、闇の中で自分を見つめていた顔が蘇《よみがえ》った。泥だらけになった貴子を待っていた、恐れることもなく、襲いかかりもせずに、ただ見つめていた。

――まさか。

そんなはずはないと思う。だが、いつまでも続くもの悲しい声を聞くうちに、いてもたってもいられなくなった。もしや、自分が呼んだら、素直に出てきてくれるのではないか。たとえ麻酔銃にでも、撃たれずに捕まってくれるのではないかと思った。行こう、声のする方に行って、自分の声で疾風を呼んでみようと思ったとき、防砂林の一角から、小さな炎が上がった。

「火ですっ！　あそこ！」

貴子は、思わず手すりから身を乗り出し、大声を張り上げた。疾風の遠吠えに耳を澄ませていた警官たちが、一斉に貴子を見上げ、そして、貴子の指さす方を見た。次の瞬間、人々の怒声と猟犬の激しい吠え声が聞こえてきた。貴子は凍り付いたように炎の方を見つめていた。歩道橋の下にいた警官たちも、一斉に走り始める。無線も持たずに皆から離れている貴子だけに、何が起きたのかが分からない。今や、はっきりと明るくなっている空に、もうもうとした黒い煙が上がっている。

猟犬の声が激しくなった。貴子は、身動き出来ないままで、炎の方向を見つめていた。大きな火ではない。最初は、ものすごい勢いだと思ったが、今は既に、たち昇る黒煙の方がずっと大きい。もしかすると、過酸化ベンゾイルの炎だったのだろうか。すると、小川が傍にいるのか？　そう思ったときだった。乾いた、小さな銃声が聞こえた。反射的に、貴子は両手で口元を押さえた。麻酔銃だとは分かっている。だが、そうでもしなければ、警察官らしからぬこと、「やめて」とか、または意味不明の叫び声とか、何かの声を発してしまいそうだった。

9

低く垂れこめている灰色の雲の下を、滝沢の目の前を走っていく音道の姿は、いかにも寒そうで、ちっぽけに見えた。誰を追うわけでもなく、整然と連なって走る捜査用車両に混じって、音道のオートバイは、そのナンバープレートにもわずかに泥のはねを付けたまま、冷たい空気の中を突き進んでいく。

「男だって、夜中からこれだけ走り回ってたら、相当に疲れるはずですよ。しかも、こんな寒空の下を」

ハンドルを握っている今関が、感心したように呟《つぶや》いた。そして、滝沢が横目で見ているのを感じてか感じないでか、「大したもんだ」と頷いている。

「まあ、あれくらいじゃなきゃあ、務まりませんよね。滝さんが大事にする気持ちも、分かりますよ」

「大事にする？　俺が？」

滝沢は、突き出した腹を大きく膨らませながら、姿勢を変えた。おいおい、冗談にも程があるぞ。だが、この、いかにも実直そうな同僚は、滝沢と組んだその日か、またはそれ以前から、滝沢とお嬢さんとが、気の合ったコンビだったと信じ込んでいるらしい。

「見てれば、分かりますよ。あれだけ動けるのに、女だってだけで、彼女もずいぶん苦労してるみたいじゃないですか。それを見抜いてるからこそ、滝さん、庇《かば》ってたんでしょうが。さすが、面倒見がいいって、皆言ってます」

そういう言い方をされてしまうと、滝沢には何を答えることも出来なかった。お嬢さんは、これで得点を稼いだな、美味《おい》しいところを持っていきやがったと思っていた。図らずも滝沢まで、そのお相伴に与《あずか》ったというところだろうか。

――まあ、いいか。

取りあえず、悪い評判が立つよりはましってとこだ。第一、思っていたほど嫌な気分のものでもない。滝沢は、目の前を行く女刑事の後ろ姿を眺めながら、微《かす》かに息を吐き出した。疲労困憊《こんぱい》していることは確かだ。ただでさえ白い顔は、とっくに色を失っていたし、怪我《けが》もしているはずなのに、彼女は眠らされたオオカミ犬が車に運び込まれるまで、唇を嚙《か》みしめて見届けていた。今にも倒れそうな姿で、さすがの滝沢さえも痛々しいと感じたほどだ。

「それにしても、今ひとつ、達成感がないですよね。小川については、オオカミ犬のお手柄なんですから」

「捜査が長引くよりゃあ、よっぽどましだって。とにかくこれで、一件落着だ」

「まあ、そうですが。あとは、ひたすら書類を作る、と」

そう言うと今関は、ハンドルから手を放して指の関節を鳴らした。滝沢は、何となく嫌な気分になって、滝沢の苦手な書類の作成に意欲を燃やしていそうな相方を眺めていた。

その日は午後から雪になった。滝沢は雪の中を笠原の病院に向かった。既に一般病棟に移り、日増しに病状の回復している笠原は、疾風が無事に捕獲されたと聞くと、深々とため息をつき、まだ声は出せないものの、枕《まくら》に頭をのせたままで頷いて見せた。

「疾風はなあ、やっぱり小川を狙《ねら》ってたよ。あんたの育てた、あの犬が、どうして小川を見つけ出すことが出来たのか、どうやって、あいつを狙ってたのか、あんたが話せるようになったら、まずじっくりとその辺を聞かしてもらわなきゃな。何せ、疾風は話せないんだから」

既に数日前に、滝沢は笑子の死を告げていた。重体と聞かされたまま、その後、収容されている病院についても、病状の変化についても聞かされていなかった元警察官は、覚悟をしていたらしい。満足に身動きもできない状態で、声を出さずに涙を流した。滝沢は、何となくどこかで一度くらい会ったことがあるかも知れないと思わせるような、日焼けした笠原の目尻《めじり》の皺《しわ》が涙で濡《ぬ》れるのを、何も言えないまま眺めていた。滝沢にも二人の娘がいる。

「それにしても、間一髪だったよ。一瞬でも遅かったら、疾風は小川もしとめてただろうよ。いやあ、驚いた。近くで見ると、本当にでかいな」

滝沢の言葉に笠原はゆっくりと頷《うなず》き、枕の横に置いてあるメモに手を伸ばした。大分、手が動くようになった今、例のボードを使うよりも、筆談にした方が会話はスムーズだ。

——女の刑事さんは。

メモを覗《のぞ》き込んで、滝沢は今関と顔を見合わせた。この雪の降る午後に、単独任務から解放された音道がどうしているのか、滝沢は把握していない。病院にでも行ったのか、家へ帰ったのか、それとも本部で報告書を書いているのか。

「彼女がな、疾風のあとを追いかけたんだ。あんたの家の近所から幕張まで、オートバイで、ずっと一緒に走ったんだよ」

笠原の表情が、わずかに驚いたように動いた。滝沢は、「大したもんだよ、なあ」と頷いて見せた。

「途中で一度転んだんだが、疾風が待っててくれたんだそうだ。疾風は無事だが、あのお姉ちゃんは泥んこになった」

笠原は、なおも驚いたような顔をしている。そして、少しの間何か考えると、そう力強いとは思えない文字をメモに書き付けた。

——疾風は、あの人が気に入ったんでしょう。自分を怖がらずに、好きになってくれる人のことは分かるようです。疾風には疾風の勘のようなものがあって、それで人を選んでいるところがあります。家族のようには打ち解けないものの、認める、というか。

滝沢は、ゆっくりと頷いた。音道と疾風は、確かに楽しそうだった。我が物顔で、深夜の高速道路を連れだって走る姿を、ずっと見守っていたのはこの滝沢だ。あの二人——と、敢《あ》えて呼びたいような気がする——は、あの時間の中で、互いに何か感じ合うものがあったのかも知れない。飼い主の笠原に言われると、その確信が強まった。

「それにしても、ずいぶん手が動くようになったじゃないか。だったら、簡単でもいいからさ、とりあえず、飼い主として、あんたが思うことを書いておいてくれねえかな。疾風が、どうやって小川の居場所を摑《つか》んだか、な」

最後にそれだけを言うと、滝沢は病院を後にした。容疑者が逮捕された今、残っている作業は被疑者からの事情聴取や証拠固めの為の裏付け捜査などといった、地味な仕事だった。だが、検察官が見て満足するような、公判に持ち込んでも弁護側にひっくり返される隙《すき》のない書類を作成するのは、口で言うほど楽なことではない。疾風のこと、焼死した娘と、疾風が襲った人々との関係、小川の周辺と動機について、薬品の入手方法や時限発火装置の作製方法、笠原と小川の関係などなど、被疑者の二人からだけでも、聞かなければならないことは山積みだった。その他に、彼らと関係のあった人物からも、犯行を裏付けるだけのことを聞く必要がある。目撃証言も、もっと集めなければならないだろう。

「今年はまだ降るんですかね」

「桜の頃まで降った年があったな。ああいうのは、勘弁して欲しいがね」

水分を含んだ重い雪は、フロントグラスにあたるとすぐに溶けていく。滝沢は、この前に雪が降ったときは、顔を腫《は》らして、音道の車に揺られていたのだと思い出しながら、今関のカラオケのレパートリーなどを聞かされていた。その日は、小川に対する事情聴取も本格的には始まらず、夜になると捜査本部内で軽く乾杯をした後、捜査員たちは久しぶりに早めに各々《おのおの》の家に引き上げていった。

「お疲れさまでした」

帰りしなに音道が、普段と変わらない硬い表情で、呟くように言った。どうやら、午後から傷の手当を受けたらしい。彼女が近くに来ると、微かに湿布薬の匂《にお》いがした。滝沢は「おう」と軽く手を上げて応じただけだった。何か言ってやりたい気もしたのだが、結局は何も言えなかった。翌日にでも、また機会を見つければ良いだろうと思っていたのに、滝沢が音道を見たのは、結局そのときが最後だった。本来は、機動力のある車両、装備を持っている集団として、事件の初動捜査が基本任務となる機動捜査隊員は、たとえ本部事件に関わっても、容疑者の逮捕までこぎつければ、その後の書類作成、事情聴取、裏付け捜査などまでは関わらない。彼女たちは、翌日には特別捜査本部の任務から解かれ、同じ分駐所の仲間と共に通常の勤務に戻っていったのだ。

「どう、淋《さび》しいんじゃないの」

滝沢にとっては馴染《なじ》み深い、男だらけの職場に戻ると、やたらと話しかけてくる仲間が多くなった。

「ああいう特技があるって、滝さんは知ってたんですか」

誰もが、気にはしていたのだ。常に少し離れた場所から、興味津々《しんしん》で滝沢と女刑事とのコンビを観察していたのだと改めて知って、滝沢は初めて満更でもない気分になった。あんな無愛想な娘っ子一人がいなくなっただけでも、捜査本部は殺風景になったように思われる。

「乗るのがうまいのは、バイクだけかね」

「バイクになりたいもんだねえ」

そんな会話も、今は誰に遠慮することもなく、大っぴらに交わされる。結局、女と一緒だと窮屈なのだ。殺風景でも何でも、誰に遠慮することもなく好き勝手なことを話していられたほうが、職場としては快適なのだ。滝沢は、ようやく元通りのリズムで動けるようになったことを心の底から喜ぶことにした。

10

翌日から、本格的な取り調べが始まった。

小川は、車の中で寝泊まりしながら、都内近県を移動し続け、逮捕される三日前から、幕張の人工の砂浜に面した防砂林の片隅にある、作業小屋の一つに隠れていたと自供した。自分がオオカミ犬に狙われていることは、まったく知らなかったらしいが、あの日、突然にけたたましいサイレンの音が聞こえてきて、てっきり居場所を摑まれ、自分が包囲されたと思い込んだという。そして、まだ二キロほど隠し持っていた過酸化ベンゾイルの結晶粉末を使って火災を起こし、その騒ぎに乗じて逃走しようと考えた。

「なんだって、あいつが」

それが、現場で捜査員に押さえ込まれた小川が最初に口にした言葉だったという。

火災は、計算通りに起こすことが出来た。清涼飲料水のペットボトルに入れた過酸化ベンゾイルに、火のついた煙草《たばこ》を線香のように立てて、小屋の入り口から外に放り投げたのだ。着火温度の低い薬品は、宙を飛ぶボトルの中で躍り、煙草の火種に触れた。それだけで、十分だった。だが、炎が燃え上がり、黒煙を噴き上げた途端、その炎の向こうから、疾風が現れたのだ。猟友会のハンターが、いち早く疾風に気付かなければ、小川は間違いなく息の根を止められていただろう。疾風が小川に向かって飛びかかろうとした瞬間、ハンターは引き金を引いた。

「笠原の家に火をつけたとき、オオカミ犬も死んだと思っていたんです。だから、まったく警戒もしていませんでした」

笠原の証言通り、放火を認めた小川はそうも言った。そして、「犬にあとをつけられていたなんて」と悔しがった。警察が自分を指名手配していたことなど、すっかり忘れていたかのような口振りだったという。

どこまでも、諦《あきら》めの悪い男、そして、極端な自己中心性。それが、小川を今回の犯行に走らせた最大の要因だろうと取り調べをした捜査員は感想を述べた。

大学を卒業と同時に就職した食品メーカーの研究室で、そのままおとなしく働いていれば良いものを、誰かの口車に乗せられて、健康器具の開発に凝り始め、挙げ句の果てに脱サラ、会社設立、倒産の繰り返し。それが、小川のたどった人生だった。最初は健康食品の会社。次に寝具、そして、健康器具。

「世の中の人の健康を願って、自分はこんなに苦労しているのに、どうして遊び半分で生きているような人間の方にばかり、富が集まるように出来ているのかと思いました」

小川が自白調書で述べていることだ。そして、今度の会社も、もう退《の》っ引《ぴ》きならないところまできたとき、小川は考えた。夜逃げをするくらいならば、せめて最後の足掻《あが》きをしたい。大それたことは言わない、ただ、一〇〇万でも、二〇〇万でも良い、起死回生を狙うための金が欲しかった。

狙うのは保険金しかなかった。だが、誰かに生命保険をかけて殺害するような方法は、必ず発覚するものだ。それよりも、金額こそは小さくても、確実に得ることを考えようとした。そうなると、会社の入っているビルに火災を起こすことくらいしか思いつかなかったというわけだ。それでも、警察の捜査力は侮《あなど》れない。火元に不審な点が見られれば、徹底的に捜査が入るだろう。例えば放火ということが分かり、詳しく調べればどこから足が付くか分かったものではない。だが建物や、置かれている物に火をつけるから、放火とばれるのだ。ならば、動いているもの、生きているものに火をつければ良いのではないかと小川は考えた。

「あんな男は、生きている価値はないと思いました。どうせ、世間のダニじゃないかと。だから、原をターゲットとして選んだんです」

小川は、以前から同じビルでデートクラブを経営している原照夫を見知っており、しかも快く思っていなかった。若い女の子をたぶらかして、労せずして金を稼いでいる男。見かける度に違う女を連れて、常に派手な服装で、世の中を完全になめてかかっている男。こっちが、これほど苦労して、地道に生きようとしているのに、あんな男にのさばられてはたまったものではない。それが、小川の理屈だった。

そして、自分で開発した万歩計内蔵、血行促進作用のある水晶ビーズを埋め込んだ健康ベルトを使って、原を燃やす方法を考えた。万歩計に裏コマンドで設定できるタイマー機能を持たせ、時間がきたら貫通端子を通してベルト内部に取り付けてあるニクロム線が発熱するようにする。あとは、二枚の革を接《つ》ぎ合わせてあるベルトの芯《しん》として薬品を使えば良い。小さなボタン電池で加熱出来る程度の温度で着火出来、しかも相応の燃焼力を持った薬品を考えるうち、過酸化ベンゾイルを思いついたということだ。薬品は、都内数カ所の試薬屋から少しずつ購入した。二五パーセントの水を含んだ湿体の過酸化ベンゾイルを購入するのに、それほどの苦労はいらない。それを、自宅で自然乾燥させ、次いでメタノールに一夜漬けて、さらに風乾すれば、白い結晶の粉末が得られるというわけだ。

小川の計画は、成功したかに見えた。だが、多摩川上流の、人気のない川原で何度も実験を行っているときに、笠原と知り合ったことが、結果として命取りになった。

笠原は笠原で、疾風に人を襲う訓練を施す一方で、笑子が家出中に付き合っていた連中を捜す日々を送っていた。

「何度、諦めようとしたか知れません。愚かだったのは自分の娘です。そして、笑子を非行に走らせたのは、家庭を顧みなかった自分の責任だ、他人を恨むべきではないと、毎日のように自分に言い聞かせて過ごしました」

笠原は声を取り戻す以前に、滝沢に言われた通りに書いた手紙で、そのように自供している。さらに数日後、彼はようやく話せるようになり、少しずつ細かい話を始めた。きっかけは、笑子のひと言だった。覚醒剤《かくせいざい》の乱用によって入院当初は、まさしく廃人同様になっていた娘は、症状もある程度恢復《かいふく》し、多少は筋の通った話の出来るようになった数年前のある日、ほんの短い間だけ、家出中の経験を、笠原に語ったという。

——本当は、家に帰りたかったけど、でもお父さんに嫌われてたから、帰れなかったの。皆は、とても優しくしてくれた。注射を使って、痩《や》せて綺麗《きれい》になったら、お父さんは私を好きになるよって、言ってくれた。嘘《うそ》じゃなかったよね？　今、お父さんは、こんなに優しいもの。

その時の状況を思い出しながら、笠原は初めて声を上げて泣いた。娘の死を知っても、声も出せなかった男の、初めての号泣だった。その時、笠原は復讐《ふくしゅう》を決意した。それ以外に、娘にしてやれることがなかった。以来、笑子の体調の良いときを選んで、少しずつ最初に笑子にシャブを覚えさせた連中のことを聞き出した。菅原、堀川、稲田知永子、水谷——。笑子はまず彼らのニックネームを思い出し、嬉《うれ》しそうに、彼らの思い出を語った。当時の遊び仲間を、彼女は今でも「いい人たち」と表現したという。優しくしてくれた、可愛《かわい》がってもらったと、ずっと信じていたらしい。笠原としては、その後の笑子が入院先から脱走して逃げ込んだらしい盛り場で関わった連中のことも聞きたかったが、笑子は、そっちの方に関しては、「売人」などと言う程度で、その他については答えられなかった。最初のうちは、オオカミ犬を使おうなどとは、夢にも思わなかったという。だが、永年警察犬の訓練をしてきた笠原は、警察官を辞めてからも、常に犬と関わっていたかった。ペットショップなどで働きながら、彼はいつも犬を飼っていた。

「オオカミ犬の存在を知ったときに、どうしても飼ってみたくなったんです。飼ってみて、その個性的な性格や知能の高さには本当に驚きました」

偶然に飼った疾風は、犬の訓練に関してはベテランの笠原すら、想像出来なかった能力の持ち主だった。もちろん、オオカミ犬には実に様々な個性があるから、全《すべ》てが疾風のようにはならないだろう。この出逢《であ》いは、縁としか言い様がなかった。疾風は、たまにしか会わないというのに、笑子になつき、笑子の言葉をよく理解するようだった。そして、散歩などに出かけて、笑子をからかう子どもでもいると、仔犬《こいぬ》の頃から牙《きば》をむき出して相手を威嚇《いかく》するようになった。まるで、笠原の思いを汲《く》み取っているかのように、笑子を守ろうとする疾風を見ていて、笠原は疾風を訓練することを決心したのだという。

「疾風は、まるで、それが自分の使命、家族としての役割だと、最初から心得ているかのようでした」

訓練をするうちに、笠原は予想を遥《はる》かに上回る疾風の知性に、ときどき驚きを越えて、空恐ろしささえ覚えることがあったという。

「オオカミ犬は驚くほど成長の早い犬です。私は生後三カ月で飼った疾風を、生後五カ月から訓練し始めました」

元々、自我が強く、ただ従順なばかりとは言い切れないのが疾風の性格だったという。だが、その部分は知性が補った。闇雲《やみくも》に褒められることを望むというよりも、自分と飼い主との関係が円滑にいく方法、確かな愛情を得られる方法を考えているようなところがあった。一般の家庭犬としての、呼ばれたらすぐに来る、人と歩調を合わせて歩く、無駄吼えはしない、などという基本的な習慣は訓練の必要もなかった。

「それでも、悪戯《いたずら》は好きでした。ですが、下手な叱《しか》り方をすると、一、二日くらい、ふさぎ込むんです。もう信じられないのではないか、愛情が失われたのではないかと、不安になる様子でした」

そして笠原は、警察犬を育てていたときに行っていた、服従、警戒、捜索などの訓練を順番に施していった。「すわーれ」「あとへ」などから始まって、「まて」「もってこい」「ふせ」などの服従訓練は、比較的に飽きやすい様子だったが、「まもれ」「おそえ」といった声符で行う警戒訓練は好きだった。通常の警察犬訓練では、犯人を想定した第三者に対して、犬を怒らせ、興奮させて襲わせる。そして「やめ」で冷静に戻すのだが、笠原は、疾風を興奮させることなく、選んだ相手を襲い、「やめ」とは言わない訓練をした。その為《ため》に、犬の嗅覚《きゅうかく》を利用した足跡追及、物品選択という捜索訓練を十分に行い、特定の匂いに反応して、狙《ねら》った相手を襲うようにと考えたのだ。

「疾風は硬性と軟性の性格を併せ持っています。誇り高く強情で、感受性も強い。強制は出来ないし、気分転換も下手ですから、最初はシェパードなどとは勝手が違い、こちらも悩むことが多かったように思います」

だが、驚かされることも多かった。その抜群の記憶力と、粘り強さ、持久力といった点では、笠原はかつて経験したことがないほどに感動することが多かったという。警察犬の競技大会にでも出れば、相当な高得点が得られるだろうとも考えた。だが結局、笠原は疾風のその能力を、自分の復讐のために利用した。一年、二年と訓練を続けるうちに、疾風自身も、それを望んでいるような気持ちになっていった。

「私が思っている以上に疾風には能力があると分かったのは、半年ほど前、娘の病院に連れていったときのことです。車から降りたときに、疾風が逃げ出したことがあったんです。ですが、夕方になって家に戻ってみると、疾風は既に家に帰っていました。埼玉の越生から、昭島の私の家まで。しかも、自分で小屋に入っていました。訓練によって得る以上の能力が、あれには備わっているんです。自分で考え、自分の意志で動くんです」

抜群の記憶力、冷静さ、思慮深さ、そして恵まれた体力。全てが信頼に足るものだった。笠原は疾風を、生半可な人間よりも、よほど頼りになると言った。そして、ようやく見つけた原照夫を付け狙ううち、同じ建物に出入りしている小川のことも覚えたのだろうと。

その男に近付くことによって、原のことが何か分かるのではないかという下心もあって、川原で何かを燃やしている小川を見つけたときに、笠原は自分の方から声をかけたのだという。そして一度だけ、立ち話をした。小川は小川で、犬の散歩をしていたらしい男が、まさか自分の顔を見知っているとは思わずに、時限発火装置の実験をごまかすために、愛想良く雑談に応じたと言った。お互いに、互いの腹が読めずにいたのだ。

「疾風が、最初に原を殺し損ねたのは、単に、夜道で原に襲いかかろうとした、その瞬間、路地から車が飛び出してきたからです」

原は、疾風にではなく、暴走する車に驚いて飛び退いた。疾風も驚き、狙う的を間違えてしまった。それでも疾風は原を追おうとしたが、原が悲鳴を上げたし、走り去った車に見られている可能性があると考えて、笠原が素早く疾風を呼んだ。「やめ」と言ったのは、その時限りだった。そして、まずは足を狙って相手を転ばす方法は、その時にやめることにした。訓練の方針を変え、最初から急所を狙うことにしたのだ。

数日後、レストランの地下駐車場で、笠原は、原と小川が挨拶《あいさつ》を交わしているところを見ていた。一旦《いったん》すれ違った後で、小川が原を呼び止め、何かを手渡していた。実は、それが時限発火ベルトだったのだ。

「今度売り出す新製品だと言って、原にベルトを渡しました。原は、喜んでいましたよ。自分も三〇代になって、健康が気になる年になってきた、運動不足でもあることだし、さっそく使うと言いました。私はうまいことを言って、その場でベルトを締めさせました。そして、言ったんです。『ためしに、これから今日一日で何歩くらい歩くものか、消費カロリーはどれくらいか、見てみるといいですよ』とね。そして、使用方法を説明するふりをして、万歩計を操作するボタンの裏コマンドを使い、時限発火装置のタイマーをセットしたんです」

小川は語っている。深夜零時頃には、原はまだ必ずビルに残っていることを、予《あらかじ》め聞き出しておいてのことだった。

「まさか、レストランで燃え出すとは思わなかったんです。こっちとしては、あそこまで大ごとになってもらわなくても、よかったんだ。ただ、私のオフィスが燃えてくれれば、用は足りたんだから」

笠原にしてみれば、原を殺す手間が省けたようなものだった。そして、テレビや新聞で、徐々に事件の概要が分かってくるに連れて、小川が臭いと思うようになった。

「やっぱり、あの男は他でも恨みを買ってるんだろうなと思いました。そして、自分の手では果たせなかったけれど、原が死んだ場所を見ておきたいと思ったんです。それから数日して、警察の人も出入りしなくなった頃、私はあのビルを見に行って、偶然に小川と会いました。礼でも言いたい気持ちで、思わず挨拶をしたんです」

心配するな、自分は警察にたれこんだりしない、むしろ、手間が省けて助かったのだと伝えたかった。少なくとも、同じ男を狙っていたという点では、自分と小川とは共通点がある。もしかすると、自分と同じような理由から犯行を思いついたのかも知れないとも考えた。そして笠原は、さらに小川に近付き、やがて、一度だけ酒を一緒に飲んだ折に、原を殺害した犯人には心当たりがあるとほのめかした。

「心臓が止まるかと思いました。人の好さそうな顔をして、こいつ、脅迫するつもりだなと思いましたね。それが、別れ際《ぎわ》になっても何も言わない。私は不気味で不安で、夜もおちおち眠れないくらいでした」

「正直に言えば、世間の反応が気にかかっていたんです。小川は私がオオカミ犬を飼っていることを知っている。その男が、世間を騒がせている事件と自分とをつなげて考えているか、それを探りたいとも思っていました」

自分の仕事熱心、多忙が娘を非行に走らせ、覚醒剤中毒にさせた。そして今また、今度は自分の不注意と軽はずみな行動が、娘の生命を奪うことになった。笠原は取調官の前で再び突っ伏して号泣した。その姿は、自分の不運を嘆き、オオカミ犬を殺しおおせていなかったことを悔やむ小川とは対照的なものだった。

「ものすごい爆発音がして、私の家が火に包まれたとき、私は真っ先に疾風を檻《おり》から出しました。そして、夢中で、ただ『いけ』と言ったんです。命令というよりも、必死で出た言葉が、それだったんです。『さがせ』『おえ』『にげろ』と、色々な号令がありますが、全ての意味を含めて、あんな言い方になったのかも知れません。疾風は、少しの間、私の顔を見ていましたが、とにかくものすごい炎と煙でしたから、本能的に危険を感じた様子で、走って行きました。その後、私は笑子を助けに行こうとしたんですが、とにかく火の回りが早く、目も開けていられない程の煙で、途中で一歩も前へ進めなくなりました。今になって考えると、どうして娘の方を先に助けなかったのかと思います。ですが、やはり私は、疾風に何かを託したかったのかも知れません。もちろん、いくら犬の嗅覚が発達しているとはいえ、車に乗られれば小川本人の匂《にお》いは断ち切れてしまいます。ですが、あの体力と脚力ならば、相当な距離は走って追いかけられたでしょうし、あの日は雪で、車はそれほどのスピードは出せなかったはずですから、追いやすかったのかも知れません。そうするうちに、小川の車も、覚えたのでしょう」

笠原以外の被害者に対しては、笠原は、相手を繰り返して指さすだけで疾風に狙う相手を覚えさせ、単独で襲撃させることに成功している。笠原は狙った相手を何日もマークし、行動パターンを摑《つか》み、襲いやすい場所を探した。何度か後をつけるうち、疾風は相手を覚えて、笠原よりも先に被害者の気配を察知すると、小さく唸《うな》るようになったという。笠原は常に疾風が相手に襲いかかるところを車の中から見守ると、そのまま家に戻っていた。その日の夜か、遅くとも翌日の朝までには、疾風は必ず家に戻ってきた。常に、昭島の家を起点にして、疾風は行動していた。元々自分のテリトリーを移動しながら生活するオオカミの血は、ここでも濃く現れたということだろうか。どこへ行くにも、あの家を中心にして、方向と距離を考えていたのかも知れないと笠原は言った。

「普通ならば、信じられないことですが、私の手から離れたとき、疾風は水谷の後をつけていたことも思い出したのではないでしょうか。あれだけ家族愛が強く、寂しがり屋の犬が、私がいなくなって、どれほど途方に暮れたかと思うと、本当に可哀想《かわいそう》なことをしたと思います。あれに残された道は、私のことを考え、私と共に行動した場を思い出し、その場所のどこかに、私の気配を捜すことだったのかも知れません。そして『いけ』の意味を考え続けたんでしょう」

小川は、笠原がいつか自分を脅迫してくると考えていた。そこで、ある日、笠原が勤めていたペットフードの店から後をつけ、笠原の家を突き止めた。その時には、殺す決心をしていた。時限発火ベルト事件の方は、捜査が行き詰まっている様子なのは知っていた。自分のところにも警察の人間はほとんど来ていない。それならば、同じ薬品を使えば、今回も足はつかないはずだ。彼は、原に渡したベルトよりも、ずっと単純に出来る、清涼飲料水のペットボトルを使った時限発火装置を作った。ペットボトルの底を取り外して、安物のトラベルウォッチと乾電池を使用し、板バネとニクロム線を用いただけの時限装置を取り付けて、再びボトルをつなぎ合わせ、上から過酸化ベンゾイルを詰めるというものだ。他にも数個、薬品を詰めただけのペットボトルを用意し、笠原の家の周囲に、適当な間隔を開けて置く。猛烈な勢いで発火する薬品を、今度は前回とは比べものにならないほどの量を使用するのだから、証拠が残る可能性は少ないし、ペットボトル同士をつなぐ導火線などは不要だった。ペットボトルは熱に弱い。ひとつから出火すれば、それは爆発に近い勢いになるはずであり、その熱で簡単に、他のボトルも出火するからだ。

「あの犬が、人を襲う犬だとは思っていませんでした。何度か見かけましたが、私に吼えたこともないし、あの晩だって、ひと言も声は出しませんでした。とにかく私は、自分のことで手一杯で、犬に人が襲われる事件のことなんか、まるで関心はなかったんです。それが、幕張で、突然飛びかかって来ようとしたんですから、心臓が止まりそうでした」

小川の方は、そう語っている。両者の言い分に、大きな食い違いは見られなかった。取り調べが進む傍らで、捜査員たちは証拠品の押収《おうしゅう》や関係者からの聞き込みに精を出し、膨大な量の書類を作成した。捜査本部が解散したのは、小川将則が正式に起訴された翌日だった。原照夫が殺害されてから、二カ月以上が経過していた。

エピローグ

そろそろ桜の便りが届こうという頃だった。いつの間にか陽射《ひざ》しは煌《きら》めきを増し、線路際《ぎわ》や小さな土手には菜の花が見られた。

「死んだって——。いつですか」

「ここに来て、二週間——いや、二〇日くらい、してですかね。ああ、飼い主の容疑者が起訴されて、少ししてからですかね」

そこは、多摩の鑑識センターに併設されている、警視庁の警察犬舎だった。あの、寒くて辛《つら》かった捜査本部の仕事から解放されて、最近の貴子は、管内で連続発生している通り魔事件の捜査に明け暮れていた。疾風を追跡中に転倒したときに負った打撲傷も擦過傷も癒《い》えた非番の日、久しぶりに全身で春の風を感じたいと思って、自分のオートバイで走り出したのは良いものの、貴子は初めて行き先を決めていないことに不安を覚えた。そんなことは、かつてなかった。いつだって、走りたいときに走りたいだけ進めば、目的地など決める必要はないと思ってきた。それなのに、どこへ行けば良いのか分からない、何を目標にすれば良いのか分からないということが、貴子をひどく不安にさせ、慌《あわ》てさせた。

「——どうして。病気か何か、ですか」

そして、気がついたら、この鑑識センターに向かっていたのだ。合計五人の人を襲い、三人を殺害しているオオカミ犬の扱いについては、捜査本部としても頭を痛めたらしい。保健所に預けるわけにもいかず、動物園というわけにもいかなくて、結局、警察犬と同じ犬舎で世話をすることになったという話は、聞いていた。逢《あ》えなくても良い、せめて、様子だけでも聞きたかった。

「いや、病気じゃありません」

疾風の世話を担当することになっていたらしい鑑識課員は、四〇歳前後の、地味な感じの男だった。まるで、かつての笠原のような、寡黙《かもく》で人付き合いの悪そうな男は、言いにくそうな表情で口元を歪《ゆが》め、ため息をつく。

「まるで、餌《えさ》を食べなかったんです」

貴子は、自分よりも小柄なその男を凝視した。突然、一二〇〇ccのバイクに乗り、レザースーツで現れた女に対して、最初は警戒の色を見せた男は、貴子が提示した警察手帳と貴子の顔を見比べた後で、「ああ、あなたが」と頷《うなず》いたものだ。オオカミ犬を追って、深夜の高速道路を走り抜けた女刑事の話は、都会の喧噪《けんそう》とは程遠いような、鑑識センターの係員の耳にまで届いているらしい。

「大切な証拠物件ですから、こっちとしても一生懸命だったんですが。飼い主にも聞いてもらって、以前に与えていたものと同じドッグフードを買ってきたり、何度も獣医にみせたり」

「どこかが悪かったわけでは、ないんですか」

男は小さく頷いて、いかにも残念そうにため息をついた。

「私のことが嫌いなのかと、係を替えてみたりもしたんです。飼い主の匂《にお》いのするものも、差し入れてみたりもしました。ですが、特に元気がないという雰囲気じゃなくて、断固として食べないと決めているというか、毅然《きぜん》としているというか――」

自殺。貴子の頭の中に、その二文字が浮かんだ。

「じゃあ、疾風は餓死、したんですか」

「点滴を打ったり、色々とやってはみたんですが」

「点滴も、注射も駄目だったんですか」

「頭のいい奴《やつ》ですからね。最初はうまくいったんですが、二回目からは、医者が近付いただけで、ものすごい顔をして怒るようになったんです。鼻の上に皺《しわ》を寄せて、牙《きば》をむいて」

あの日、貴子の目の前を、六人の男に抱えられて運ばれていくときの疾風は、麻酔薬によって完全に眠らされていた。貴子を見据えた、あの瞳《ひとみ》も閉じられ、密生した体毛の下で見事に躍動していた筋肉も、ぴくりとも動かなかった。足も、身体《からだ》も、ずいぶん汚れて、表情は読めないに決まっているのに、全身から疲労感が漂っていた。他の連中の手前、必死でこらえたが、貴子は涙が溢《あふ》れそうでならなかった。あのまま、疾風は二度と食べ物を口にしなかったというのだろうか。

「普段は泰然自若とでもいうか、他の犬が吠《ほ》えても、誰が近付いていても、まったく静かなままだったんですがね。本当にこいつが人を襲ったのかなと思うくらいで」

「——そんなに、静かでしたか」

「でも、点滴だけは別でね、違う医者を呼んでも、やっぱり怒るんです。分かるんですね。その時の恐ろしさときたら、すごいもんで、ああ、やっぱり、こいつなら、人を咬《か》み殺すくらい、わけないだろうと思いましたよね」

「それで、そのまま死んだんですか」

鑑識の男は、またため息をついて、頷いた。

「ものすごい精神力としか、言いようがありませんよ。いつも、一点を見つめてましてね、じっと、何かを考えているような、誰かを待っているような、そんな顔で」

「二〇日間も、もったんですか」

「ええ——ある朝、私が来たときには、もう冷たくなっていました。体重を量ったら、一〇キロ近く、瘦《や》せてました」

瘦せ衰えた疾風の姿など、想像が出来なかった。貴子は、半ば呆然《ぼうぜん》としたまま、鑑識センターを後にした。あれほどに存在感のあった、強烈なエネルギーを発していた疾風が、もういない。

——どこに行けばいいだろう。

再びオートバイを走らせながら、ますますショックが大きくなっていくのを感じる。途方に暮れている、慌てている、混乱しそうだ。貴子は、打ちのめされたような気持ちで、うららかな陽射しの中を走った。クラクションの響きさえ、真冬に比べてのどかに聞こえる空の下を、貴子は目的も定まらないままに、ただ車の流れに乗っていた。

疾風と走った時間は、日を追うに従って貴子の中で、夢か幻のような印象に変わってきていた。あの厳寒の夜の何もかもが、非現実的な、非日常的な体験だったと思う。だが、疾風を追って走っていたときの、不思議なほどの嬉《うれ》しさ、充実感だけは忘れることが出来なかった。そして、疾風に見つめられたときの、あの瞳も、今も焼き付いている。

——そうだよねえ、他に、方法なんかなかったんだ。手の使えないあんたに。

それにしても、何という静かな、それでいて壮絶な死なのだろう。一匹の犬が死んだというには、その衝撃は、あまりにも大きすぎる。闇雲《やみくも》に走り続けるうち、貴子は、もしかすると疾風は、最初から自殺するつもりだったのではないかと思い始めていた。最後の任務として小川の襲撃を果たしたらと、あの犬ならば考えていたかも知れない。それ程までに、人間くさい、何かを一心に思い続ける犬だったという気がする。

——だったら、襲わせてやればよかった。

ふと、そんな気もする。どのみち、小川にだって、これから長い裁判が待ち受けており、その先には、かなりの重い刑が科せられることは間違いないのだ。殺人、殺人未遂、現住建造物・建造物等以外放火、激発物破裂、数え上げればまだまだいくつかの罪状で、検察側は間違いなく死刑を求刑するだろう。

二人の男は、やがて、法廷で顔を合わせることがあるのかも知れない。その時には、貴子も出来るだけ傍聴に行きたいものだと考えている。そうでなくとも、疾風を追跡した司法巡査として、証言台に立つ可能性があると言われている。全《すべ》てが記憶の彼方《かなた》に遠ざかるまでには、まだ時間がかかりそうだった。

進路を西にとっていたはずなのに、途中で高速に乗り、いつの間にか、湾岸線を走っていた。春の日はまだ高く、渋滞気味に連なっている車は、陽射しを受けて輝いている。あの日とは、まるで違う空気、違う風景が流れていく。だが、貴子は疾風の幻が見える気がした。弾むような跳躍力で、流れるように滑らかに、闇の中を疾走していたオオカミ犬。

――そういえば。

ふと、皇帝ペンギンを思い出した。考えてみれば、あの時、無心に疾風だけを見つめていられたのは、背後に滝沢がいるという安心感があったからかも知れない。自分一人で対しているつもりだったが、疾風と違って、こちらには後ろ盾がいた。この長い道を、貴子は滝沢に見守られながら走ったのだ。だからこそ、滝沢だけが「楽しかっただろう」と言ったのだ。あの日を最後に、満足に挨拶《あいさつ》もせずに会わなくなった滝沢は、噂《うわさ》によれば、娘の縁談で悩んでいるという。まだ二〇歳そこそこの娘が結婚したいと言い張っているのに頭を抱え、同僚に「女だって結婚だけが幸せじゃないよな」とぼやいていたそうだ。

――私がショックを受けると思って、教えなかったのかも知れない。

疾風が死んだことを、貴子の元相方は知らされているはずだ。だが、滝沢は貴子に伝えることが出来なかったのだろう。滝沢ならば、そうに違いない。顔を合わせなくなった最近になって、貴子はときどきあの皇帝ペンギンを懐《なつ》かしく思う。「おう」と手を振って去っていった姿は、自分でも不思議なくらいに、不快感を伴わずに思い出すことが出来た。だが、それでも二度と組みたいとは思わない。

市川の料金所を越え、やがて湾岸習志野のインターが見えてくる。貴子は永年の友であるXJR1200のウィンカーを点滅させ、車線を変更した。ここで、少しばかり感傷に浸ったら、浦和の実家に寄ろうと思いついた。

最近は気功か何かに凝り始めているという智子の顔を見て、行子の憎まれ口と母の愚痴の相手でもしながら、夕食でも食べていこうか。我が家では、今、結婚や恋愛の話はタブーになっている。こんな時ならば、離婚のことで嫌味を言われる心配もないというものだ。そのうち、父も帰ってくるだろう。父の顔を見て、「いつ見ても、大きなバイクだな」と言う口癖を聞いて、それで戻ろう。何といっても、休みは少ないのだ。出来るときに出来ることをしてしまおう。

それにしても、今度の容疑者はどうも顔が見えてこない。目撃者はそれなりにいるのだが、誰の証言を聞いても、ぼんやりとしていて、印象に乏しいのだ。大体、非力な若い娘ばかりを狙《ねら》って、背後から切りつけるなんて、どういうストレスのたまり方をしているのかは知らないが、やることがしみったれていると思う。どっちを向いても、ろくな男がいやしない。いっそのこと、尻尾《しっぽ》でも生えていてくれれば、どこまでも追うのだがと思いながら、貴子はギアチェンジ・ペダルを三回踏み、緩やかな坂を下りていった。

※本書の執筆にあたり、以下の方々にご協力をいただきました。
この場を借りて、御礼申し上げます。
乃南アサ
杉本幸信／五味三佐子／高石和夫／須﨑哲哉／加瀬敏夫／小山裕万／江﨑澄孝／一瀬欽哉／片山義郎／村上雅昭／原田和穂／吉田友彦／青野宗豊（敬称略・順不同）

解説

安原顯

本書の読みどころは幾つもあるが、その一つに、女性蔑視《べっし》問題がある。

むろん乃南アサは、そのことを述べるために傑作『凍《こご》える牙《きば》』を書き下ろした訳ではない。しかし、主人公の音道貴子《たかこ》と一緒に捜査をすることになる古参のデカ滝沢は、女性蔑視の最たる人間で、事あるごとに貴子をいびる描写が頻出する。

最近期せずして、ボーイフレンドも結婚も眼中にない「仕事好き」の二人の美女に、職場での女性差別について驚くべき話を聞いた。彼女たちの話を聞いていると、世界中、どこでもそうだが、なかんずく五流の後進国日本では、滝沢同様の男が圧倒的に多いことを痛感させられる。それも会社の役員らが、彼女たちに直接「雇ってもらって有難いと思え」といった発言を無神経にもするのだそうだ。二人は異口同音、出世など望みはせぬが、同期の男らは、如何《いか》に無能であろうと、精神を病んでいようと、ある年齢になれば課長なり部長になる。しかし彼女たちは、「女」という理由だけで万年平社員のままであり、組織上、彼らに仕えるスタンスになる。これが耐えられないと訴えるのである。一人は大手百貨店の仕切る文化事業部、もう一人は大手新聞社編集部勤務の女性である。しかも前者の場合、経営者が無能無策のため、いつ倒産してもおかしくない状況にまで追い込まれ、あろうことか平社員の彼女の給与まで二割カット、ローンの支払いも苦しくなった。気丈で頭も良く、フランス語も堪能《たんのう》な彼女は、どうせ苦しいならフリーになってやると決意、辞表を叩《たた》きつけた。その折、馬鹿《ばか》役員は慰留しているつもりなのか、喫茶店で、先の「有難いと思え」発言をしたのだそうだ。また後者の女性は、同僚がすべて職制になったことにも耐えてきたが、ある日、臨時雇いで入った女性、雑誌も単行本も作ったことのないど素人《しろうと》が正社員になり、なぜかベテランの彼女を飛び越して職制になったのだそうだ。二人の美女の共通点は、仕事は男の十倍やるが、性格的に「ゴマすり」が出来ない質《たち》ということなのだ。ぼく自身、ある大手出版社で二十数年編集者経験がある。正社員には男女ともに碌《ろく》な者がいなかった。しかし女性誌で、主にアルバイト学生を延べにして五〇人ほど使った時は、体力、知力、責任感ともに、女性の方が圧倒的に優れていることを知った。

ぼくは男女とは、性差の違いだけであり、みな同じ「人間」と思っている。従って、女性誌の編集者をしている時も、特別女性読者を意識したことはなく、「人間」に向けて雑誌作りをし、三割強は男性読者だった。昨今は電車の中で新聞、週刊誌を読む女性を数多く見かける。男同様、時には男以上に働く女性にとって、当然だと思う。そして、乃南アサをはじめ、昨今の女性ミステリー作家の多くが、設定やモチーフに広い意味での現代の社会問題を取り込むようになったことも、そうした時代の流れと無縁ではないような気がする。

昨今のミステリーは、スーパー・ヒーロー、ヒロインは影を潜め、主人公や登場人物はわれわれの等身大、一般庶民というのも特色の一つである。『凍える牙』の場合もそうで、主人公音道貴子は短大出身。母親の反対を押し切って警察学校に入学、白バイ隊員になる。そして数年後、二年先輩の同僚と二六歳の時に結婚するが、貴子が殺人事件担当になってからは擦れ違いの時間が増え、夫は外に女を作り、結局は離婚する。彼女の妹智子《ともこ》も妻子ある男と恋愛をし、後に自殺未遂までする。

一方、相棒になった滝沢は、四五、六歳。妻が男を作って逃げたらしく、三人の子を育てながら仕事をしている。貴子の前では虚勢を張っているが、小説の後半、息子に本気で殴られ、顔に痣《あざ》を作るような生活である。焼死する菅原琢磨《すがわらたくま》（本名、原照夫）も似たようなもので、地元栃木の県立高校を一年で中退、家出を繰り返す内、一六歳の時、遂に行方知れずになり、上京して職を転々とした経歴の持主である。

政官財の信じられぬ破廉恥《はれんち》、連日、三面記事を賑《にぎ》わす不条理な事件、さらには一橋文哉《いちはしふみや》『三億円事件』、岩瀬達哉『われ万死に値す　ドキュメント竹下登』（いずれも新潮社）といった労作を読むにつけ、もしこの二著がノン・フィクションではなく、ミステリー作家がフィクション（作り物）として書いたものなら、「あまりに漫画的、リアリティがない」と、編集者時代のぼくでも退けたと思う。しかし実際は、二著が暴露、告発したような事実が、五流の後進国日本の現実なのだ。政官財の腐敗は極まり、警察は警察で、グリコ・森永事件（一橋文哉『闇《やみ》に消えた怪人』［新潮社］を読んで欲しい）、松本と地下鉄サリン事件、假谷《かりや》さん拉致《らち》事件、国松警察庁長官暗殺未遂事件（谷川葉『警察が狙撃《そげき》された日』［三一書房］

を読んで欲しい)、神奈川県警のあり得べからざる不祥事等々、これまた破廉恥の極、無能の極であり、神奈川県警に対する追及はどう考えてもぬるい。こうした状況下で小説を書き、読者に「リアル」を感じさせるのは至難の業と言ってもいいだろう。

そうしたこともあって、乃南アサは登場人物をわれわれの等身大にしたのだろうが、そうした設定だけでは小説は成立しない。それではどうするのか。腑《ふ》抜けた日本人には想像の埒《らち》外《がい》だろうが、乃南アサはテーマを「復讐譚《ふくしゅうたん》」にした。しかもそれが、とてもリアルに描けており、哀感にも溢《あふ》れている。爆薬製造についても過不足なく書かれている。

なぜ「腑抜け」などと書くのか。松本、地下鉄サリン事件にしろ、二人の少年少女を惨殺《ざんさつ》した少年、最近の「幼稚園児殺し」の主婦等々、本来であれば被害者の肉親らは、殺人鬼を「ぶち殺す!」と考えるのがごく普通だからだ。近代国家に「仇討《あだう》ち」などとんでもないという向きもいようが、日本は本当に近代国家なのか。そうではあるまい。精神はほとんど猿ではないか。また日本では少年、心身喪失殺人鬼には常人の百倍の人権があり、法律、マスコミともに徹底擁護するため、被害者はまさに「殺され損」なのである。こんな不当がまかり通っていいのか。

言うまでもなく、明治以来敗戦まで、日本は天皇制国家だった。ところが戦に負け、千万人からの死者を出し、広島、長崎の原爆、沖縄、その他空襲などで無辜《むこ》の国民も多数死に、家や職場を焼かれ、主人や息子を失い、みな路頭に迷った。にもかかわらず、最高責任者の罪は不問、責任も取らず取らせず、また破廉恥にもA級戦犯岸信介は後に首相になり、馬鹿国民も、それを許容した。そして敗戦後は「むかし天皇、いま人権」で、人権擁護派が「人権無視」と判断すれば、たちまち非国民扱いである。まさに戦前の「不敬罪」を思わせもする。そして、「復讐などとんでもない」との風潮である。ぼく個人の家族がもし殺人鬼に殺されれば、必ずや「相手をぶち殺す」と、常日頃考えている。という訳で『凍える牙』の犯人に、ぼくはごく自然に感情移入できた。

さて、本書には、もう一つ忘れてはならぬ主人公が登場する。犬とオオカミとの合いの子、ウルフドッグ「疾風《はやて》」である。本書が傑作たり得た要因も、この「疾風」の存在にある。体長一・六メートル、黒っぽい灰色のオスの「疾風」が見事に造型できているからだ。

貴子と「疾風」の描写は三度出てくるが、ここではその内の二度の描写を引いておこう。〈わずか二、三メートル程先の、朝日も射《さ》さないアスファルトの路上に、疾風は、すっくと立っていた。

「——疾風」

貴子が呟《つぶや》いたのと、周囲の空気がわずかに動いたのとが同時だった。長い、尖《とが》った顔、大きな耳。普通の犬よりも、足が長いようだ。遠目に見ても、体毛が密生していることが良く分かる。毛足の長い、太い尾は、真《ま》っ直《す》ぐに宙に伸びていた。そして、あの目だ。これまで、写真でしか見たことのなかった、深みのある瞳《ひとみ》が、真っ直ぐに貴子を見据えていた。

——これが、疾風。オオカミの血を受け継ぐ犬。

思っていた通りだった。強烈な存在感。威厳。気品。知性〉（中略）〈まるで、夜明けの谷

間に漂う雲のように、疾風は、ただそこにいた。うなり声も上げず、その静かな表情からは、怒りも、憎しみも感じられなかった〉

貴子と「疾風」が最初に出会うシーンである。

〈瞳が緑色に輝いている。大きな、黒い鼻の頭。鼻面《はなづら》から目の周囲は白い毛に覆《おお》われ、その輪郭を取り囲むように、黒っぽい毛が包んでいる。そして、耳の後ろから首の周囲には、短いたてがみのような銀色の毛が伸びて、顔や全体を囲んでいた。肩の高さよりも顔の位置を低くして、前足を心持ち開いて立つ姿勢は、犬などではない、まさしくオオカミだ。いかにも静かな、時の流れさえも吸い込みそうな姿。そこからは、殺気も、敵意も感じられなかった。ただ、瞳だけが強烈な光を放っていた〉

貴子が「疾風」と対峙《たいじ》したシーンだ。

そして最後、感動的な「エピローグ」が待っているのだ。

冒頭にも触れたように、昔の男らも碌な者ではなかった。しかし昨今の男は性根が腐り切り、生きる目的といえば、出世と銭カネでしかない。礼節、矜持《きょうじ》、責任感、恥辱など、とっくの昔に死語、勤め人は、ひたすら人間の屑《くず》、上司にゴマをすり続け、上司は上司ですらせ、隙《すき》あらば小銭を掠《かす》め取ろうと卑《いや》しく立ち回り、そうした己の醜悪さにも気づかず、出来損ないのロボットよろしく、生涯、右往左往して終わるのだ。いまや勤労者の八割がこうした輩《やから》であり、こうした者らが選挙権を持っているため、日本はいま壊滅寸前なのだ。むろん「牡《おす》」としての機能も低下している。乃南アサは、そんな男らの作る社会にうんざりし、「疾風」を造型したと、少なくともぼくは思いたい。つまり「疾風」の中に、本来「牡」が持っていなくてはならぬすべてがあるからだ。

（一九九九年十二月、スーパーライター）

この作品は一九九六年四月新潮社より刊行された。

乃南アサ著

女刑事音道貴子
花散る頃の殺人

32歳、バツイチの独身、趣味はバイク。かっこいいけど悩みも多い女性刑事・貴子さんの短編集。滝沢刑事と著者の架空対談付き！

乃南アサ著

女刑事音道貴子
鎖（上・下）

占い師夫婦殺害の裏に潜む現金奪取の巧妙な罠。その捜査中に音道貴子刑事が突然、犯人らに拉致された！　傑作『凍える牙』の続編。

乃南アサ著

女刑事音道貴子
未練

監禁・猟奇殺人・幼児虐待——初動捜査を受け持つ音道を苛立たせる、人々の底知れぬ憎悪。彼女は立ち直れるか？　短編集第二弾！

乃南アサ著

女刑事音道貴子
嗤う闇

下町の温かい人情が、孤独な都市生活者の心の闇の犠牲になっていく。隅田川東署に異動した音道貴子の活躍を描く傑作警察小説四編。

乃南アサ著

女刑事音道貴子
風の墓碑銘《エピタフ》（上・下）

民家解体現場で白骨死体が発見されてほどなく、家主の老人が殺害された。難事件に『凍える牙』の名コンビが挑む傑作ミステリー。

乃南アサ著

いつか陽のあたる場所で

あのことは知られてはならない——。過去を隠して生きる女二人の健気な姿を通して友情を描く心理サスペンスの快作。聖大も登場。

乃南アサ著　死んでも忘れない

誰にでも起こりうる些細なトラブルが、平穏だった三人家族の歯車を狂わせてゆく……。現代人の幸福の危うさを描く心理サスペンス。

乃南アサ著　5年目の魔女

魔性を秘めたOL、貴世美。彼女を抱いた男は人生を狂わせ、彼女に関わった女は……。女という性の深い闇を抉る長編サスペンス。

宮部みゆき著　魔術はささやく
日本推理サスペンス大賞受賞

それぞれ無関係に見えた三つの死。さらに魔の手は四人めに伸びていた。しかし知らず知らず事件の真相に迫っていく少年がいた。

宮部みゆき著　龍は眠る
日本推理作家協会賞受賞

雑誌記者の高坂は嵐の晩に、超常能力者と名乗る少年、慎司と出会った。それが全ての始まりだったのだ。やがて高坂の周囲に……。

宮部みゆき著　火車
山本周五郎賞受賞

休職中の刑事、本間は遠縁の男性に頼まれ、失踪した婚約者の行方を捜すことに。だが女性の意外な正体が次第に明らかとなり……。

真保裕一著　ホワイトアウト
吉川英治文学新人賞受賞

吹雪が荒れ狂う厳寒期の巨大ダムを、武装グループが占拠した。敢然と立ち向かう孤独なヒーロー！　冒険サスペンス小説の最高峰。

北村薫著
スキップ
目覚めた時、17歳の一ノ瀬真理子は、25年を飛んで、42歳の桜木真理子になっていた。人生の時間の謎に果敢に挑む、強く輝く心を描く。

誉田哲也著
アクセス
ホラーサスペンス大賞特別賞受賞
誰かを勧誘すればネットが無料で使えるという「2mb.net」。この奇妙なプロバイダに登録した高校生たちを、奇怪な事件が次々襲う。

伊坂幸太郎著
重力ピエロ
ルールは越えられるか、世界は変えられるか。未知の感動をたたえて、発表時より読書界を圧倒した記念碑的名作、待望の文庫化！

伊坂幸太郎著
ラッシュライフ
未来を決めるのは、神の恩寵か、偶然の連鎖か。リンクして並走する4つの人生にバラバラ死体が乱入。巧緻な騙し絵のごとき物語。

伊坂幸太郎著
オーデュボンの祈り
卓越したイメージ喚起力、洒脱な会話、気の利いた警句、抑えようのない才気がほとばしる！ 伝説のデビュー作、待望の文庫化！

伊坂幸太郎著
首折り男のための協奏曲
被害者は一瞬で首を捻られ、殺された。殺し屋の名は、首折り男。彼を巡り、合コン、いじめ、濡れ衣……様々な物語が絡み合う！

新潮文庫最新刊

桜庭一樹著
青年のための読書クラブ
山の手の名門女学校「聖マリアナ学園」。謎と浪漫に満ちた事件と背後で活躍する読書クラブの部員達を描く、華々しくも可憐な物語。

梅原猛著
親鸞「四つの謎」を解く
出家の謎、法然門下入門の理由、なぜ妻帯したか、罪悪感の自覚……聖人を理解する鍵は、「異端の書」の中の伝承に隠されていた！

中曽根康弘著
自省録
―歴史法廷の被告として―
総理の一念は狂気であり、首相の権力は魔性である。戦後の日本政治史を体現する元総理が自らの道程を回顧し、次代に残す「遺言」。

仲村清司著
本音で語る沖縄史
「悲劇の島」というのは本当か？「琉球王国の栄光」は幻ではないか？日本と中国に挟まれた島々の歴史を沖縄人二世の視点で語る。

平岩弓枝著
私家本 椿説弓張月
武勇に優れ過ぎたために、都を追われた、悲運の英雄・源為朝。九州、伊豆大島、四国、そして琉球と、流浪と闘いの冒険が始まる。

七月隆文著
ケーキ王子の名推理《スペシャリテ》2
未羽は愛するケーキのお店でアルバイト開始。そこにオーナーの過去を知る謎の美女が現れて……。大ヒット胸きゅん小説待望の第2弾。

凍《こご》える牙《きば》

新潮文庫　の－8－1

平成十二年二月一日発行
平成二十九年六月五日二十八刷

著者　乃《の》南《なみ》アサ

発行者　佐藤隆信

発行所　株式会社　新潮社

郵便番号　一六二―八七一一
東京都新宿区矢来町七一
電話　編集部（〇三）三二六六―五四四〇
　　　読者係（〇三）三二六六―五一一一
http://www.shinchosha.co.jp

価格はカバーに表示してあります。

乱丁・落丁本は、ご面倒ですが小社読者係宛ご送付ください。送料小社負担にてお取替えいたします。

印刷・錦明印刷株式会社　製本・錦明印刷株式会社

ISBN978-4-10-142520-7 C0193